戴國煇全集 

日本與亞洲卷・一

◎日本人與亞洲

◎未結集1：探索日本

目次

contents

日本人與亞洲

輯一　日本與亞洲問題新探

輯二　日本政治・外交論

未結集1：探索日本

輯一　從亞洲看日本

輯二　日本文化與社會

戴國煇全集 13

日本與亞洲卷・一

日本人與亞洲

翻　　譯：林彩美・陳鵬仁・喬　軍
劉靈均
日文審校：林彩美
校　　訂：吳春宜

輯一

日本與亞洲問題新探

東南亞的虛像與實像

◎ 喬軍譯

引言

今天承蒙邀請，非常感謝。這些天來一直在會館裡悉聽眾說，今天第一次當講師，深感榮幸。

剛才穗積先生好像希望我談一些日本人尚未觸及的問題，以及被大家忽略的事情。坦率地講，本人的研究雖然還很膚淺，但並不否認已經觸及了一些日本人各位還未關注到的問題。

我這趟東南亞考察之旅，從一開始就不是可放手隨意而行的。

台灣是我的故鄉。在那裡我還有不少知交，所以自信起碼不會被人戴上漢奸、「日本帝國主義」走狗的帽子。但是到了東南亞，可就不敢這麼說了，在第二次世界大戰這場惡夢的餘緒中，台灣人被打上了「背叛者」的烙印，受到排斥，據說至今仍不受歡迎。所以從臨行前我就在想該怎樣去接近那裡的華僑社會。

在選擇採訪對象時，我首先將考察範圍限定在民間，再進一步把我可以自由地用客家話進行交流的客家同鄉會鎖定為第一類對象。其實說起來也是因為我知道客家人不怎麼拘泥於籍貫。

由於是初次旅行，又限於時間上的關係，接觸面有限，所以我將第二類對象鎖定為記者、大學教師、同鄉會幹部等。

方法是首先通過熟人或者利用同為客家人的關係來建立起初步的信賴感，然後再以此為基礎拓寬對象的範圍。而且我特別注意在拜訪華僑時不讓日本同事同行。

現在回頭看這趟旅行，可以肯定當時的這番苦心沒有白費，且這麼做也是理所當然的。不過最初我還真有些忐忑不安呢！

在台灣和香港的工作還算順利，到了新加坡可就不一樣了。當時恰逢日本首相佐藤榮作與美國總統尼克森（R. M. Nixon）發表聯合公報（1969年11月21日），以《星洲日報》為首的新加坡各家華文報紙馬上有所回應，對日論調相當嚴厲。但遺憾的是日本媒體幾乎沒有報導過這些言論。

本來由「血債」等問題而引發的馬來半島一帶華僑的對日警戒情緒就已經極為高漲。在這種背景下，繼海上自衛隊的訪問、對麻六甲海峽的調查等一連串的舉動後，日本又發表了佐藤・尼克森聯合公報。這就使得警惕日本進入東南亞、警惕「日本軍國主義」復活等主旨的言論此起彼伏。後來才聽說此前學生們曾在南洋大學辦過「沖繩問題」論壇。

我不知道在此種狀況下，當地民眾是怎樣看亞洲經濟研究所的，所以免不了有些擔心，剛開始行動時也十分謹慎，真可以說是「靜如處子」。

亞洲的國際感與日本

恕我直言，首先我要說的是日本的報紙做得還很不夠。

比如就連日本的代表性報紙《朝日新聞》上，幾乎都沒有關於東南亞的報導。即使有，也只是在新加坡有人被殺，或者在哪裡進行了選舉、馬尼拉的總統大選等簡要報導，之後就擺出一副事不關己的姿態。要知道東南亞的報紙（這裡指華僑報紙）在編輯上可是有卓越的國際意識。當然這樣的編輯方針大概是和華僑的存在攸關，用句俗話說就是迫於生計，或者說是和他們的生存問題息息相關。但對於日本而言，和自己生存相關的只是歐美，並非亞洲。而我認為實際上現在和日本密切相關的卻正是東南亞地區，相比之下，日本的報紙做得還很不夠。比如新加坡的報紙，不管是《星洲日報》還是《南洋商報》的版面都設有國際專欄，除了中國大陸、日本、香港、馬來西亞、新加坡，還有印尼專欄。順便提一句，做為一名研究者，我認為在讀報時只需大致留意一下副刊就應該可以評斷該報的水準了。對了，這裡的「副刊」是中國的說法，在日本應該稱之為「文藝欄」吧。

好了，回到正題上來吧。其實在此之前我從未到過東南亞，研究所的同事們也大多說那裡非常落後，簡直無計可施。當然其中也有人執不同意見。僅從我讀新加坡和吉隆坡的華僑報的感想來看，好像也沒覺得那麼落後。俗話說「百聞不如一見」，這次在當地不僅感受到了他們明快的國際感、熟知國際形勢，而且也驗證了實際上那裡並不落後。

另外我還想談談報社記者。頭一次和這麼多記者交流，其中有日本記者、當地的主編、主筆群，還有幾位年輕的中堅記者，但說句實在話，精通當地語言的日本記者真的很少。

碰巧有位熟識的日本記者A在新加坡。一問才得知他寫的東西不一定都能見報。可見駐外記者的個人問題僅是其中一個原因，究其根柢還是日本報界的報導態度問題。日本新聞界好像還沒有意識到要從本質上去接近東南亞。

更明確地講，這不只是報界的問題，而是需要深入地思考整個日本民族對亞洲的認識，歸根究柢是日本的亞洲觀大問題。

只要日本人輕視亞洲、蔑視亞洲的意識還根深柢固地存在著，那麼一些賢士提出的諸如「外務省的駐外公館裡沒有亞洲專家；優秀的人不會被派到開發中國家任職，去的人簡直就是受命赴任；只是一時委身於此罷了；缺乏在當地穩紮穩打的幹勁；中下級官僚的專業性和特殊性不受重視……恐怕因其不熱心辦事，有熱中於自己的愛好之嫌」等指摘久而久之就成了老調重彈，不管用了。

偏離主題、操之過急的結論

還是重新回到主題上來吧！接下來講講在新加坡的事情。一次在老友舉行的接風宴上，大家正在相談甚歡之時，有位年輕新結識的研究者注視著我說：「戴先生，您應是不會很快下結論的吧？」他無非是想說日本的研究者及報社記者們只要進行一週左右或更短的旅行就可以馬上大筆一揮，說什麼「一處不漏」地遊遍了「每個角落」，已經完全「瞭若指掌」了。也許他們嫌工資低想多寫些東西賺點稿費，但也該顧及一下被寫者的感受啊！日本經濟正處在高速成長期，看起來就像「踩腳踏車」一樣〔譯註：如不踩，腳踏車就會停止不前並倒下〕。有趣的是出版界也是如此，那些撰稿人不也是在踩腳踏車嗎？這些話雖是對日本人的譏諷，聽起來也是對我的警告。幸好本人生來就懶，寫東西也慢。雖然有時也不得不趕時間，但在旁人眼裡還是缺乏緊迫感。所以我告訴他不用擔心。

由此而想到的是，日本人非常重視自己的資訊管道。當然這是好事，不過他們的資訊管道通常有自限為單一的癖好。日本人一般比較內向，好像對開拓新管道表現得不怎麼積極。另外受這種性格的影響，當他們聽到對日本的批判時就會感到十分頭疼，或者拒之千里，不客觀地看待批評；要不然就像鸚鵡學舌似的，不好好地發表自己的主張，卻學著對方的口吻大聲叫囂。最糟糕的是，有許多人從一開始就不願意去接觸、去面對與自己不同體質的批判者。

我曾讀過幾篇文風十分潑辣的社論，作者是新加坡一家頗具影響力的華文報紙主筆。因為文章中的對日批判極為尖銳，所以日本大使館好像對他也頗感頭疼。尤其讓他們感到困惑的是，據說該報的發行量由於他的社論得到了許多知識分子的支援而增加。可是當我向前面提到過的A記者和大使館的人問及有沒有和此人接觸過時，得到的卻是一番閃爍其辭的回答。

其實我本來就想拜訪這位報社主筆，聽了他們的話就更按捺不住，於是介紹人也不找了，乾脆自己打電話和他聯繫。這位主筆很爽快地答應了我的要求。我們在一起談了兩個小時，在交換了看法之後，我還得到他的贈書。看來人家也並非老頑固。

經由這次短暫的經歷，我發現雖然我們常常把華僑問題放在心裡、掛在嘴邊，但實際上卻沒有去好好研究、深入地接觸，即使接觸，也只限於和日本淵源頗深的人。之後這些人的發言好像馬上就被一般化了。有些人不知道自己是在瞎子摸象，還一個勁兒地提什麼「新見解」，他們沒有好好地學過中文，當然也就不可能和華僑記者和真正在華僑社會有影響的人物進行深入交流，在社交場合上聊一聊就自以為領會了對方的真意而馬上做出結論。急於得出結論的人是有問題，但我們也不能忽視，正是日本社會的大環境造成了這種局面。

另外，那些「economic animal」（經濟動物）、「yellow yankee」（黃皮膚的美國佬）等涉及日本人形象問題的確也不容忽視。日本財經界上層也在關注此問題。但我覺得更嚴重的是他們對待問題「一窩蜂」的態度。我擔心這關注只是曇花一現——好了傷疤忘了痛。

在面對該問題時，人們彷彿都把焦點集中在要改正這些阻礙日本經濟對外國進行滲透的日本觀或日本人觀上。其實正是因為這樣，問題才不可能得到根本解決。

在場的各位應該比我更清楚問題的根源並不在此吧！

缺乏溝通，一味言商

下面再向大家彙報一些更具體的事吧！

這是在曼谷時的事了。那時有位26歲的日本青年K，在我認識的一位華僑經營的工廠裡做短期技術指導。我想講講和他交談後的感想。

K是個善良的好青年。他從短期大學畢業後，三年了，一直努力地學習泰語，對那些臭名昭彰、專拉日本客的酒家深惡痛絕。他感歎當地的技術落後了20年，恐怕很難超過日本。正是因為他太認真了，所以沒有察覺到自己在對當地絕望的背後有一種優越感。於是我問他是否正視過明治維新以來的日本技術發展史，是否知道挽著髮髻的祖先曾被白人蔑視為野蠻人。聽了這些話他變得有些垂頭喪氣，只是默默地看著我。我又問他對「economic animal」等說法是怎麼看的。他深深地歎了口氣，無可奈何地回答道：「唉！沒辦法啊！我是一名公司職員，所以就只能為公司效力，也就是必須為了給公司創造高效益而工作。」

在日本企業進入外國時，被派到當地的多是推銷員和技術人員。其中許多人都成了只會埋頭苦幹的員工。遺憾的是他們連日本的歷史、日本的問題都不知道，就這麼去到當地。諸位先生「趕」出來的雜文就成了他們了解當地情況的速成教材。不用說，正是這些人拿著在日本只有部長才能拿到的高薪、僱著女傭人、盡情享受著高爾夫球的樂趣。在這樣的生活當中，他們要把當地的什麼東西帶回日本？又把日本或者日本人的什麼東西帶到當地？其實民族間的交流不應只局限在機械、技術、生意往來上。可實際上怎麼樣呢？好像沒有跨出這個範圍吧！在當地也常聽到一些指責日本企業的聲音──他們來了、賣了機械，可是幾乎沒想過要進行文化交流。聽了這些話，的確，好像在日本舉行的文化交流活動中受邀請的外國「文化人」多為歐美人，音樂、美術展覽會差不多也是這樣。我覺得考慮能不能從交流活動中取得經濟效益不是唯一的原因，似乎日本的領導層認為開發中國家無文化可言，只有一些當地的風俗。像這樣的偏見應該予以糾正，只要這樣的錯誤認識一直存在下去，那麼不管嘴上怎麼喊亞洲為一體，為了亞洲人要如何都是空話，當然得不到信任。

東南亞的有識之士們正試圖著在對抗歐美近代中發現恢復創造力的契機，想在否定自身不好的傳統的與揚棄歐美近代的過程中找到今後的展望。因此如果帶進和此歷史潮流相矛盾之物的話，是得不到他們的信任。

我可以毫不忌諱地說，即使在日企進駐的地方也出現了對日本的不信任和牴觸情緒。在台灣，尤其是那些當地市場支配型的日本企業，當本地的民族資本已經蓄積了一定能量時，進駐台灣的日企，會感到強大的壓力。

在檳城和台北兩地甚至聽到了這樣的批評：「日本企業太狡猾了。他們把整廠機械設備的價值估得過高，有的甚至縮短折舊期，把舊機械運進來。如果有賺頭，他們就提出增加資本，進一步虎視眈眈地盯著經營的主導權。還有的在開始時給我們一個徒有其名的社長或高層的位子什麼的，可卻不讓我們插手經營，趁機逐漸提高投資比率獨吞利潤。」還有的當地人說：「技術援助徒有虛名，專利權使用費太高，就是去日本進行研修也學不到關鍵的東西，就是這樣他們還老是說給了我們援助、指導什麼的，讓我們感恩戴德。」

日本難以贏得信任的真相

分析一下產生這些不滿的原因，就會發現：第一，所謂的經濟、技術援助這些包括延期付款等商業基礎的企業進入，本來就屬商業範疇。如果冠之以「援助」名目的話，就會招來誤解。

明知道是構虛的，還強調說要援助，那麼當然會發展到讓合作的對方感到困惑不滿的地步了，而且只要矛盾一加劇就會爆發。所以日企應該提高透明度，如果光明正大地表明是經商或者是企業在海外追求利潤的話，那麼也就沒必要在合資經營時把機械設備的價值估算得那麼高，另外也可以在徵得對方的同意後再投入舊設備了——當然不透明才是竅門。

第二，如果是合資企業的話，就要考慮到在開發中國家和地區的合作夥伴多為商人資本或商業資本，而日方是產業資本，所以思維方式和辦事方法不同。當然做生意是為了賺取利潤，投資報酬率若太低是不行的，有時為了追求效益就無法慢慢地等待合作方成長起來，從而釀成將專案延期或暫時擱置起來的後果。增資也是如此。在開發中國家和地區的合作對象中，由於對方的資金周轉能力較弱，而企業又急著折舊，所以就不得不採取增資的手段來提高日方的投資比率了。當然如果當地政府插手的話則另當別論。

第三，既然說是援助，那麼收取技術指導費或顧問費就不合情理了吧！這裡面虛虛實實的，才會發生問題。而且按常理來講，要援助就應該傳授最先進的技術，可事實並非如此，所以研修生們才會有意見。

不好意思，話又扯遠了。下面我想談談當地年輕人對日本的看法。我在新加坡停留了九天，其中有一個星期左右吧，每天早餐時都能和大學二、三年級的學生聊一聊。

他們是這樣看日本人的：「日本民族是個優秀的民族，我們歎服日本人的能力。令人震驚的是敗戰時百廢待興的日本竟然在這麼短的時間就發展起來了。」但也聽到不少話裡帶刺的發言：「為什麼日本人不能自己堂堂正正地進入亞洲呢？他們為了維持經濟的高速成長而進入亞洲是可以理解的，可怎麼老躲在美國的庇護傘下呢？日本人的大和魂到哪兒去了？」真是耐人尋味啊！他們基本上都是反美的，所以對1969年11月21日的佐藤・尼克森聯合公報表現得很敏感，存有戒心。談了一會兒後，我試著問他們是怎麼看血債問題的。他們冷靜地回答了我的問題：「那是過去的事情了，我們不會總往後看。倒不如說讓我們更感興趣的是今後該怎樣和這些擁有無窮精力的日本人共處，還有該怎樣才能夠一起攜手共進。我們所希望的是血債不再重現，而非動不動就揭舊傷疤。」

還有許多年輕的女孩說從月曆上和日本電影裡看到日本是個美麗的國家，所以想去看看。說實在的，我真想和她們說現在那些美好的自然景觀正在不斷地遭受破壞，也許以後只能在明信片、月曆、照片上才能看到了。不過為了不讓她們失望，我還是抑制住了這股衝動。

只是這些華人系青年在肯定日本人的同時，也多次強調，非常擔心日本軍國主義會不會以沖繩歸屬日本為契機而復活。

具體的時間忘記了，大概是在去年〔1969〕年底吧，在我第二次去香港時看到香港的親右翼報紙——《星島日報》的文藝專欄裡登著題為「有關南京大屠殺記憶之札記」的文章。不過不管左翼還是右翼，都在佐藤・尼克森聯合公報發表後表現出了警戒的姿態。在此順便向諸位提一下。

亞洲落後嗎？

最後我想對這次旅行做個小結。首先還是那句話——百聞不如一見。恐怕會館的預算比較緊，但我還是建議諸位在工作之餘出去走走。我這次也是第一回走出去，才發現原來自以為知道的東西，或是透過文獻了解到的東西其實沒有什麼大不了的。如果只滿足於這些東西的話，甚至會有認識錯誤的危險。

其中有一種危險的看法，就是認為東南亞非常落後。這次我去了馬來西亞農民生活的水田地帶，因為我不懂馬來語，所以請朋友當翻譯走訪了當地的農民，聽一聽他們的想法。我覺得他們絕不像日本新聞界和輿論所說的那樣落後。我總在想，究竟什麼是落後呢？先插幾句題外話吧！在新加坡大學、南洋大學、馬來西亞大學裡和本人從事同樣職業的人，說得露骨點，他們的收入都比我高；再看看他們住的地方、周圍的環境、開的車，算算他們享受的物質生活有多豐富，這樣一比，到底是哪裡更落後一些呢？

而且不僅僅是物質生活方面，比如新加坡的環保意識，還有各種文化活動等等，相比之下我們這些在東京生活的人還能說享有比他們更高的文化生活嗎？很可疑呀！吾輩是不會為了聽音樂會而掏出2,000日圓大鈔，也不會去參觀展覽會什麼的。從這個角度來看，日本的生活水準究竟高還是不高呢？所以好幾次參加討論會時，我都會提到這些問題。都說日本的生活水準高，實際上並非如此。只是日本的消費太高了，其實生活水準並不高。

當然我也承認當地的貧富差距很懸殊，但是那些傳達東南亞很落後的人是不是也有些太自以為是了呢？由此可見，我們看亞洲看的只是一個虛像。現在，這些和實像相距甚遠的虛像不正在大行其道嗎？

帶著商品目錄的傳教士

從現在日本的情況來看，一般來說能進入東南亞當地的只有亞洲經濟研究所的一部分人，還有大使館的人和商社的職員吧！我不由得想起了戰前的歐美傳教士，現在想想日本商社的推銷員們不正是不拿《聖經》，而拿著商品目錄深入到東南亞偏遠地區的傳教士嗎？歐美的傳教士基本上都會仔細調查當地的情況，進行研究。但是這些拿著商品目錄的傳教士們可沒做調查研究啊！就算學習了、研究了也只是生意上的東西。關於大使館有關人員的問題，相信日本諸位都非常清楚，我就不再說了。現在的亞洲經濟研究所成立才十年，在265名職員中只有100名研究者，研究範圍卻幾乎覆蓋了世界上的開發中國家和地區，真是不容易。在大學裡也有一些教師在關注亞洲，不過人數尚少。現在應該拿不到什麼研究經費，也沒有什麼像樣的講座吧！所以才會出現急著要求提出結論的情況，培養出一些速成專家。不用說也出現了一些自封為專家的人，當然這也沒有什麼不可思議的。

恕我冒昧，目前在日本既能通曉自己所研究的國家歷史、社會、風俗、習慣，又可以讀透當地發行的報紙、雜誌，進行分析研究、名副其實的研究者恐怕頂多每國也就一兩名吧（中國領域除外）！在這樣的氛圍裡，當然不能準確地把握住實像了。就是現在在會館裡的各位，恐怕也沒有人能夠自如地用當地語言和研修生或留學生進行對話吧！也許工作太忙、預算太少，沒有好好學習外語的條件是沒辦法的事，但不能說現在的這種狀況是正常的。退一步講，就是會外語也不見得能解決所有問題。因此只有對當地懷著深厚的感情、廣泛地關注各種問題、具有敏銳的問題意識才能發現問題所在。

另外日本的媒體也存在不少問題。一直以來只顧歐美，因為他們認為把中國、亞洲過於當回事的話可是會出現赤字虧損的。若把賣點定在旅行遊記、台灣的夜生活、在東南亞嫖妓等走馬看花內容文章的話，我看也快慢慢陷入與美國相差不遠的狀況了。

如果針對最近在曼谷發生的日本職員被殺案，和在新加坡發生的日本職員妻子被殺害等事件進行報導的話，充其量也就是個小道消息，只能暴露出一些單身赴任的問題。其實真相並非如此。那是當地人所背負生活的每天形象。在這些事件的背後，是日本職員不把那裡的人當人看、有一種優越感，蔑視亞洲人。可是大多數人還沒有意識到這些問題。

與這些問題相關聯，我在思考當前日本面對的問題到底是什麼，如果不更加積極地去探尋的話恐怕就來不及了，在我看來甚至有為時已晚之感。

我在新加坡時，曾指出當地的知識分子對虛像的形成也要負一定的責任。

你們批評了日本的新聞記者，還有學者諸公急於求成，寫的東西沒有可信性。現在我想反過來問問外國專家們到底有沒有對日本進行過研究呢？諸位看得懂日文，如果更深入地去了解日本和日本人，就應該能對日本人的謬論做出反應。這話我對在前文中提到過的剛剛認識的青年研究者和《南洋商報》的總編也說過。後來看到在《南洋商報》上刊登的，題為「今後是否應該加強對日本研究」的社論，在略感吃驚之餘還有一絲欣喜。

最後我要強調的是，他山之石可以攻玉，包括本人在內的亞洲經濟研究所和從事有關亞洲工作的人們必須以美國在亞洲的失敗教訓為鑑。

年年擴大的經濟「援助」規模，投入了大量的人力、物力進行所謂的「地域研究」，而這些幾乎都未奏效，不僅如此，到最後還搞得美國不得不自行撤出。我相信通過綜合地檢討他們的失敗可以吸取許多經驗教訓，可是恕我孤陋寡聞，好像從來沒聽說過有這方面的學術論壇，真是可惜。

另外我還認為在吸取二次大戰教訓的同時，有必要將這些教訓固定化、普遍化，進一步研究下去。

不好意思占用這麼長的時間來闡述本人的意見。冒昧直言，敬請見諒。謝謝！

（本稿係根據1970年2月28日於亞洲文化會館舉行的東南亞考察旅行報告的錄音整理而成。在編入本書《與日本人的對話》

時略有改動。文中的穗積先生為亞洲學生文化協會理事長穗積五一）

本文原刊於《アジアの友》，東京：アジア学生文化協会，1970年5月

讀「同文同種」

◎ **陳鵬仁譯**

日本的《廣辭苑》說：「同文同種」是「同其文字，同其人種。主要是指日本與中國而言」。

在另一方面，中國的代表性辭典《辭源》和《辭海》，卻都沒有「同文同種」這個項目。中國人的語法是將「同文」和「同種」分開使用，不但沒有像日文把它當作一句成語來用，而且隨便地特別為強調日本與中國的關係來使用是幾乎沒有。

我說幾乎沒有，乃是要保留在中國也有極少數的人這樣用的意思。

過去，中國的一部分知識分子，曾經為了迎合日本人之同文同種論的「討好」，從而「狡猾地」倒過來欲利用這個同文同種論（他們認為自己成功地利用了它）。

由於「同文同種」是日本人的發明，為有利於侵略所做的冠冕堂皇藉口「日韓同祖【宗】論」、「成吉思汗即源義經說」（通於日蒙同祖【宗】論）同出一轍，所以只簡單說「同文同種」容易導致誤解之論就草草了事，或許將又是「好了傷疤忘了痛」。真是可怕的事。

大中華思想，一方面希望將日本人視為徐福（秦始皇時代，為尋求不老長壽藥草，帶童男、童女各3,000人出航東海未歸國故事主人翁）一行的後裔，願視日本人是同種，在另一方面，因日本人對外太具有攻擊性，且有不在意「他人」之「任性」行動的習性，因此不希望將其視為同種。至於文物（包括文字），將奈良的東大寺、日光的東照宮、絢爛的和服視為唐式，從而大有輕視日本人創造性的傾向。

總而言之，我們在今日和將來所希望實現的「同文同種」，絕非侵略之口實或是基於中華思想之自我欺騙、自我陶醉等等的產物。

越南、朝鮮兩個民族為確立自立精神所做對漢文化的挑戰（廢止漢字、漢文化的對象化等等），我認為這是一件好事。

我希望並主張中日兩個民族應該向他們學習，在尋求真正的自己民族之物的過程中建立連帶關係，互相承認和接納其他民族以及民族文化所擁有的相同價值，在對等同格的基礎上，共同形成世界文化，俾使人類歸於一個共同體。

我願意提倡此種意義上的「同文同種」。因為我們只共有一個地球。

本文原刊於《毎日グラフ》，東京：每日新聞社，1972年4月2日

「耕織圖」與東亞

◎ 陳鵬仁譯

如題名所示，「耕織圖」是「耕」與「織」的圖。但「耕」是指水稻田的耕作，「織」不是指棉，而是以養蠶繅織基本作業所畫的圖。

今日我們到處可以看到的〈佩文齋耕織圖〉是複製品。「佩文齋」是清帝書齋的名稱，真圖與其他《佩文韻府》、《佩文齋書畫譜》以及《佩文齋詠物詩選》等書一樣，成於清聖祖（康熙帝）的敕撰。可是如果追溯〈佩文齋耕織圖〉源頭，則可追溯到成於宋之樓璹（號壽玉，1090～1162）之手的「耕織圖」。

這暫且不談，我所收藏在日本所複製的〈佩文齋耕織圖〉版本（一本是東京東陽堂於明治25年〔1892〕10月27日所出版，書名完全相同，以下我將其稱為1；另外一本是東洋耕織圖書會，慶祝昭和天皇登基，於昭和3年〔1928〕11月10日所出版的〈康熙帝御製耕織圖附豳風圖〉，稱其為2）。其結構為，卷頭有康熙帝的〈御製耕織圖序〉，圖畫上欄，1有雍正、乾隆、康熙三帝之順序的詩；2只有康熙帝的七言詩在上欄，雍正、乾隆兩帝的詩錄於別欄，圖中還有樓璹的五言詩。圖畫耕、織皆由二、三幅構成，前者由浸種到祭神，後者由浴蠶到成衣的結構。

圖畫的作者是焦秉貞，因此我手上的版本可能都是以康熙帝敕撰本為底本的。唯因圖上的詩包括乾隆帝的御製詩，故應該也參考乾隆帝時代以後所發行的複製本才對。

不過考證版本不是本文目的。我關心的是，這些圖畫既畫得那麼精緻，由其圖解可以窺知宋朝時代稻作、養蠶、繅織等技術這件事，並引起我的興趣。

樓璹的原圖及其附詩是，他於宋高宗（1127～1162年）時代，擔任臨安（今浙江省杭州市）於潛縣令時，探訪當地農民困苦情形，除研究農桑、耕織的始末將其情形畫成圖畫外，意圖將農桑業者的困苦情況告訴飽食暖衣者，並附上五言八句詩而成。

從上述的成書經過，我們可以知道，耕織圖可以說在某種程度上反映宋朝時代華中農民的生活狀況。原圖後來遺失了，元、明、清皆有所複製，進而傳到了朝鮮半島和日本。

我們當然關心原圖的複製隨時代的變遷產生了怎樣的變化，但我們更關心在中國大陸內部，在橫向擴大的過程中所衍生耕織圖的同類書在圖畫上有哪些變化，而流傳到外面的部分，特別對朝鮮和日本有過怎樣的影響，希望透過比較研究各國的同類書，是否可以弄清楚這些問題。

我們再把話題擴大範圍一些，如果我們能弄清楚宋朝以後有關東亞的農桑技術，到底如何相互關聯並展開，如果能夠解明那可真是莫大的奢望。

自發掘高松塚的古墳以後，東亞史全貌的建構成為時下的話題。因此農書、農法的研究，將不像過去只限於一國之框架內，今後更會令人意識到遺漏關係史的研究絕不是建設性的。

我開始意識到耕織圖在東亞關係史研究之重要性，並不以高松塚古墳之發掘為契機。而是於1970年初夏，為了撰寫〈岡田謙博士與台灣〉一文（刊於《亞洲經濟資料月報》第12卷第10期，1970年10月號）〔參見《全集》15〕，前往採訪時在東京大學東洋文化研究所的泉靖一教授，看到他的牆壁上掛著朝鮮人所畫耕織圖所引起的。

中國畫家是不是喜歡以耕織圖為題材，我不得而知，但江戶時代的日本畫家之喜歡以它為題材是大家所知道的。

根據天野元之助博士的說法（《亞洲歷史辭典》〔《アジア歷史辞典》〕3，日本：平凡社，頁256），檢視現今存在的日本畫家的作品，有狩野之信的〈襖繪耕作圖〉（存於京都柴野的大仙院）、岩佐又兵衛的〈屏風耕作圖〉、長谷川春信的〈春耕圖〉和兵庫縣香住應舉寺的〈襖繪耕作圖〉等等。這些不僅是農桑生產技術史不可多得的研究資料，並且對東亞美術史的研究，耕織圖也是很好的資料。這是多麼令人歡欣的一件事。

本文原刊於《火焰樹》第4號，東京：アジア経済出版会，1972年7月1日

弱者所擁有的強韌

◎ 陳鵬仁譯

記得這是1956年左右的事情。來日本沒有多久的我，有一天，正在與教中文的盎格魯・撒克遜裔的美國人S一起看著電視上轉播的相撲。「為什麼個子小、體重輕的小兵若之花能贏鏡里和大內山等」而開始展開議論。對於S覺得很奇怪的「小兵有時候會贏，事實上也贏了」的現象，我本來並不覺得有什麼稀奇。就我們來說，「小兵也會贏」是屬於當然的事，早已成為日常的生活感覺。

可是白人裔的美國人S卻很難理解這事。在他們的世界，「個子高大」者應該會贏，如以物量能控制一切，這一現象在不知不覺之中成為人們的感覺之故吧。我們的議論當然從若之花腰的強韌談起，但這些情況都不是很重要。重要的是，怎樣讓他理解在弱點之中潛在著優點，優點之中有其陷阱（弱點）這件事。

「S先生，獲得強力龐大軍事、經濟援助的國民黨，為什麼輸給從延安山洞出來，穿著草靴的中共軍？」

「啊，戴先生，這非常清楚，因為國民黨腐敗，自己崩潰是最大的原因。」S回答說。

「若是，在韓戰，美國為什麼未能獲得勝利？」

「因為中共軍的人海戰術。中國人太多了。」

我們的議論長達大約兩個小時，但我們的議論似沒有完全交集和結束之意。

現在回想起來，未能完全溝通，不是單純的語言能力問題，而是大半由於我自己未能正確認識，看起來身為弱者一旦覺醒之後，為著自己尊嚴和恢復人權而戰時，會發揮極大的力量，這個力量，任何外力都擋不住的此一事實之故。美國投入以世界最新武器武裝的60萬大軍，越南人遭受到世界戰爭史上空前的猛烈轟炸，但還是堅持到底，可以說是現代世界一大怪事。越南人流著寶貴的血和汗，向世界表示了「小國」和「弱者」之真正抵抗潛力是無限的。

本來，「弱者所擁有的強韌」的教訓，在中國革命、日本人的「昭和史經驗」和韓戰皆有殷鑑，可惜，它並不為迷信自己經濟力量和軍事力量的「驕傲的人們」所接受。越南的悲劇便發生了。

因此我們再次從越南人學得這樣的事實：即不接受歷史教訓的「驕傲的人們」必將得到無法挽回的報復。驕傲的人們要明白，越南戰爭所帶來的世界史教訓，不要看成只是越南或亞洲的特殊例子，並期待他們能夠接受真正世界規模的這個普遍的教訓。

我們暫且不談越南，對於此次泰國的排斥日貨運動，到底有多少日本人將其引為歷史殷鑑？我或許多管閒事，但我還是感覺相當不安。令人很驚訝從現象面將原因歸諸「由於企業插足的方式，駐在當地國社員之所為，說是本為反政府的學生運動因為在戒嚴令下才採取此種型態，或華僑在背後唆使，甚至說是CIA（美國中央情報局）的謀略」。好事多磨，我真希望日本人能多學習歷史教訓，虛心傾聽人類尋求復權的聲音。

本文原刊於《エコノミスト》第1956號，東京：每日新聞社，1972年12月26日，頁75

憂慮新亞洲主義的抬頭

◎ **林彩美譯**

有關亞洲的議論甚囂塵上。一直以來除了突發事件的發生或頂多是選舉的報導之外，不會騰出版面的日本大報，現在卻開始常設分社勤奮起來。

對亞洲關心，議論沸揚是好事。對此事本身來說誠然是好事，我想日本人和日本人以外的亞洲人也不會反對。

但是，一直以來，亞洲的民眾在面臨亞洲緊迫時高聲疾呼都未被理睬，日本人的各位在這時候突然提著「快！亞洲很重要，必須更理解亞洲，亞洲落後、亞洲貧窮，無論如何要想辦法解救！」的高格調華麗辭藻，企圖再回歸亞洲，亞洲人其實是感到很困惑的吧。

到1950年代前半，由反省八一五敗戰立場的日本人有識之士所做對戰前的中日同文同種論、亞洲一體論的否定論比較踴躍。

這些否定論在經濟白皮書中，高聲嘹亮地宣布那著名的「早已不是戰後」宣言的1956年以降，透過朝鮮戰爭特需的過熱與伴隨的調整期，與日本人從敗戰衝擊恢復過程相對稱的情形，逐漸變為模糊。

取而代之，街談巷議的「日本已堂堂地恢復了，沒有必要再畏畏縮縮」的聲音雖是徐徐而來，但已愈來愈大聲了。

是否被高度成長熱昏了頭，或是因受敗戰衝擊、傷口過深的反作用之故吧，上述基於反省的否定論，未及滲透到民眾的層次，做為思想生根之前，已被時代的潮流給淡化擴散。

在此間，亞洲一體論的否定論稍微改變旨趣，而中日同文同種否定論被一部分有識之士執拗地倡導，讓人們感到稍稍有紮了根的樣子。

比起亞洲一體論重新換上新裝復甦，這又是基於何種理由呢？

中日兩民族的因緣，比日本和其他東南亞諸國過於深且長，對於中日間壓倒性頻繁的文化、文物交流歷史來說，應該是不能理解的事吧。

又同文同種論與亞洲一體論在某種意義上，是出自日本國民規模的精神土壤——「依賴的結構」的一個表現的話，是不能做出只有後者復甦、前者被克服的簡單結論。

毋寧是同文同種論還潛在地深深留在民眾感情的深層，但因新中國的出現，使他們領導層的政治思想之志向不容許其復甦，或許應如此看也說不定。

如果此邏輯能夠被容納的話，東南亞諸國，不管其外表的大小，只要是實質的自立國家，而領導層與民眾為一體沒有分裂，那麼從邏輯上便可類推。只是日本心情主義流露的亞洲一體論之復甦，其實是能夠阻止的——之所以如此說，理所當然我是站在否定亞洲一體論的立場。

一部分日本人的有識之士，亦即新亞洲主義者或新亞洲一體論者，或許會有「亞洲包含日本在內在地政學上，或稻作農耕文化、皮膚的顏色、宗教（佛教）、美術、建築、音樂、語言等等，真是可找出多種的共同項啊。而且我們已站在八一五敗戰的反省的立場，說過去以日本為中心、一廂情願的亞洲命運共同體論，亦即大東亞共榮圈思想是不行的。我們的主張正是不以亞洲為上下的統治、被統治關係，是以互惠、平等的橫向關係來掌握，思考從倡導『強者的邏輯』轉移到『共存的邏輯』的亞洲連帶論，亞洲一體論為什麼連這個都要拒絕呢……」會有如上的反應也說不定。

很冒昧，先生們所舉出的共同項我可承認其存在，但只有這一點共同項又怎樣。處於此核能時代、人造衛星、巨型噴射客機飛來飛去的1970年代後半，有必要因這些共同項就把亞洲關閉在狹窄的空間嗎？

所指出的共同項只是那些的話，歐洲之中也俯拾即是。就算是歐洲，要看到今日EC（歐洲共同體）構想的初步實現，不知須要流掉多少鮮血、時間的經過和歷史的教訓，先生們也不是不知道吧。

而EC的構想也只是富人俱樂部主導之下所形成的東西，這是我們所知道的。

而且先生們所倡導的新亞洲一體論，如果是基於互惠、平等的橫向關係的話，那更是奇怪。因為把互惠、平等的橫向關係做為成立一體論條件的話，也就不必特別強調一體論之故。

在此為了慎重起見，必須講清楚的是，儒教道德所說的兄弟關係絕不是真正的橫向關係。日本善意的人們總是倡導亞洲的連帶與一體時，往往有以儒家的兄弟關係為比擬的陋習。請為硬被塞入當「弟輩」的人著想，虛擬的兄弟關係所帶來的會是什麼應可明白，我想這是應留意之處。

我們也知道日本的先生們在高度成長經濟政策到了頂點時，開始主張從「高度成長、輸出主導型經濟」轉為「安定成長、福祉國家型經濟」來改善體質，沒有光是以嘴巴來提倡就能從右移到左那麼簡單。改善經濟結構的體質不容易，也就是說，弱肉強食的邏輯不管你喜不喜歡，還會堅韌地生存下去。也就是儘管先生們如何地用善意主張把亞洲觀從「強者的邏輯」轉為「共存的邏輯」，或者從「上下的關係，亦即統治者與被統治者的關係」轉為「橫向關係，亦即互惠、平等的關係」，先生們所期待的結果無論如何也無法產生，理念僅止於理念，頂多是把畫出的大餅推銷給亞洲的民眾之外無他，我們可以指出這是十分可預見的。

先生們難道忘記明治維新後，日本有識之士之中也有主張和各位差不多，善意的亞洲連帶論、亞洲共同體論，且付諸實踐的不少志士吧。

而那些志士們以自己的「脫亞、追歐」為基調的「內安外競、富國強兵」（福澤諭吉）之策上了軌道，在完成歐美型近代國家的建國與產業革命的過程，被捲進無法制止的國內大勢之漩渦中，善意的連帶在不知不覺之間成為多管閒事的本質上變化，自己也從志士變身為浪人，史實已把這些往事告訴我們。

如有心的日本人所指出，戰後日本的復興到今日走亞洲再回歸之路，不，疾馳的軌跡是民族自信回復與確立的根據，從戰前的武力更換為經濟之外，與戰前沒有什麼不一樣的「脫亞、追歐」之路，無庸置疑是鐵的事實吧。

日本的大勢也不是八一五敗戰就立刻把亞洲人當作同夥，以對等、同格的鄰人相對待（請想起對中國與越戰所採取的態度），對亞洲諸國承認以自分同格的「他分」，沿著此延長線企圖再回歸今日的亞洲做努力。我認為當然不是。

從1950年代開始的戰後日本對亞洲的牽連是，因韓戰特需，達成經濟復興的日本，以賠償為名讓商品進入亞洲，到繼韓戰後隨越戰而來的特需，以及一般日本民眾的勤勉與奔騰的創意等各種因素，而以急速增長的生產力，將一部分銷路求之於亞洲，透過經濟援助再擴張在亞洲的市場占有率。

到了1960年代後半，不只以往的商品進入，為了緩和伴隨日本國內勞動市場的結構變化的瓶頸，勞動力指向型的投資也開始引人注目。

近來是為了打開對美國輸出的停滯不前而看中了亞洲，做為世界性資源確保競爭的一環的資源開發投資，可以用「動如脫兔」來形容其快速向亞洲諸國進行才是實際狀況。

再回歸亞洲的真正理由，正是為了持續日本自身高度成長的經濟循環，無論如何都需要亞洲才提倡回歸，除此以外無他，這是萬人共承認的吧。

如上述以日本為中心的自以為是的牽連，所到達的終極是反抗。能預見將在亞洲孤立的日本人有識之士當然並非不存在。有心的人們之聲音在大勢所趨的漩渦翻騰中，與戰前同樣無力而聽不到這類聲音，我認為這樣看較為公正。

讓我們開發中國家的人心稍微緩和的是，與戰前不同的是日本的政界、財經界的領導層，對伴隨日本人進入亞洲的各種所作所為而來的非難責備之聲與抵抗舉動，姑且採取傾聽的態度。

對於這樣的看法，年輕的日本人激進主義者恐怕會說：「等一下，毫無道理，真是好膚淺的判斷，他們姑且採取傾聽的態度表示理解，只是做個樣子與手勢而已。如果不相信的話，讓我呈示其證據的一端」而如此反駁吧。

我們的確處處可取得證據。

下面所舉的例子是某大企業在新職員研修會上，某董事的講話，可看成是最平均的一個典型吧。

某董事說：

> 最近在東南亞，日本的風評非常不好。特別被媒體大做宣傳。我社也在東南亞有合辦企業，因日本人過於點頭哈腰沒有自信，所以給對方種種奚落、嘲笑的餘地。我們更要挺胸擺起毅然的態度，那種事便立即解決。在那邊白人不那麼被看不起，我們要更挺起胸膛走路。過去打過仗所以怎樣，抱持著這樣的心情反而是使事態惡化的原因……」（《思想の科学》，1972年12月號，再錄田中宏論文）

我們有居留日本經驗的開發中國家人士，在日常領會到日本人充滿善意，而且是大好人。這位董事可見也不例外是位好人，且是位大好人。

他居然在東南亞人研究生們同席的研修會上，磊然地以真不知如何形容的毅然態度做了訓話。上述的研究生聽了此番話不只驚訝無言以對，傳聞最後終於辭去了同社的研究生身分。

我在前面指出八一五敗戰的反省已淡化且雲消霧散，絕不是言過其實。

我並沒有指只有日本人忘記初衷之意。

有鑑於一直以來的人類史，不問個人、民族、國家強大而且集中財富與權力者，經常是高傲不可一世，很難對自己的內部裝上內省的檢驗機制或自動控制裝置，我們是知道的。

況且大多的場合，那財富與力量與其說是自動的選擇善與道德的「王道」走，毋寧是往「霸權」之路狂奔、墮落下去，這是我們共有的歷史教訓，必須在此想起。美國人也忘記了，獨立建國的理念與民族自決主義的主唱者之一的威爾遜（T. W. Wilson）是他們的總統，再者是未對日本的「大東亞戰爭」汲取教訓在越戰蒙受巨大失敗，現在〔1973〕還在柬埔寨進退維谷是近例。中國的情形可舉出無數的例子，由古老的長沙漢墓古墳等可看到已創造那絢爛的文化，但是卻不能將之繼承發展，終究在近代受西歐列強進而招徠日本帝國主義的侵略，因腐敗墮落而淪為犧牲品。這也顯示擁有傲慢領導層的中國人所循悲劇的軌跡吧。

正如好了傷疤忘了痛的妙喻，以及經濟動物、黃皮膚的美國人、好色動物的譴責叫囂聲猶不絕於耳之際，A文部大臣不識好歹做了「我們何幸未生為朝鮮人、南洋土人……」的失言，在國會引起非議。我們不能以輕率、粗糙簡單的一句話就放過。

從經濟動物的責難而引發泰國的拒買日貨，更有新加坡建築材料商公會、船業同業會等六個商業團體（加盟500社）發表對日本商社責難的正式聲明（1973年3月25日）等，日本人善意的學者與關係者從「日本人要謙虛」的修身論出發，而洋溢著「不要只掠奪，也要給當地（請留意，不是指當地國家，先生們徹底地養成使用當地這詞語的習性。日本的先生們是否反應遲鈍或忽略詞語的重要性，常常無忌憚地、無意識地講出惹惱我們感情的表現。我沒有絲毫吹毛求疵之意，但語言是意識的反映。如果先生們把我們當作人對待，真的把我們想做是亞洲的夥伴，不管何時都意識到對等同格，那麼絕不會輕易地用「當地」一詞表現，而文部大臣也不會有南洋土人的失言）的人回饋利益，僱用當地人，融入當地」的修正論。

的確有修身論與修正論比沒有來得好是不必說的。

但一方面，有關越戰在世界史的教訓，各大報騰出大篇幅讓諸位先生來議論，使版面好不熱鬧；另一方面，也有一成不變的只寫在三強（國）、五強（國）的政治力學邏輯框架內，來談論亞洲新情勢的先生們，令人感到悲哀。如果說是在民主主義日本的言論自由表現那也就算了，但是連善意的先生們也在無意識中，彷彿東南亞沒有住人的樣子，主張東南亞是「日中競爭的舞台」、「日中對決的場地」或「東南亞是被動的地域，所以由日本自動給一些影響是必要的」等，真是不敢領教。易於圖式化，再是染上太多歐美的思考模式之故，馬上就喜歡那樣去掌握，做為中國人的一分子，我認為中國不會那樣掌握東南亞，也希望不會那樣做。

東南亞各國也居住著與各位一樣有血有肉的真正的人，他們也同樣在營生，比起你們稍微樸素些。所以或許不引人注目，但他們也依自己的方式參與、書寫每日的世界史。

東南亞是住在當地者自己的舞台，並不是諸大國競爭的舞台或對決的場地。他們會強硬地拒絕被那般擺布吧。這暫且放在一邊，不可變成那樣才是先生們應提倡的吧。

對於一個民族而言，什麼是最好的社會制度問題，是住在該地民族所決定的事情。東南亞是被動的地域所以應由日本人給予影響或「日本人能為東南亞做些什麼」的多管閒事，對不起，實在是受夠了，不敢再領教。「日本人在東南亞不可以做什麼」的問話才是更要緊的。很遺憾，性急而善意、喜歡推銷的諸位的構思，很多時候與此相反。

將大臣、學者、新聞記者所抱亞洲觀暫擱一邊，姑且在嘴巴上說對亞洲有共感，說為了亞洲、為了落後的各國而幹勁十足赴任的大多數年輕社員、研究者、外交官，面對當地國的貧困與混亂，一度會受到挫折，不，在挫折以前，也就是說與嚴峻的當地國的現實相面對，馬上皺眉苦起臉來才是一般情形吧。

他們忘記自己祖先受歐美列強的壓迫，在深信不疑的基督教價值與文明絕對優越性的白人基督教徒的輕蔑之下，曾經苦惱、爭鬥而終於建立今日的歷史。現在卻在背後罵「開發中國家的一夥都是不行的傢伙，效率差，連最低限度的紀律守時都做不到」。

在此我有請年輕善意的日本友人們回想起來的記述。

與現在相隔不是很久的江戶時代末期（1859年6月～1864年12月）駐在日本的英國第一任駐日公使盧瑟福・奧爾考克（Sir Rutherford Alcock）寫道：「在此日本不是像現代的、希望坐快車的奢侈之人所住的國家，而明顯的是時間不被評價為貴重的東西。所以不管是旅行、交易，或任何工作的處理，總之是令人無可忍耐的慢吞吞。」年輕朋友們的曾祖父或祖父的世代也曾被如你們向東南亞人所發同樣的牢騷，在不久之前也被所謂已開發國家的歐美人提出。

你們現在所擁有的高效率與合理性也並非超歷史、原初就擁有的，這些正是你們的祖父母、父母、兄姊等，把亞洲當墊腳石而造就起來的工業文明之結果而已。

我想你們萬萬不會因讀了奧爾考克的一文而苦惱吧，連那著名的大思想家黑格爾（G. W. F. Hegel）也說過：「黑人是無理性的存在，與猴子相同。」人的認識局限本來就是這樣。對各位的期待是請稍微反省，在數落東南亞之前，稍稍重溫自己的近代史再說，只是這樣而已。

很難有效地學習歷史教訓這事，從東南亞一部分指導者身上也可看到。

日本的諸位以連帶為名伸出多管閒事的手，當然是很麻煩，而我們開發中國家的領導者、權力者之中也有，往往是以保持政權為唯一的政治目的的政治情況下，只為了一意保持自己政權，與以日本相反的方式訴諸「依賴的結構」。「兄長」、「日本是我們的兄長，請援助我吧」，經常有主動去延攬那隻多管閒事的手的體質，這是我們不會忘記的。

對於這些人，我們只有敬呈被日本強迫接受那惡名昭彰的「二十一條要求」的袁世凱（順便提一下，他為了對抗革命派的孫文一夥，向日本當局尋求援助，以圖權力基礎擴大與強化的清末民初中國親日派巨頭）憤慨激昂而談的「日本應以平等的友邦對待中國，但為何如豬、狗或奴隸般對待中國人」的名句之外無他吧。不必贅言，日本在強迫中國人接受「二十一條要求」之前，日本當局伊始，眾多「支那浪人」（清末民初在中國大陸四處流浪的日本人）與有識之士抱持對中國的共鳴，曾用盡所有修辭努力雄辯過。

「依賴的結構」扭曲了日本與中國的關係已經明白了。

我認為要創造出應有的日本與亞洲善鄰友好關係之前提條件，首先要把支撐「依賴的結構」亞洲情念的精神土壤，相互挖除崩解。

所幸，日本人友人之中，也有些人終於領悟，日本人在海外的所作所為惹起的諸般問題根源，存在於日本人自身的內部，也就是說與日本社會制度的狀態相關聯。

我們與日本人如要構築真正的連帶，只有加深相互的理解，切斷各自體質中依賴的情念，然後不問國之大小、民族的多寡，以對等、同格交往，把各自民族所擁有的文化價值互相容許始有可能。

我們也要對那把自己內部的問題束之高閣，馬上武斷地說「為了亞洲」，急切地跳出來的善意年輕友人說：「請等一下。我們的問題讓我們自己想辦法來解決，請留在貴國加油吧。」我要這樣拜託你們。

由於長久苦鬥的歷史經驗之故，我們知道追求人的復權的爭鬥是要付一定的代價，不然是不能辦到的。

從越戰的教訓可看到，追求人的尊嚴的確立，被壓抑、被壓迫民族的鬥爭與運動，是長久的、持續不可逆的鬥爭，也是運動。請你們也承認，然後稍微帶些從容去看亞洲的民眾。

本文原收錄於戴國煇等編，《討論日本之中的亞洲・序》，東京：平凡社，1973年8月3日，頁6～18。本文係據《日本人與亞洲》（東京：新人物往来社，1973年10月，頁245～246）錄入

請以對等、同格來對話
——對「金澤會議」的期待

◎ 林彩美譯

被邀請以觀察員身分列席以「東南亞與日本民眾的交流」為主題的國際會議——「金澤會議」的立場，讓我獻上一言。

筆者所以選擇以非正式成員的觀察員身分參加會議的理由是，因我持有在日19年的一中國人研究者之「特殊」條件，所以堅持以第三者的立場，抱著能更冷靜關注圍繞「東南亞與日本民眾交流」諸問題的些許期待的強烈關注之願望。

碰巧我以私費留學生留日是1955年秋天，幸運地「主觀」地從旁目擊戰後日本與亞洲牽涉從一開始至今的大部分過程。

又在最初十年的留學生生活，參加一部分穗積五一先生所主導，亞洲文化會館所舉辦以留學生和研修生為中心的文化交流事業。

在終結留學生生活的1966年初夏，到目前以「鑑於對亞洲諸國的經濟合作，以及區域內貿易擴大的緊急性，在政府援助之下在民間新設立總合的亞洲研究機關，基於科學方法確立亞洲研究的權威，以增進與亞洲諸國的友好，有助其發展為目的」為宗旨而設立的亞洲經濟研究所就職，在研究方面則對東南亞與日本的文化交流、相互理解盡了綿力。

在這中間，松本重治先生所指導的國際文化會館的交流事業，只要有機會我都奉陪末席。

從以上的經驗，我知道此次金澤會議應不是基於所謂東南亞的反日感情，或是以反日暴動的反彈，所提出的「不要忘記文化交流」或「在推動經濟面的同時，也要積極做文化面的推進，不然的話日本對東南亞的影響力，恐怕又變成欠缺永續性」方式的對症療法之構想。

據我所知，本會議的主辦者松本重治先生，以及為了協助松本先生舉辦會議的準備，不惜數年勞苦、努力過來的鶴見良行均是交流事業的老手，他們都認為，文化交流是相互理解最有效的方法，但也相當認識到，本來應有的文化交流並不能直接拿來當作現在日本與東南亞之間所進展的緊張情勢的解除手段或方策。

此正確的認識在「文化交流」俗論瀰漫的當今日本狀況下，對於有心人真是個拯救吧。

想想一直以來日本人與亞洲人的主要交流，不是戰爭，就是以經濟為媒介，頂多也只以留學生、知識分子為中心，極有限的局面性交流而已。

又為數極少的民間交流，其主流是屬於所謂的亞洲埋沒型。

坦率地說，以脫亞入歐為主要志向的日本近代，無論如何也培育不出對亞洲抱正當關心的知識分子。對脫亞入歐不滿意的一部分日本知識分子，頂著亞洲主義，在有意識或無意識之下，以頭目、老大面對亞洲，或演繹地相信亞洲的所有是善的「同情亞洲所處的狀況」而試著給予幫助。這些好像全是以給予照顧而感到自身生存的意義似的。

在八一五〔譯註：日本戰敗投降之日〕以後，特別在近年，曾經不願對亞洲關心、屬於近代合理主義者範疇的人們，也隨著新國際情勢的發展，暗裡批評著亞洲主義者的土氣，卻也開始嘗試以他們的作法接近。

僭越地說，這些人由我來看是「西歐迷」的「歐美型發展」，「日本型發展」強加於亞洲當樣板，要將亞洲框入這個框架而拚命地表示善意，這似乎是一般的例子。

若是擁有雪亮的眼睛，對近況能明察者的話，應知道進入1970年代的東南亞歷史的胎動是拒絕西歐・日本型發展，苦惱著摸索適合自己的非西歐・日本型發展，嘗試著建立國家的志向逐漸成為主流。

承認如此的歷史胎動存在的話，亞洲埋沒型・西歐迷型的亞洲接近遲早會招來破綻是洞如觀火的。

就如人有人格，民族也有「族格」，國家也應有「國格」。

東南亞目前在開發中的國家建設的歷史胎動，單純而明快的表現可看成為他們在奪回自己的人、民族、國家的尊嚴，對自己所應有的人格、「族格」、「國格」的形成確立，在對內、外雙方激烈展開鬥爭的過程。

我想理想的文化交流，應是在已確立文化主體性之下的雙方對等進行，以同格的對話交流才對。

在東南亞諸國真正欲與他國做文化交流，那麼確立自己文化的主體性是必須的前提。

不用說，前面講過在東南亞諸國激烈的歷史胎動，包含文化主體性確立的努力。

那麼日本這邊如何呢？如果亞洲埋沒型・西歐迷型的知識分子今後仍然繼續占主流，說奉承的話，日本文化主體性的確立，也不能說成是十分。

如此來想，日本因自己近代的桎梏，又東南亞諸國由於殖民地主義的壓迫，一直以來可說即使互相有意進行文化交流也無法做到。

以這次的會議做為里程碑，希望在日本與亞洲之間文化主體性的恢復、形成，能以確立其展望相互確認，在此基礎上期待真正的對話能夠從今以後開始進行。

本文原刊於《中日新聞》，1974年6月5日，愛知版第8頁。原題「対等・同格で対話を——各国の主体性を尊重して」

從亞洲看日本人

——內部國際化與外部國際化的呼籲

◎ **林彩美譯**

「天下大亂之相」更加明顯地出現。「偉大」的調停者季辛吉（H. A. Kissinger）正適合於扮演諾貝爾和平獎得主角色，為修補破綻而東奔西跑，極為忙碌。

但此位破綻修補工的局限卻過於明顯。就因為只是位修補工之故，不可能成為對「天下大亂」的結構施行手術的名外科醫生。

據許多史實的記述，名外科醫生非出自守護既存秩序之一方，而是完全從要改變秩序的一方產生才是一般的情形。

要改變秩序的人們不用說，在已開發國家、開發中國家的任何國家中都存在。但宏觀地看，可看出推進變化的潛在濃縮熱能，大量祕藏在屬於第三世界大眾之一方。「世界天下」暫且不談，針對「亞洲天下」來說，東南亞的對日批評、反日行動的種種動靜，似乎也可看成是上述求變化熱能的一部分顯現。

伴隨日本經濟的進入，反日感情與對日本的批判更加升高，現在對其皮相的解釋與評論，或僅止於細微調整的消極性應對，可見事情是不能就此平息的。其實是日本的「近代」與亞洲的牽連結構本身被質詢。

中國有句俗語「不打不相識」，意即有爭執才能深化相互理解，可以這樣解釋吧。日本與東南亞之間存在著種種問題和心理上的緊張，本來是由相互對話的累積，虛心袒懷聆聽東南亞方的發言，對問題應可獲得某種程度的理解。

日本與東南亞的關係是以經濟進入為中心的牽連，換句話說已經在「爭執」，所以可說相識的契機已相互被賦予了。問題是如何活用此契機來深化相互理解，更把相互牽連的結構正確地改組成應有的結構。

想想一直以來，人類史上大部分民族間的交流，是以戰爭為媒介占壓倒性多數。世界大戰、越戰的教訓與對核武的危機意識加深，強迫人們不可再反覆以戰爭為交流媒介之愚行。特別是敗戰以來的日本，因有和平憲法的「強制力」，到現在可迴避直接透過戰爭與他民族交流，可見交流媒介主要以經濟為中心發展。這可說是不幸中的大幸。可是以經濟為中心的交流，與已開發國家或與社會主義國的交流的事例是大致採取對等、同格的交流形式，實際上也不能不這樣做，所以問題比較少。即使發生摩擦，也與東南亞諸國的交流所引起的摩擦分屬不同層次。

正如所知，戰前日本所走近代化之路，是以西歐為榜樣，對內在日本列島內做為「異質的存在」而歧視演繹地被定位的琉球人、愛奴、未解放部落民，以要使其磨滅的形式，由上用「滾輪」壓平。對外先將台灣、朝鮮殖民地化，以此為墊腳石，後來歸結為對中國、東南亞的全面侵略。

八一五以降日本所走來之路，某程度不外是以國內的民主化為基礎的戰前日本再生之路。可說是日本民族的再生，而絕對難以說是轉生的這種走法，就是終極地決定了與東南亞的關係結構。

戰後日本的大勢僅止於戰前日本的再生，並僅限於沿著單純進化的路，而從1960年代末噴發出的東南亞反日感情、對日本的批評，日本政府財界以及媒體界應對的主張是，以修身論和對東南亞態度改善論，以為事情即足夠解決的想法，大致不是不能理解。

關係的深化、多層化同時是促進認識的深化與多角化。而努力於內省的有心人們則以「必須知曉亞洲人的心」、「對亞洲的民族主義給予理解」、「應謀求日本人的國際化」開始強力地呼籲。

該如何去確定應知道其心的「真正」的亞洲人是比較難的，一直以來被當作鏡子而編輯的「外國人眼中的日本」，其外國人幾乎是歐美人（偶爾有極少數中國人包含在內），而日本的情況急速變化，東南亞人也開始能被包含在外國人之一部分，但說起來就是「也來聽聽亞洲之聲音吧」態度的改變。這可說是可喜的進步。那為數很少的書籍列記如下。

亞洲青年聯絡會議編《肥胖的日本人》〔《太った日本人》〕（鑽石社）；田中宏譯編《注視日本的亞洲人眼睛》〔《日本を見つめるアジア人の眼》〕（田畑書店）；堀田善衛等編《討論日本之中的亞洲》（平凡社）；澀澤雅英等編《東南亞的日本批評》〔《東南アジアの日本批判》〕（サイマル出版會）。

說對民族主義的理解，其本身的具體內容並不明確。又有很多日本人高唱自己外部的國際化，卻對自己內部的「國際化」閉起眼，連其相互的關聯性都不察覺。如沒有內部「國際化」的保證是不能達成真正的國際化，此事好像也未被理解的樣子。

若所期待的民族主義是開明的民族主義的話，日本人對民族主義的正確理解是日本人自身內部「國際化」同時，也須受到關心，並且要同時被促進始能做到。

在這意義上，日本列島內同質中的異質者，再是舊殖民地出身者的聲音，以及東南亞人的聲音也是否應一併被聆聽才對呢？可提供做參考的書籍，姑且舉出平恆次的《日本國改造試論》〔《日本国改造試論》〕（講談社現代新書）、鄭敬謨的《日本人與韓國》〔《日本人と韓国》〕（新人物往來社）、拙著《與日本人的對話》（社會思想社），以及《日本人與亞洲》（新人物往來社）等。

本文原刊於《讀賣新聞》，1974年10月31日，第27頁

文化交流與留學生問題

——應從短視的對策脫胎換骨

◎ **林彩美譯**

動盪之年，1974年即將閉幕。在此所剩無幾、可說是帷幕與帷幕之間的11月最後一週的報紙版面，被形勢緊急的政局動靜、國家鐵路的罷工，更有讓讀書人跌破眼鏡的「老店三省堂倒閉」等消息所占據。在這些大消息之外，有一則以「對進入企業的態度集中批評——東南亞留學生的集會」為標題的小消息（《每日新聞》，11月27日）。

「對進入企業的態度集中批評」本身是司空見慣的事，老實說筆者也無甚興趣。

我所注目的是日本外務省使用3,400萬日幣的預算，從印尼、新加坡、泰國、菲律賓、馬來西亞、南越南、寮國、柬埔寨等國招待47名東南亞的原日本留學生及其夫人此事。

外務省以「聆聽現場的聲音，做意見交換」和「與日本的文化交流」為主題，在同省國際會議場舉辦「東南亞（前）留學生集會」當然是頭一次。

想想受第三世界的留學生與研修生尊敬為「父親」的穗積五一先生，他所主宰的亞洲文化會館舉辦的「亞洲文化會館同窗會第一屆代表者會議」（1966年6月），真是八年之後才有這次由政府當局所主辦的「集會」。

亞洲文化會館同窗會，是在1964年由該會館的相關人士（日本人與第三世界出身的館生）共同發起而成立的自主性獨立組織。又該會在前述1966年的第一屆會議之後，在1970、1973年各開了第二屆、第三屆會議，由歸國留學生、研修生所推舉的各國代表者聚集開會。議題是以與會者的出身國與日本的國際交流為中心，但是特別是在第三屆會議反映了情勢的緊迫，「日本的經濟進入與其影響」被選為主題，對日本的進入企業加以批評並發出警告。

然而遺憾的是，那批判與警告都未被活用。大眾所知對田中首相的東南亞「熱烈歡迎」與反日暴動（1974年1月），就是上述會議約半年後發生的事。

這次在外務省舉辦的「東南亞（前）留學生集會」可以說是對留學生的「事後關懷」。

筆者感到此「事後關懷」稍嫌過遲，但總比沒有好。又政府主導與民間主導兩者間，有出現取哪邊較好的議論也並不奇怪，但是我沒有評論的立場。不過做為一位由衷期望創造並維持日本與亞洲善鄰友好關係的前留學生冒昧發表意見的話，在事後關懷以前，即文部省與大學方在接受留學生與其教育體制依然不十分完備，而在事後關懷所做的努力，結果是僅止於極沒有實效的「貼膏藥」的對症療法而已，我正對此感到擔心。

東南亞留學生在日本所抱持的諸問題，幾乎已經由此方面的專家永井道雄、田中宏、原芳男三位先生全挖出來了（以上三位先生著《亞洲留學生與日本》〔《アジア留学生と日本》〕，NHK ブックス）。又留學生的「現場之聲」、「訴苦」也已由東京YWCA（東京基督教女子青年會）的「留學生之母」運動團體將其實際狀況弄清楚整理出來（《留學生的傾訴》〔《留学生は訴える》〕）。事情可說已交給文部省為首的各有關當局。我如果在此畫蛇添足的話，就是以下諸點。

第一，在接納留學生的政策斷然不可犯了優待自然科學系學生、輕視社會科學系學生之愚。鑑於戰後留學生史，最令日本當局「難對付」的，與其說是文科系，毋寧說是自然科學系留學生。只要有驅使留學生走向反日、抗日的土壤存在一日，自然科學、社會科學的專攻之差別，在血氣方剛的年輕人之間無論如何也無法發生作用，這是史實吧。

就算或多或少聽到刺耳的話或喝到些苦水，把眼光放遠以守護的一方占得優勢，終極地在歷史意義上的「回饋」又將顯現，這是歷史所告訴我們的。

人們也應銘記，對方是文化交流的中堅分子，再者是能夠期待的新的中堅分子，在這一、二十年除了他們留學生之外，就沒有別的了。

第二，是留學生的照顧不可全面依賴於個人的善意。很多留學生有察覺日本人的親切而也表達感謝。但對接納的組織與體制之「冷漠」和不周全而傷腦筋的例子也不少。

最後，以自費留學生入國者，來日第二年，應給以文部省獎學金的申請資格，應依申請者的成績為基準經過嚴格的審查提供獎學金。

總之，僅以茶道、插花、能樂去做文化交流方式的陳舊應付手段的時代已過去了。

短視的文化交流姑且不說，如果是長期的，而且是經得起歷史考驗的文化交流為目標的話，那些培養反日的土壤與被扭曲關係的結構，首先應從其根柢打破然後改正之。在此基礎上，地道地培養無可替代的文化交流中堅分子的候補者、留學生，將媒介與管道做成確實而茁壯，而以互惠、對等的交流，慢慢累積實際成績之外無他，不知各位覺得如何？

本文原刊於《中日新聞》，1974年12月2日，第5頁，原題「長期的な展望を持て——文化交流と留学生問題」

「日本號」往何處去

——新時代精神會誕生嗎？

◎ **林彩美譯**

受《現代Vision》雜誌社的電話請求要我寫隨筆。不是俏皮話，我說因沒有vision而拒絕……但結果還是不能不寫。在左思右思一籌莫展時，恰好住在美國的華人系社會科學家D博士出現。他繞了東南亞一圈，要在東京停留三天才回任職地。我試想以訪談他來塞責。

戴：D先生來訪面臨石油衝擊後的日本是第一次嗎？前次像是圍繞尼克森的訪中，為了要看亞洲如何對應而來的，我記得是這樣，那麼對於三年後的日本你有何觀感？

D：真令我嚇一跳。抵達的第二天發生間組〔譯註：日本間組株式會社（Hazama），為上市建築公司〕的炸彈爆炸，真令人頭昏眼花。沒想到中國熱潮的共演者中，尼克森、田中角榮兩政權都垮台，加速過猛令人跟不上。三年前來的時候，達成經濟高度成長奇蹟的日本與東南亞的關係會變成怎樣？隨著美、中的破冰，日中關係會呈現什麼樣的展開，是與我們的研究對象有關聯的主要論題。

戴：正如你所說，你所舉的兩個論題並不完全消失，只是伴隨石油衝擊而來的不景氣與「大通貨膨脹」（笑）突出表面而已，前述的論題只是稍微模糊罷了。

D：可是，日本人看起來比較巧妙地吸收了石油衝擊，處理得不錯……，只是在美國看日本的報紙與雜誌，總是感覺日本人對流動（flow）強，亦即是「攻擊」型，而在守（stock）的方面卻不擅長，你覺得怎樣？

戴：你想說的是，日本的論壇不太提得出「守」的理念而驚慌失措嗎？

D：的確如此。想想日本的近代，可說一直以「攻擊」型的流動衝下來。甲午、日俄是這樣，世界恐慌也以「滿洲事變」來撐過去，之後是中日、大東亞戰爭如此一路下來。

以八一五敗戰為契機的重建，也絕不是在和平中的流動思考如何將自己國內體制組編的問題。可說被外面喊停，不得不從戰災的廢墟中企圖復興、站起來而已。

對於日本人，正是「幸運」的女神，是韓戰與越戰在此間降臨。日本人又再度處於流動，只是這次比起戰前來說，幾乎不必掏腰包而搭上便車，叫作高度（經濟）成長的「順風號」。

戴：D先生，請等一下。到此為止我很能理解，但是這次的危機的狀況是所謂的自由世界中產生「世界性」規模的不景氣下之通貨膨脹（stagflation【stagnation+inflation】）吧。說起來是1971年8月的尼克森第一次衝擊至向變動匯率制的移行，到1973年的石油衝擊，更到今天的危機狀況，以一句話來說，戰後自由世界經濟體制大致完全崩潰結果的反映，我想可說就是今日不景氣的局勢。如果是這樣，對崩潰後的體制重編今後該如何進行，就日本來想，對此重編日本如何有主體性地去參與。又隨著高度經濟成長而出了毛病的日本國內政治、社會、經濟，在今後須經過怎樣的過程被重編整頓，如冒昧再補充一個的話，被「金錢」所撥弄而頹廢至極的人心，今後採何種形式使之恢復是問題所在。

D：我贊成你的意見。我想指出的是，處於如此危機的狀況下，日本人的政治家、輿論界人士卻一直提不出自己的哲理而不知所措。恕我舉個淺近的例子，圍繞中村輝夫的生還，拿日本的政治家、輿論界人士的對應來看，簡直可說是不像話也不為過。我正好人在雅加達，對日本當局與日本的媒體界要以何種形式去對應頗感興趣。我當初以為，去年〔1974〕初圍繞田中角榮前首相訪問之際有過反日暴動，這次大可利用中村先生的生還大大祭出外交攻勢，以提升日本形象，卻出乎意料地預測錯了。如您所知道，到了最後還引起印尼的副總統馬力克（Adam Malik）所謂「日本政府應給中村先生充分的支援。他以台灣出身為理由有不能受到做為原日本兵的適切權利的可能性。為什麼不能支援一個人？希望中村先生不會受『二等國民』待遇，為了接受所有權利，首先能夠歸還到東京是最可喜的」（《讀賣新聞》，1975年1月1日）的發言與日本當局不高明的對應。我在雅加達的熟人們說：「像這樣的話，真是不能與日本人一起做事啊」而感歎。

我更受打擊的是，日本的代表性大報如《朝日新聞》，報導中對台灣的殖民地統治和做為統治一環而創造出叫作中村輝夫的皇軍士兵，日本人自己的責任可以說完全沒有被質疑的跡象。是否受了石油衝擊後，與亞洲又變遠了呢？

戴：這暫且擱下，目前議論中的《中日和平友好條約》是否證明反霸權的問題，您怎麼想？

D：關於證明反霸權云云當然應該議論吧。我的關心毋寧是在此議論之中，「太平洋問題」沒有被放到日本人的視野之中。回想看看，「太平洋問題」是1920年以來，應曾經是日本的大問題。當然那時候的「太平洋問題」若將之極端單純化的話，就是圍繞著中國的日、美問題。

今後，不，已經可看到進展中的新太平洋問題就是革命成功後的中國，與獲取政治獨立、目前正忙於建國的沿岸新興諸國，以及日美兩國在內，圍繞著太平洋如何「生存」下去的問題，我是這樣看。

從而，反霸條款我的理解可以說是圍繞太平洋確保和平這類問題的重大要素之一。

我沒有硬性推銷我的邏輯之意，但未聽說在日本有包含太平洋問題的議論是很遺憾的。

戴：那就是說，日本的政治家與輿論界人士都被蒙蔽在目前的危機，而找不出更根源性的「日本號應往何處去」的新時代精神，您是否這樣看？

D：正是如此。日本現在的狀況說起來就是進入近代以來，第一次以民族性規模經驗著沒有目標的漂流。我們的希望是從日本民眾之中，盡早形成把「日本號」推向正確歷史方向的新時代精神。

戴：真是燈台不自照，我因為是搭乘「日本號」的一員乘客，也許變遲鈍吧。

那麼說起來，依以往的常識，三木內閣的出現或許沒有可能，被認為三連選絕對沒問題的美濃部都知事*的退選風波，局外者是完全想像不到的。

您也知道永井道雄先生自願去當文部大臣也是「異常」之事吧。相繼的「異常」是否就是混亂浪潮頗深的反映。但是，我們也不能忘記新事物經常只從混亂之中誕生。

我與您同樣對日本人的可能性抱著期待，今天的訪談就此結束。非常感謝。

本文原刊於《現代ビジョン》第12卷4號，東京：経営ビジョンセンター，1975年4月1日。原題「日本丸は何処へ往く」

* 指時任東京都知事的美濃部亮吉（1904～1984）。

中日關係雜感

——對尋找戰爭孤兒有感

◎ 林彩美譯

今年（1975）七七已過，不久就進入暑假，然後又要迎接九一八。

我兒子受關照的附近小學，如往年的慣例，今年小孩們也高高興興參加七夕的集會。

可能只有我家兒子如此，小孩子們對七夕的由來——星星的故事，比對集會本身更有興趣。

已在天上的祖母與母親都喜歡在舊曆7月7日夜，銀河清晰可見時以手指著星星講故事給我聽。古時候，銀河西岸有織女星，天帝的孫女眉清目秀，不施脂粉，日夜勤織布。同時，銀河東岸有牽牛星，牽著牛，勤於農事。天帝以為良緣，使之結為夫妻。結為夫妻的織女與牛郎琴瑟相和，不久沉迷享樂，廢置生業而貧困。二人仰援天帝而得資，但怠忽償還，遂惹天帝之怒。天帝令二人照舊分居銀河西東，只許一年一度於7月7日之夜渡河相逢……。

那聽著故事，想著夜漸深沉，為終遭拆離的織女與牛郎的命運而痛心的幼時點滴，耐人回憶。

新曆七夕的集會，正值梅雨季節，因此在季節感上不太對勁。

不巧的是新曆的7月7日是近代中日關係史不幸的記憶之日（盧溝橋事變），我的感受與小孩們不同，是有些複雜的。

只因尊奉「入鄉隨俗」的規矩，筆者未曾教小孩們七夕的另一個意義。

順便一提，梅雨天看不到銀河的新曆的「七夕」，老師們如何傳給學生織女、牛郎的故事呢？

不須問吧，在廣島的慘禍都將淡化掉的近來，「七夕集會」席上講七七不幸回憶的不風趣的老師們，應不存在吧。

但也許有看穿這中國民間故事有勸善懲惡的「封建」意圖，或許有尚且認為不可破壞隔著銀河的星星們的故事，而對傳達「不風趣」史實猶疑不決的老師吧。

故事中的織女星與牽牛星也不錯，至少他們一年一度可渡過銀河相逢敘情。

然而挾著叫作台灣海峽的現代銀河，大陸牛郎與台灣織女連一年一度的七夕都不能相逢。

先前在香港自殺的張鐵石（受北京的特赦、希望渡台的原國民黨幹部之一）事例為悲劇之最。

掌控現代銀河的天帝不必說就是美國。

天帝美國在中南半島被灼傷，好像在試著逐漸減少天帝角色的模樣。

人世間的機緣是不可思議的，看到美國天帝開始下台，新超級天帝伺機想躍上現代銀河。

台灣織女目前不吭聲。但是，大陸牛郎大聲疾呼，對過去的天帝經驗者提醒其危機。

但是，因天帝經驗者的一族都以新曆的七夕舉行集會，是否因季節感的混亂過大，其反應既分歧又遲鈍。

第三者，特別是從東南亞來看，或許原經驗者們忘不了當天帝的威風，對現代銀河也有留戀而猶疑躊躇的聲音也可聽得到。

這暫且擱下，被日本當局拋棄不管，歷時很久的大和牛郎與大和織女的消息開始傳進來了。「英靈」30年後歸還，找到至親而終於再會的好消息，透過新聞與電視報導，使人們不忍而流下淚來。

特別是已成年的牛郎與織女回到父母的故鄉，相互確認骨肉之情的電視畫面一再絞痛筆者的心 。

然而大多報導關係者，幾乎不願提起產生大和牛郎與大和織女的歷史經過。不，或許也忘卻了。

善長於編織令人動容的通俗劇，但可見欠缺把牛郎與織女的怨恨，昇華為歷史教訓的問題意識與力量吧。

生下大和牛郎與大和織女的不是別的，就是九一八（滿洲事變）與另一個七夕——七七。

生下而棄置的契機擱下不問，那麼30年、一世代之長久期間，妨礙牛郎與織女相逢的又是哪裡的誰啊？

陶醉於通俗劇之前，請媒體相關人士自己也試著找出天帝努力看看，不知如何做想。

我的思緒又更及於中國東北的諸省。曾經因緣際會，把侵略者的子弟用錢買、索取來、受囑託或撿來養育的大和牛郎與大和織女的中華父母的心情，剛開始是懷著怎樣的心情，現在將之送回又做何感想呢？

國家關係（原本意義的國際關係）因有「國家利益」的糾葛、體制的不同，人們說很難。而有心人想嘗試強化擴大族際（民族間）關係、民際（民眾間）關係，再是人際關係以此來代替。

但正因視為可代替，而安心依賴於此所招致的悲劇，就是我們的關係史。今年的新曆七夕，比往年更令我有此感觸而心悶。

本文原刊於《東京新聞》夕刊，1975年7月17日，第5頁。原題「日・中関係雑感——戦争孤児さがしに思うこと」

戰後三十年

——從亞洲的觀點

◎ 劉靈均譯

日語俗諺有云：「十年一昔」。我在日本的日子即將進入第20年，可以說是第二昔了。筆者在舊日本帝國主義的殖民地台灣出生，到初中二年級為止被迫忍受殖民統治，可以說是站在與日本人相對的那一邊，和八一五這個日子有著深切關係。

離八一五一轉眼也就要30周年，也就是三昔。時光流逝如此之急。以八一五為起點，我在這個可恨戰爭雙方（挑釁方與被挑釁方）洗滌記憶的「時光河流」中，前10年在台灣、後20年則在日本與日本的各位一同度過。

這段期間，我的腦海裡一直有個疑問揮之不去：為什麼日本人對於亞洲民眾的加害者意識是如此稀薄？其緣由到底是什麼？

現在日本人對亞洲人的戰爭責任完全付諸闕如的問題已經不止於此，簡直就連日本人自己的戰爭體驗都要隨著時間而日漸淡化。因此為數雖然不多，但有些有心的日本人正感歎並提出警告，稱八一五的紀念活動至今已經流於儀式，已空洞化與淡化的情況愈來愈嚴重。

此外感到焦慮的有識之士，則往往自嘲舉出自己所屬民族的短暫性性格、沒有定見、一心服膺權威，甚至說是以健忘為美德的特技等等。

有時候這樣的言論、言詞激動之處，甚至會咒罵自己領袖層級的人厚顏無恥，或者無忌憚彈劾愈來愈多不讓不知道戰爭的世代了解史實，甚至是阻止別人傳達史實的機制。

但是，或許是乘著高度經濟成長的順風船「日本號」已經太習慣了吧，或者是從這艘「日本號」上分享了太多東西吧，大和日本的國民們大多對這些有識之士的「歎息」、「警告」置若罔聞。

不只如此，甚至還可以毫無加害意識痛感的前往台灣、韓國進行色情極樂之旅，或者是去東南亞參加全包辦旅遊，最近聽說還有新一種的東南亞戰爭遺蹟之旅，連這種感傷之旅都開始流行起來。

本來透過旅遊進行國民外交是一件好事，我們不該說什麼。他們也可以翻臉說：「我是去那裡灑我的外匯，有什麼不對？」的心態。

但是，在八一五以後，日本已經重生為一個民主主義國家；日本人已非過去唯上命是從，羔羊一般的國民，如果能夠如此自負，那麼做為民族和解的一個小小的試驗，是不是也應該抱著審視戰爭另一方傷痕的態度呢？

除了觀光當局與觀光業者，無告的亞洲人民大多緘默不語，但他們看到只為享受剎那歡愉，以及在戰爭遺蹟確認自己的存在，只安慰自己死去的同伴之靈，獨自沉浸在感傷的「異國人」們，他們〔譯註：指無告的亞洲人民〕的胸口說不定正也隱隱作痛。

本來日本人一般而言較為害羞，比起喜劇更喜歡悲劇。在戰後不久，雖然也曾有過一億總懺悔、一次放諸流水的心境，因此就連有心者，都往往無法整理戰爭責任的邏輯結構。

此外，想想在這條順風船順利搭上潮流前進以來，就連站在民眾這邊，總結戰爭經驗的一些先生們，也都基於自己的被打壓經驗與史觀，而將其全盤塗滿成被害者經驗的顏色。民眾對於悲劇的喜好以及原爆的被害體驗，總括在前述的被害者經驗，與經濟成長的進展一起擴大了。於是每年到了夏天，日本的大眾媒體就會一致重問戰爭的意義，在戰爭經驗的宣傳上面花了相當大的能量。但是這樣消耗的能量，並沒有辦法得到相應的本質性成果，又移到次年再繼續而持續至今。

那是當然的，因為在垂問戰爭的意義時，大眾媒體完全不對受害的一方，特別是東南亞那邊的體驗一事上用心，或者是有用心但並沒有成功。

或許也是這個狀況的反映吧。在街上氾濫著戰爭電影或戰爭故事，還有體驗記之類的作品，對加害者的一面更加令之模糊，導致欠缺對戰爭另一面的真實，其缺漏變多了。

這些作品就是被觀看、被閱讀，作品本身可能會因過去的戰果讓人們陶醉，也恰巧成為年輕人桌上的戰爭遊戲、美化戰爭的勇壯感的素材，或者讓體驗者喚醒自己「悲慘」的青春，只會帶來自閉性的、感傷性的效能而已。

而以侵略與統治做為媒介，日本與亞洲民眾的隔閡只會日益加深，而真正能夠與亞洲人民共有的戰爭體驗太晚做定位，也讓本來可以成為歷史教訓的戰爭體驗無法好好地傳給後世。

確實就像菊地昌典所指出的，日本人對亞洲民眾的戰爭責任之所以會付諸闕如，其中一個原因就是把戰爭體驗當作被害者體驗綑綁在一起的緣故吧。

除此之外，我認為還要加上一個原因，就是日本人至今仍然毫無誠意，去站在亞洲人這邊，重新思考從甲午戰爭到八一五戰敗日本人對亞洲人的所作所為究竟對亞洲人是何意義。

此外，如果可以的話，現在我希望日本人可以重新詰問自己從甲午戰爭至八一五戰敗這段期間一連串的邏輯結構。

現在的亞洲民眾看著中國與中南半島的重生，而日本人在八一五戰敗之後仍然以歐洲的近代為模範，追求近代日本再生的至今日本人的作法，甚至還想要再回歸到亞洲來，恐怕是不會受歡迎吧。

包括台灣和韓國，亞洲的民眾所希望的不是近代日本的再生，而是日本人的轉生。因為民族的和解與個人層次的友情一樣，是不容許絲毫虛偽的存在。亞洲民眾對日本人的期待，不是在嘴巴上說說「連帶」而已，還希望日本人能好好反芻殖民地主義與侵略戰爭破壞人性的罪愆深重，並且盡快與亞洲人能夠共有沒有虛偽的戰爭體驗。而且希望能將戰爭的教訓放進自己的歷史，一起描繪未來的構圖，讓我們能盡快、早一步兩步也好，朝向我們遙遠的亞洲前進。

事實上，從石油危機以來已然觸礁的「日本號」，除了完成轉生以外，恐怕不管是要從糧食、資源等諸多危機中脫離，或者是再度回歸比較沒有摩擦的亞洲，恐怕很難才是。

本文原刊於《読賣新聞》夕刊，1975年8月16日，2版，第4頁

輯二

日本政治・外交論

天皇訪美與日本人的國際化

——改不了的脫亞入歐體質

◎ **林彩美譯**

從東南亞到J大學留學，獲得碩士學位歸國，目前在故里的日本商社支店服務的C君突然來訪。是10月14日〔譯註：1975年〕傍晚的事。我們一起看NHK電視的《兩陛下美國旅行紀錄・總輯編》之後，歡談共渡漫長秋夜。話題從天皇的訪美到松生號事件*，再談到日本人的國際化。接著將要點再錄如下。

戴：那麼，C君，做為亞洲人的一員，您如何看天皇訪美？

C：首先，儘管歲數那麼大還在其位，真想對他說聲辛苦了。還有，比起四年前的訪美，日本相關人士的演出，可說非常的進步。反過來我想請問您，這次的訪美，可意會到在某意義上付出莫大的成本，日美雙方合演一齣大戲。您想他們雙方的當局者到底有什麼目的而做此嘗試？

戴：這是一個非常困難的問題。其實關於此問題我做了種種想像，然而現階段只能說不知道。只是如您所指出，演出的確在成功中閉幕。特別是訪美前接受美國人記者的訪談，允許攝影平

＊ 1975年9月2日日本漁船於黃海作業時，因遭到北韓的槍擊，造成2名船員身亡，其他人則被逮捕的事件。

易近人樣子，尤其是笑臉和吃東西的情景，可說是給了大優惠。我個人關心的是，這與訪問「傳統」包袱還很大的歐洲不同，可說沒有歷史傳統而「粗野」的美國，將以何種演出來進行，我相當有興趣。所以注意訪美演說的內容。訪英時在白金漢宮的「對此次訪英，與50年前所受同樣隆重的厚待感到高興」等裝傻的演說而受到抗議的難受經驗之故吧，這次的致詞內容可說還不錯。

C：我基本上贊成，但日本一般的新聞論調所說「從此圍繞珍珠灣攻擊的疙瘩就消除了」的看法是稍微天真了些。就是那美國人有「西部劇的直爽」的意識，我想也不是那麼單純的吧。

戴：說起來是有《東京新聞》特派員的匿名座談會（1975年10月14日），關於美國方未提出戰爭話題的理由，D記者以為「那是美國方，因原子彈有理虧之故。珍珠港偷襲死亡的士兵是2,000人，但原子彈以非戰鬥的方式，然市民為中心的傷亡是10萬人為單位」云云的一段報導。

C：於原子彈有理虧之處或許是理由之一。但更重要的應說是被劇烈演出的政治目的壓下了吧。加上在白金漢宮英女王的「我不能放過英日關係，在那50年之間，當作未發生過什麼」的嚴厲抗議發端，其原因在於天皇的致詞，這次的致詞內容來說，福特（G. R. Ford）總統也無法提出戰爭的話題，應這樣看吧。這暫且不說，對美關係拉開了菊花門簾，又有如D記者的邏輯從日本人之中被提出來，但面對北韓關係這種邏輯就突然缺漏，不知何故。

戴：您是說……。

C：前面的松生號事件不就是一例嗎？對死亡的兩人遺族和

受傷者表示同情。我對金日成沒有特別感情，但北韓支付弔慰金，也盡了相當禮數。然而「命不能以錢取代」那冷漠異常的氛圍，遺族的心情會那樣想也是當然可理解。只是對那種報導，要有更大格局的解說，或應有有利民族和解的正面報導同時登載。如果北韓沒有大人氣概，翻臉提出殖民地統治、關東大地震〔譯註：1923年大地震後謠傳朝鮮人下毒於井，引起恐慌，許多朝鮮人死於無辜〕，以及侵略戰爭受動員的朝鮮人的犧牲，那又如何。總而言之，D記者的邏輯在日美關係，尤其不要只對日本有利時，如果對日本與亞洲關係，特別站在歷史過程來展開，對內也要敞開菊花門簾，不然日本人的國際化最終不會是真貨。

戴：好嚴苛的批判！C君所說誠然有道理，但依孤陋寡聞的我來看，日本政府、媒體對松生號事件的對應方法是極審慎，在某種意義上，D記者所說原子彈的理虧，可與此相比的對朝鮮人的理虧，雖未說出來，我覺得在心情上有著充分感受而在行動。不知如何？

C：您的日本體驗比我長，我想也比我了解日本人，我沒有自信否定您的說法。只是以天皇有訪歐、訪美，但完全沒有訪東南亞的動靜來看，日本人脫亞入歐的體質與態度不容易改過來，這絕不能說亞洲人的這種看法是誤解吧。

戴：天皇的亞洲訪問未被談論過的說法是言過其實了。訪歐時，這次的訪美，從日本有識之士者中，有過應優先訪問中國、亞洲的聲音發出。

C：那樣的少數意見我也知道，問題是一直停止在不算少數的有識者之士的聲音。恕我再提一次松生號事件，有著名的評論家譴責日本政府的軟腳，但沒有反問他：「批評軟腳可以，那你是否在過去對政府要求過向朝鮮人謝罪嗎？未有謝罪的要求，而只拋出譴責，這不是太不公平嗎？」這樣的有識之士，在我膚淺的見識裡似乎沒有出現，真是令人難過。

戴：真是嚴肅的話題。多謝！

本文原刊於《中日新聞》，1975年10月20日，第5頁。原題「アジアもお忘れなく——天皇訪米と日本人の国際化」

發展民際・族際外交

——如何與第三世界進行交流

◎ 林彩美譯

去年〔1974〕12月6日，在橫濱市的綜合中心，由神奈川縣與橫濱市共同舉辦「思考國際交流的集會」。

本來橫濱是日本的代表性國際都市與港口城市。因為當地風氣與主題契合之故，還有被除了我之外、富有演員屬性（有些失禮）的諸講師的聲望所吸引吧，是一場相當大的盛會。

如果我的理解沒錯的話，做為主辦者與講師之一的長洲一二市長，發表了擔任橫濱國立大教授以來的民際外交的一貫主張。又共同主辦的飛鳥田市長理了一個座頭市〔譯註：電影主角盲劍客的名字〕式嶄新的平頭髮型，並充當講師登場，以民際外交的經驗談為中心做了報告。但是因為謙虛吧，對於自己也擔任重責的關於相模原美軍戰車的輸送阻止運動則未提及。

第三位講師是上智大學教授武者小路公秀。他開誠布公站在市民主義的外交或國際交流應有的態度，並強調應克服國家主義、「日之丸」〔譯註：日本國旗之圖樣，日本國之象徵〕主義、友好主義，且應從這些事中爭取自由。

我也敬陪末席發表了愚見。

諸先學對民際外交的提倡，我大致表示贊成，然後我試著補充，與第三世界的交流似乎需加上族際外交的觀點。

筆者所理解的長洲民際外交論，好像不是街巷間所謂的民間外交之類。當然是以外交官、民間分工與合作為前提，可說是打頭陣的先驅，或者是「蒟蒻」〔譯註：難於捉摸〕狀態之民間外交，像長洲先生這樣的人應不會指向這種方式。

其實我曾經替長洲先生（並非受委託）向東南亞出身的某位「解釋」：「民際外交並不單單是民間外交的另一個說法」。近年日本的文壇、論壇的確持續以「個人與國家」、「市民與國家」為中心思想或主題的新提問知性行為。

又新憲法的前文所強調「主權在民」的思想漸漸落實，從以往官僚主導型的政治土壤上，雖然緩慢但已培育出蛻變移行於市民主導型的苗芽，伴隨市民意識的覺醒，市民自治的構想可謂抬頭。其反映的一部分可從市民運動的高揚看到。我想應可認為長洲民際外交論是以此為背景而誕生且被提倡的。

甚為遺憾，就算是東南亞的知日派，是否因疏通有障礙之故，不能說對日本內部的這種動向有明確的理解。不，應該說是在東南亞遇到的大致上相同的日本人，到現在都還是停留在「穿著武士上下身禮服、態度拘謹的日本股份公司社員」的地位，模糊了他們的認識，這樣看可能比較妥當。

事實上，如武者小路教授所指出，在國際交流場合的大多數日本人，與其是做為人的個人，毋寧是現今還以躲在「日之丸」大樹庇蔭下的「日本人」而行動的例子較多。

可以說，內部從臣民到市民的意識變革之路的不容易，在外所顯現的就是如此吧。

這樣的狀況，至今猶如「鴻溝」一般橫臥在日本與東南亞之間，因此他們才會把民際外交看成其實只是民間外交的另一說法。

這暫且不說，把民際外交的「民」，看作已經克服臣民體質、確立主體性的市民的「民」來接受時，會發生什麼樣的問題呢？

與採取資本主義體制的諸國之間當然這樣來看就可以。可是市民意識未成熟，幾乎沒有市民存在的第三世界之間的民際外交，當然不能等對方市民的成熟，也不能由這邊去代為造出市民的吧。

不覺得問心有虧的觀念論市民主義者或許會這樣說：「這沒什麼，這邊把人民培育好，令之替代市民不就可以了嗎？」可是不伴隨實體的「牽強附會」終究會格格不入、不能順利，所以我不採取這樣的作法。

因此，筆者試著提出以伴隨民族觀點的族際外交，來補充站在市民主義的民際外交並進推行之案。

因為第三世界目前挑戰的最大課題，不外是民族的完全獨立與自由。他們從被壓抑的淒慘狀態，跨越了數個世紀，嘗試著創造自己的國家與社會。要理解那激烈的民族規模工作，無論如何民族的視角是不可或缺的。

然而，因第二次世界大戰的傷痕未完全痊癒之故，或是「戰爭體驗」的整理與定位仍不充分吧，日本人的年輕人、進步派的有識之士都對民族主義有過敏反應，對站在自己立場的民族主義加以重新質疑這件事，看起來不很熱心。

一直不能標榜自己應持有的民族主義，令日本有識之士興歎，這是在怠忽妨礙克服揚棄國家主義、「日之丸」主義的臣民意識。

而且人們無自覺地保持戰前以來的舊「體質」，聲援第三世界的民族解放運動鬥爭，為中南半島的民族解放歡欣鼓舞，非常簡單地以「連帶」為口號高聲呼叫。前面提及的東南亞某氏批評這些行徑，喃喃地說，只是口頭的應酬話請不要再提。要填平此「鴻溝」，這個時候提倡發展民際、族際外交可說是件適合時宜的事。

本文原刊於《中日新聞》，1975年12月29日，第5頁。原題「第三世界との交流に——民際・族際外交のすすめ」

與東南亞的溝通

——要國際化先從日本內部做起

◎ 林彩美譯

地球一日比一日變得更窄，由於大眾傳播與科技發達的結果，國內和國際逐漸被連結在一起，人們相互間的物理距離縮短了。但是日本與東南亞的心理距離，非常遺憾，現實的狀況是不能說如物理上的距離一樣縮短。

我們直接面臨的狀況是經濟與政治都要以世界規模的關聯來思考，不然就會變得逐漸掌握不了。儘管如此，可說是溝通的貧乏或貧困吧，多數人都未能有效地對應。

尤其是把已抬頭的第三世界放在視角上，然後將世界規模走向「現代」的胎動，在其有機的、結構性的關聯來考察的態度過少。

以往的「大傘」＝壓制的結構已被打破，逐漸脫離的第三世界，那過去想出聲也發不出來的所有「小」民族，已率先大聲地開始主張自己。他們的腳步聲日漸變大，已漸漸變成任何人都不能忽視的存在。

日本民族若要面向前方，且和平地在貿易之國的道路上活下去的話，對這些第三世界以對人的方式溝通，應嘗試促進而不是放置不管。

然而遺憾的是，應以對等同格身分的、以人與人交往為目標的溝通，現在還很少被嘗試。

因為第三世界範圍過於廣泛而無從著手的辯白，誠然有其道理。

可是在地政學、歷史，以及經濟的聯繫上也有密切關係的東南亞人，其溝通是如何呢？

做為日貨抵制運動，反日暴動的反動，一部分相關人士與有識之士指出，與經濟關係相同，文化交流也很重要，令不願動身的當局，以姍姍來遲之姿開始在促進文化交流上出力。

但是以嚴厲的眼光凝視日本進入的東南亞有識之士，好像把這種文化交流看成是經濟進入的打頭陣，以及平息因經濟進入惹起的反日感情為其主要目的，並非以人與人之間的交往為目的。

他們又舉出事實來指摘日本當前所指向的文化交流，依舊是歐美式的，只以自己為中心的方式。

連已有開始出現抵制日貨、反日感情橫溢徵兆的1974年1月，田中角榮前首相訪問東南亞之際的發言，也幾乎未言及文化方面。此舉讓試著以善意解讀的人們感到困惑，此事令人記憶猶新。

又他們之中，有人因先於東南亞舉行的田中前首相訪美之際，捐給美國著名十所大學的巨額捐款做為伴手禮，然而比之對東南亞所做出的、多少有些文化氣息的計畫案，僅是「青年之船」的計畫而已，因此感到驚訝憤慨。

日本當局不經意的遲鈍，連日本人有識之士者間，也引起了指責日本外交不高明之聲的地步。

日本當局或許會說：「我們並沒有不把東南亞放在眼裡。接納國費留學生的名額年年增加，從昭和40年以來，除了在東南亞諸國主要大學捐贈開設日本研究講座，近年又成立國際交流基金，以扶助日本研究、招待學者等」云云以做辯明。

的確，國費留學生的接納人數年年增加，而接納的體制也在一點一點地被整飭。

但是對事情不生疏的人就會知道，日本社會與大學至今猶頑拒非白人系的留學生。

日本人自己或許不自覺，從第三世界的人來看，不管是進步與保守，多數的日本人至今猶被武士的邏輯與倫理所囚而不能自脫。

各位心懷善意的人士想試以小小親切之心來關照，但很少嘗試將自己政府所設的框架，用自己的力量重新建構，在橫向的關係增加親密的友人，以「一粒之麥」廣泛地播種開來的形式，以無私大我的親切，將其引入留學生接納體制中。這次在日本即將新創立的聯合國大學，其副校長是非洲人，而住宿處的契約竟被解除一事，實是令人心痛的事實。

人種、民族歧視是現在世界各地可見的社會現象，並不是日本人所特有。但是先以聯合國大學副校長的「權威」做了約定，然而知道不是白人之後隨即解約的粗糙無禮，只能說還是武士邏輯在作祟吧。

更糟的是，很多日本人認為自己沒有抱持人種、歧視的感情，且信而不疑的態度，才是問題所在。

多數有過留學經驗的日本人教授，當還記著於留學時受到親切的待遇時，因目睹太多因未整飭而被置之不理的留學生接納體制而感到痛楚，認為「總得想個辦法」而一時之間表現得非常熱情，但一年過去、二年過去就漸漸忘記，或者就把事情託付東京YWCA的「留學生之母」會等的志工活動去解決。

而志工活動本來在日本社會的傳統就極短之故，實在深深有著杯水車薪之感。

又，由有心的主婦們付出很大的犧牲來支持的這個志工活動，也可從「留學生之母」的會名得知，這裡的「母親」們是具有武士氣息的，如果這樣說不好，那麼可以改說是由「縱向」社會的邏輯與倫理在支持活動。因沒有自覺此事，才更令人遺憾。

筆者以為「名表其體」而曾經向其相關人士進一忠言。不管怎樣，因對「留學生之母」運動的進展與反省而重新在東京YWCA成立思考留學生問題之會，組成大學調查團體，著手「大學留學生接納現狀」的調查研究是值得讚許的。希望文部省與大學當局不要利用這些主婦們的志工活動做為擋箭牌與裝飾品，要更積極採納其成果才好。

據以往的經驗，日本與東南亞發生關係以戰爭和經濟為其主要內容。由相關人士提出促進文化交流，以改正偏頗扭曲的關係結構，不過是近年的事。

而文化交流僅停留在平息因經濟關係所引起的反日感情為主要著眼點的型態，則是令人不能接受的態度，勢必招來新的拒絕與反感，是不必由我來指出的。

正如日本有識之士所指出，日本對東南亞產生的關係，若其政治、經濟、社會結構基本上不改正的話，僅以介紹日本的茶道、華道、能樂、歌舞伎、寶塚〔譯註：少女歌劇團，位在寶塚〕及日劇〔譯註：位在東京的輕鬆歌舞劇劇團〕的輕鬆歌舞劇等，就想緩和反日感情，那未免是過於天真的想法。

連傳到筆者耳朵的極小範圍的見聞，派往捐贈開設日本講座的部分日本人老師，與其教書，毋寧是在為自己的研究蒐集資料與做見聞旅行而投入精力。聽到有東南亞學者發聲，仿「經濟動物」而譏諷其為「學術動物來了」，感到悲哀的應不只我一人吧。

也有對派遣的教授與他們所教的內容提出質疑的東南亞人。他們說：「我們所期待的老師不來，為什麼代之以未曾聽過的大學老師」等等。

這多少也有東南亞的誤解，但問題還是必須回歸日本國內社會制度才是問題的本質。由於日本國內大學之間的等級差距，再者是與其看教授本身的成果，毋寧因所屬大學而被分等級，只要在日本國內這種制度在現實中橫行著，就不能馬上批評對方的誤解，也不可忘記這是日本具有的缺點。

他們繼續說：「很多學生想知道日本的明治維新、戰後日本的高度經濟成長，再就與我們的關係上，討論近代日本與亞洲的關係，特別對軍政期〔譯註：指第二次大戰日本占領東南亞施行軍政期間〕的問題，日本人老師有何想法、如何定位。又明治維新，高度經濟成長不是只講表層好看的部分，我們追求的是包含支撐整個基層的泥濘部分，再者是摺疊起來的部分，可以說是其立體像。但是那些好像都很難賜教。特別是軍政期，對日本軍國主義的所作所為絕口不講一句，不然大多是膚淺應付過去」。

可以從上面所談看出，東南亞有識之士的要求很高。如上原專祿（歷史學者，前一橋大學教授）曾經說：「日本人本來就不善於把社會事象在有機的結構關聯中去掌握。」（上原專祿、仁井田陞、飯塚浩二監修，《現代亞洲史》〔《現代アジア史》〕第四卷《世界史上的亞洲》〔《世界史におけるアジア》〕，頁74，1956年8月，大月書店出版）。而他們在不知道的情況下，不能說沒有得隴望蜀之焦躁。任何民族與個人都對自己先人的所作所為批評得淋漓盡致是不可能的，也許是忘了當作自己的事去追究吧。

然而應留意的是日本人對歷史感覺的特異性。

因有神道的傳統，以祓禊祓除不祥、驅邪以淨身的日本人習性，好像也出現在對歷史的感覺之上。

前年，兩陛下訪英時，對其未言及戰爭責任，《倫敦時報》的社論揶揄道：「日本人就像日晷，太陽照得到的地方才有紀錄。」讀者之中應有人還記得吧。

東南亞人之中也有與《倫敦時報》的評論員持相似感覺的說法，日本人相當愛好歷史，但對自己不利的歷史就刻意加以忘卻。他們更說「連有心的日本人都只談八一五，可看出有迴避憶起九一八（滿洲事變）、七七（中日戰爭）、一二八（大東亞戰爭）之嫌」而興歎。

在日20年的筆者，有與《倫敦時報》評論員或上述東南亞的有識之士等不同的感觸。

誠然從表面看，日本人好像有健忘症，但我覺得日本人的內在不必然是那樣。毋寧說大部分日本人都相當靦腆，而處於同質性之故所以沒有對話的必要，從而失去對話的機會。因此日本人不把將疼痛表現在外視為美德。中日建交之際，田中前首相說「為難了中國人」的發言，在那樣的前後關係上是否可理解。

但是多數的東南亞人不肯像筆者這樣去看，又處於未受「近代」所「毒」的意義上，他們的傳統社會是異質性的，對同質性的日本人之思考方式有很難理解的地方，此點我想應有經常去留心的必要，不知各位以為如何？

日本接納留學生相關人士慨歎東南亞一流的人才不肯來。出席日本研究捐贈開設講座的日本人教授們也指出，當地國對日關心度很低，三流的青年以「對進入日本企業，或是成為日本人觀光客的導遊是有利的就業條件」為由，追求實際利益的情形來聽講者，占壓倒性多數。

對於不是為追求真正的對日理解來聽講，東南亞方也有責任。

但是如果僅限於追蹤日本的「近代」，他們的一流人才面向歐美也是可以理解的。

日本方以自我中心主義，忙於追求即效性的文化交流之現狀，那麼他們想以實際利益來對應，想來也是不無道理的。

將一流的人才不把日本視為留學目的地的理由，歸諸於東南亞方的責任，是筆者所不採取的。

因為現實中有閉鎖的日本社會與大學制度存在的話，他們在熟慮自己的前途之後，選擇歐美是當然的。重新想想吧，如果沒有美國開放的體制，到底江崎玲於奈〔譯註：Leo Esaki，獲諾貝爾物理學獎〕、廣中平祐〔譯註：數學家〕兩位博士會去美國嗎？且能看到兩者的開花結果嗎？

日本的大學講壇繼續拒絕外國人教師，國內企業的門一直不為外國人開放，在進入企業後卻沒有升遷的僱用條件，一流而有為的青年選擇留學日本，認真投入日本研究的可能性，應看作不會有這回事，才是理所當然的吧。

遺憾的是，以目前日本的現狀來看，社會的變動太快，站在長期展望，與東南亞人的溝通被踏實地策劃規定而推進的風潮與從容好像都消失。

而說是國際化、向外的，卻與內部社會制度沒有接頭的對症療法之嘗試，仍占大多數。

與捐贈東南亞諸國日本研究講座相稱的日本國內東南亞相關的研究講座並沒有開設，也未整備。

在外努力普及日語，在國內不僅不去普及東南亞諸國的語言，就連講座也寥寥無幾。

日本人的研究既然以經濟進入的關聯為中心在進行，又能拿什麼理由批評東南亞人以現實利益性的考量而學習日語呢？

日本的國內企業或大學在嘗試向東南亞的人才開放門戶之前，有必要先對在日朝鮮人開放門戶吧。

換個看法，開放門戶是把東南亞的人才集中在日本，可能引起促進東南亞人才輸出的其他問題。但這個問題是不同層次的議題，我想不能以此為理由阻礙內部的國際化。

無論如何，向外的國際化沒有內部國際化的支撐是不會成真的，也不能期待出現平順的連動。

日本的「近代」把本來同質的日本人，型塑出更多以同一鑄模打造出的人，現在已表露出一籌莫展的困境，醞釀出閉塞的社會，而被如此指摘已為時久矣。

日本民族為了趕上西洋，把傳統的同質體質更加強化，將民族的精力集結推進近代化。其所描繪出波紋的一部分發展成侵略亞洲是一件很遺憾的事，但日本人所達成的近代化成果卻是世人所公認的。

但從20世紀後半的新世界史的階段，已經成為與其說是均質性性格能發揮其有效性，到了現在毋寧說是變成弊害而呈現，且逐漸轉化成桎梏，這樣說絕不為過。

企盼日本民族的甦生與轉生，為了民族的創造精力能更為有效地發揮，從均質性體質的蛻變與克服應已逐漸變成緊急的課題。

在國內對「異質者」的容許與對話，且引入近鄰諸國的異質部分，與他們對話將不只在將來，而是以極為當下的課題予以登場之日，我認為相當近了。不要說百年大計，從現在開始也不晚，哪怕是立志「中計」，真正以人性的同志之交為目標的交流，日本人與東南亞諸國民、更與第三世界的人們設定共有的課題，我們應對此傾注力量不是嗎？

本文原刊於《THE STUDENT TIMES》，1976年1月2日，14版

追求戰爭的教訓

——從與J君的對話說起

◎ 林彩美譯

C：晚安，歡迎光臨。J君，您說要問我天皇訪美與史上天皇第一次的日本人記者招待會的感想，您知道12月8日是什麼日子嗎？

J：到底是……，啊！對了，珍珠港！是攻擊珍珠港的日子。

C：正如您說的，那您知道戰爭中如何稱呼嗎？

J：不知道。

C：那也難怪。您差我十歲，是昭和16年出生的吧，不知道是當然的。叫作「大詔奉戴日」，好像是紀念日，學校舉辦紀念儀式。附帶提一下，剛來日本的時候，正確地說就是昭和31至32年的時候，在電話對答中，對方問我的姓怎麼寫，因很難說明，我就說，是大詔奉戴日的戴。但是對方完全不能領會，連年紀大的人也反過來問我，大詔奉戴日是指什麼？

J：正如您所說，日本人真是巧妙，依自己的方便把事情適當地忘記。

C：別一開始就那麼自嘲好不好。我覺得在某層面來說，那樣比較健康，很不錯，我有時會這樣想。

J：太挖苦了吧。

C：不是，不是挖苦，我說有時真的那樣想而已。因為善於忘卻便可減少人際關係中格格不入的緊張關係，實在可以讓人好過日子。所以，均質的日本人去外國，最後都很想回來。回來泡在「溫水浴」裡，好歹可以生活下去。可以說乘著時代的潮流，隨之擺盪，便可勉強過日子一樣。這一面在某種意義我認為是在共同體內極為健康的生活方式，並沒有錯吧。

J：或許是那樣。如同只是為了保持內部的「溫水」之故，又因其反動而變成排他的確是傷腦筋的，實際上因此對外一直給人麻煩的印象。好吧，對C先生大國主義的寬容表示理解。那大詔是什麼？

C：就是那「保有天佑遵守萬世一系之皇祚，大日本帝國天皇向忠誠勇武的你們大眾昭示，朕在此對美國及英國宣戰……」云云為開頭的宣戰詔書，我的理解是為了增添敬稱的意思而說大詔。

J：記得真好。

C：不是記，而是被迫記著。做為殖民地被統治者的少年之一，要突破公立中學入學考試的難關，教育敕語也是不得不背的。敗戰後所謂的玉音播送，我在台灣的鄉下聽過，因此天皇的訪美與記者招待會等關於戰爭的發言，在種種意義上對我有無限感慨，至今還有。

J：探詢感慨無限的內容不太禮貌所以就免了，那麼不知C先生看過目前上映中的《曼丁果》〔譯註：Mandingo是非洲西部之黑人部族〕嗎？

C：看過了。我讀了友人A氏寄託於《曼丁果》寫的隨筆才知道有這樣的美國電影，真是驚人的電影。

J：您說驚人是指把黑與白的性，追溯到南北戰爭以前並將之挖出的部分嗎？

C：J君很年輕，愛立刻把性的一面放大來看，哦，這是開玩笑，的確中心思想是性，而且是以黑與白的性為支柱描寫美國白人與黑人的關係史是沒錯的。

首先關於「性」的根源性問題，可以如此冷靜描繪出來的理查・佛萊夏（Richard Fleischer）導演的本事教我敬佩。並且把自己祖先的罪孽，又連接到自己「現在」的罪孽等問題光明正大地暴露於天下的勇氣，白人的製作者與導演能做出這樣的事讓我感到畏懼。

老實說，看《曼丁果》時我一邊把山本薩夫導演的《戰爭與人》重疊著做思考。

J：能不能具體地把您的印象講給我聽？

C：兩部電影都是在某種意義上描繪各自的「近代」吧。只是《曼丁果》所處理的時期比《戰爭與人》早些，具體地說是南北戰爭的大約二十年前的短期間發生的事，舞台也很狹窄，只是南部路易西安那州的一個奴隸牧場為中心的事，但是告發給我們看的人類罪孽是極深又廣泛的。不僅這樣，可說還包含非常現在意義的「性之病源」，表現人如禽獸般對待的人本身具有的惡魔性令人應接不暇，將暴力與異常的精采場面擺在觀眾面前，可說近於沒有死角也不為過，佛萊夏導演將之深深地挖下去。對此手法我首先感到畏敬與恐怖。

J：但是被驅趕赴奴隸買賣市場的家族別離的哀傷，在奴隸市場玩弄曼丁果（以頑強美麗的肉體和溫順的性格而受珍重，以最高的價格被買賣的黑人部族名）男黑人內褲的白人中年女性，還有牧場主人的妻子與曼丁果男人的偷情，鏡頭與其放在妻子對白人男子的報復，毋寧更把重點放在妻子自身對性的渴望，也有評論家認為是多愁善感……。

C：也可以那樣看，相反地如果不加入那樣「感傷的」場景，是否能拍成發揮如此訴求力的電影，我對此有疑問。比如把您所指的場景看成「感傷的」，但以電影全體來看「感傷的」要素極少，我沒有感受到妥協討好的成分。

J：那麼與《戰爭與人》的對照會是怎樣呢？

C：本來是想請日本人的您來挖掘的……。但今天您是客人，就由我來提問題吧。首先看了《戰爭與人》已過了相當長的時間，有把此做為前提的必要。《戰爭與人》的原著可說是大河小說〔譯註：20世紀初始於法國的長篇小說寫作手法，順著時間的長流，以如史詩般的壯闊規模描寫人與社會〕，所處理的時間長，舞台以東南亞為中心包含極為廣泛的東西您也知道的。本來美國的近世到近代路程的兩個支柱是白人對原住美國人（印地安人），與白人對黑人的侵略與被侵略、壓制與被壓制、剝奪與被剝奪為中心而展開，我想可以這樣看。把這個關係套在日本，就相當於日本對國內殖民地（愛奴與琉球）、日本對國外殖民地（台灣、朝鮮、滿洲等等）的關係。

可能與五味川純平先生的原著有關係吧，就電影本身來講，可說完全沒有描寫日本人與被殖民者的關係，或未被徹底描寫吧。

或許過於苛刻，佛萊夏與山本做為導演的消化力量之差別，可說是昭然若揭，不知如何？

J：誠然如此！只是C先生，黑人問題是至今還存在的問題，但殖民地問題於今對日本人來說只是過去的問題，這裡的差異，能不能說在訴求力之面產生差距呢？

C：就是這個地方，問題的所在是：的確殖民地統治關係在法律形式上乍看之下是終結了，其實在日本人的意識結構、社會經濟結構等面向上還有殖民地主義的殘渣頑強地殘留著吧。可以說因為有這個，所以日本與亞洲的關係現在還發生緊張與摩擦，我這樣看。

J：好嚴苛啊。

C：不，我沒有要告發日本人的意思，只是希望把殖民地統治關係，再來是侵略與被侵略的關係在其有機的、結構的關聯據實掌握，以及壓迫、被壓迫的關係所造成的相互規定性。將其不移開視線地好好注視。

因為如果《曼丁果》只是講對黑人的總懺悔，僅止於描述淒慘的被歧視、被壓迫的黑人一方，我不會感覺到有如此畏懼之念。更重大的事是，製作方的白人，把白人在歧視與壓迫的過程，正因那壓迫的機構之故，反而被規定自身的精神荒廢，人性的喪失與墮落的過程，確實非常巧妙地將之對象化，而徹底描述的部分令我驚歎並感受到其魄力。

在這個相關意義上來說，《戰爭與人》處處可看到自我辯明與妥協，攝影技術的光線所構不到的「死角」過多，是我感受的印象。

J：被分析到這個地步，已不只是山本導演的問題了。那麼說來，對別的民族解放運動的研究傾注熱情，對自己殖民地統治有關的研究卻不怎麼做：在日本資本主義研究對殖民地統治的定義，還有C先生所說的有關相互規定性的言論都等於無，我也認為有問題。我不喜歡有辯明的氣息，但是否忙得無暇顧及，只能這樣說吧。

C：我不要J君的辯明，我、您與山本導演都不可能完全悠遊於我們所生存的狀況。白人與黑人的關係是有如「黑白分明」的漢語表現一般。易於描繪分明的地方，或許也可說是易於處理的對象。但是幸或不幸，日本人與被日本人壓迫的人們之間的人民生活、文化水準沒有什麼差異，又在宗教、文化傳統、皮膚顏色、人種上的共通性過多之故，統治與壓迫都不是很好進行。因此有了虐殺的史實，但無可避免地產生難以自認的心理糾葛吧。

但是，南京大屠殺、1942年的新加坡華僑虐殺事件的原型，可由1915年對台灣漢族系住民種族滅絕屠殺事件的西來庵事件，以及1930年的台灣少數民族泰雅族的霧社事件都可看到。所以只要有足夠的觀察力，我想應可以佛萊夏的手法加以描繪。然而《戰爭與人》的霧社事件描寫，可惜僅止於泛泛而已。

J：可是從祓禊與驅邪的神道傳統，把已過去的事情全部付諸流水，乾淨清爽地用水清洗流放的日本人特有的美意識，也許在什麼地方發生了作用吧！

C：不知那情形究竟如何。任何民族、任何個人，要把自己、或者自己祖先的所作所為全部否定或批評，是很難以接受的事情。

J：話是那樣說，《曼丁果》不必說，目前在美國議會的CIA犯罪調查活動情形來看，硬是覺得與日本人不同。果然美國做為帝國主義是一流，但做為告發方也是一流的，日本帝國主義是三流，內部告發也可說只是三流吧。

C：我說應把期待放在 J 君們的年輕世代吧。正如您所說，一流人士的存在是我所畏懼的對象。他們不是為了道歉，而是為自己的甦生、轉生之故而勇敢地進行告發，這一點有其生產性，也有連接到普遍的可能性。而日本的進步派卻是「道歉」後就自我滿足的情形可說是壓倒性的多。

J：是的。所以像我，絕對拒絕他們要推給我們年輕世代的「戰爭體驗」的繼承方式，我想畢竟在邏輯上是顛倒的。

C：那很有趣。J君是否能稍微詳細地讓我聽聽您的邏輯？

J：「讓戰爭體驗給不知戰爭的世代繼承」的嘗試，或近年有慨歎戰爭體驗已淡化的潮流，特別於所謂進步派陣營顯著，我想這是C先生也很知道的事。舉些他們的言論記述如下：

> 戰爭體驗是做爲變革產生戰爭的政治與社會的意識，再者是，做爲和平的決意與行動之規範，必須被繼承在年輕世代的血肉之中。（小林桂三郎編，《聞き書き戦火に生きた父母たち——東京泉南中生徒の記録》的〈後記〉）

我覺得這是多麼武斷的邏輯啊。

C：這是說……。

J：稍微思考就知道，把戰爭體驗僅做為體驗繼承的話，那是聯繫到繼承戰爭而應該聯繫不到和平的東西吧。戰爭體驗到底是戰爭的體驗，多數日本人是當作總力戰遂行戰爭是不爭的史實。

C：那麼您所要講的是，因反戰而被關在牢獄的一部分人的反戰體驗，虛擬成好像是全國民規模的戰爭體驗在講話這一點，是有問題的。

J：當然也有那一面，但更單純地以詞語本身的問題來說，我也不能同意。本來繼承就是承繼，是反覆。但他們的繼承論可說幾乎是與必定「不可再度反覆」的議論合在一起展開。可說把不可相容的兩個邏輯滿不在乎地整個推給戰後世代，成為陷阱而不自覺的「大人式」欺騙，讓我感到焦躁。

C：那麼說來，革新政黨之中把長久以來的敗戰開始改稱為終戰而成話題。

J：此間的情事與邏輯的轉換我也不明白。請再讓我繼續我的主張。

C：請說。

J：真可說是奇怪或者是粗糙，連那有名的《昭和史》（岩波新書）也對戰爭體驗改變了說法。

譬如此書在初版說「昭和的歷史聯繫著我們的種種回憶。但是，那回憶的任何一個場面，都被沉重的戰爭陰影覆蓋著。我想我們不能再重複這樣痛苦的戰爭體驗」；而在新版中，被改成「這時期的歷史應重複被談起。那裡有我們無盡的回憶，有忘不了的犧牲被付出，戰爭體驗才是今天和明天日本人可汲取生存下去的睿智與力量，是國民的尊貴遺產」。

作者們在初版中提到的痛苦的東西、不可重複的戰爭體驗，在不知不覺之間竟變成尊貴遺產、變成生存下去的力量與源泉，亦即變成應繼承的存在。

C：如果是那樣，作者遠山茂樹先生等人的立場應看成是180度的轉變嗎？

J：當然不是這樣，如他們自己在新版上說「看歷史的根本立場不變」的聲明，他們的態度沒變。可以說前面所舉出的陷阱使他們無法自由而已。

前述的小林桂三郎又寫道：「『孩子們啊，和平絕不會從對方走過來的！』這事，是我最後想強調。」如上。C先生也知道對於大多數的日本人，八一五正是「從對方」而且是突然來臨才是實際的情況。他們把「整個由人給的和平」與「自己爭取到的和平」，在抽象的語詞中將「和平」一語混和著談。

可以說那是把戰爭體驗與反戰體驗混和成如出一轍，並對「小孩」之垂訓。

C：那反面，不，同一平面的另一表現是，日本民族是先天地或傳統地以民族的屬性具有侵略性的見解，從厚顏無恥地到處闡述「進步」之事例可看出。以為只要「道歉」就可被容恕的天真想法或抱持沒有確實根據的邏輯，不，應是絲毫都沒有，只有情緒的對應，不只是你們的世代，「被侵犯」的一方其實也不能領會。不用說那是不能連接到應有的未來並發揮功能，所以一言以蔽之，是非生產性的東西。那麼結論是如何……。

J：話可能講得過火些，希望第一，「大人」們要把與反戰運動有關聯而已做了、做到的、沒做到的與未做的事，毫無含糊欺騙地整理好；第二，在那關聯上將自己所處的位置明確定位好。

再者，是不要一開頭把我們「不知戰爭的世代」想作即是「對戰爭沒有批判的世代」。

如有賣弄顛倒的邏輯與說大話的時間，我想應盡可能傾注努力把自己內部加害者的一面與被害者的一面（僅少部分而已），以有機的、結構性的關聯做明確的掌握。

「大人」經常說因有上層的「強制」，「國民被騙了」。不知為什麼他們不願觸及自己接納了強制，不久自己又騙自己，或不能不騙。所以剛才所提就是把敗戰改稱終戰，我想對我們而言根本沒有什麼變化。本來對我們來說，有做為事實的敗戰，但是沒有做為接納的敗戰。

C：是這樣嗎？我一直期待著日本人自己要正視敗戰的事實，才可以從此獲得生與轉生的彈力。

J：那有點天真吧。不能正視「侵犯」的事實，同時與未能掌握敗戰的真實情況是同根相連的，總之日本人是以終戰的詔書始停止戰爭，並非因戰爭的淒慘而停戰的。

C：說的也是。真正把戰爭的悲慘以人之名義能正確接納的話，同樣也可以人之名義堂堂地向投下原子彈之美國提出告發的邏輯當然應會出來，但是沒有。

J：我完全與您有同感。含糊不清，而且那勝者為王式的傳統意識依然存續著，所以內疚與看破人生的原理交纏在一起，弄不清楚自己的定位。

C：不管如何，雖有程度之差，「被侵犯」方也有戰爭責任，應彼此合作，不把戰爭的教訓確立起來是不行的。

按：寫本稿時受了友人鈴木恆明多所啟示。茲特表謝意。

本文原刊於《母之友》第273號，東京：福音館書店，1976年2月，頁50～57

亞洲之中的日本

◎ **林彩美譯**

這幾年日本的出版界中，日本論、日本人論可說百花爭放。

想起來，其原因與經濟高度成長趕上了歐美的「日本號」開始迷失目標的情況不無關係。

經濟成長即善的神話崩潰了，代之而起的是「GNP見鬼去！」的社會風潮，使伴隨著目標喪失而來的渾沌更加深化。

還有在從來就喜歡範本的日本人面前，這範本已經消失不存在這點，也可說是支撐百花爭放的一部分要因。

其中很重要的是，一直被戰後日本一般年輕人視為模範而嚮往的美國，透過越戰的展開，粗暴地揭開了自己的面紗。

日本人為自身座標基軸之確立，所耗費知性能量之義涵，我完全可以理解，並且我認為外部的人也應該表示出溫馨的理解與關心。

編輯先生給予在日中國人研究者的我「亞洲之中的日本」這個題目，也可當作前面所說知性營為之一環來接受，應該不會錯吧。

那麼，為什麼不是「世界之中的日本」而是「亞洲之中的日本」呢？

從經濟大國日本的經濟活動來看，與其把日本定位為亞洲的日本，毋寧是已經成為世界的日本了。即使如此，許多日本有識之士在心情上，比之「世界之中的日本」，更願選擇「亞洲之中的日本」為課題。

當然，以謙虛為是，至今猶選擇以「安分」為社會規範做思考順位，不是不能理解的。正如很多論調所顯示的，相當多的日本有識之士，已承認在經濟的領域以外，日本依然還未能真正地在世界性視野中占有一席之地，便是其根據之一。

可是，這不是重點。有趣的是，明治日本所產生的代表性美術家乃至思想家，抑或詩人岡倉天心（1862～1913）所提出的「亞洲一體」（《東洋的理想》〔《東洋の理想》〕），至今還在人們的心中跳動著。

儘管近來我在大學裡接觸的年輕人中，絕大多數都只是抱著負面的印象來看亞洲。

「亞洲」這個內容不一定是明確的日語單詞，在中年以上世代的日本人心中，現在猶具有魔性般的回響。聽了這個情形之後，我知道有數位歐美友人發出驚訝之聲。

但是日本人以外的亞洲知識分子的反應，與歐美人是相當不一樣的。

既不是感歎，也非驚訝之聲，而是摻雜著歎息的怒吼，發出「又來了⋯⋯」的心聲之人不少。

最初「亞洲」成為日本人的問題，進入日本人的視野，應是與《*Japan Times*》的創刊差不多同一個時期之事。

其最著名的是福澤諭吉（1834～1901）的〈脫亞論〉（1885年）。正如眾所周知的，福澤所言脫亞的「亞」僅指中國與朝鮮。又〈脫亞論〉的宗旨，是必須切斷與停滯不前的清朝與朝鮮的文化關係與精神上的孽緣，去尋求與西歐文明國的精神歸一之論述。

做為被斷絕關係方的中國人後代之一，筆者在現在這個時候，仍可以理解福澤的心情。

福澤把中國、朝鮮看作是不能順應西歐＝文明東漸的國家，並確切地預言到「從現在起不出數年即會亡國，其國土應歸世界文明諸國之分割，這一點是毫無疑問的」。對其觀察力在某種意義上我不吝表示敬意。當然，要斷絕而離開，那的確是隨你們日本人之意，我應說恭請自便才是。

但是回過頭看，學習西歐列強的亞洲侵略政策並與之為伍，不，應說領先侵略中國與朝鮮這件事是不可原諒的。

與〈脫亞論〉同年，樽井藤吉（1850～1922）寫了《大東合邦論》（1893年出版）。

樽井立論的前提與福澤完全相反。福澤把西歐＝文明，亞洲＝半開化，至於朝鮮則是將其貶低為「與其評為野蠻，毋寧是妖魔惡鬼之地獄國」，將其與日本之關係評為孽緣。

樽井首先把亞洲與西歐相比較，認為其是在地理上、道義上更為優勢的地域。然後在強調兩國間所存在的自然的、先天的親和性前提下，將日朝兩國關係定位為像兄弟間道義上的關係。

樽井在此前提下，考慮日朝兩國平等的合邦，因係對等之故，取與雙方國號無關的大東國做為新國家的名稱。他又提到與清朝的關係，主張徹底尊重清朝的獨立，與大東國不是合邦而是合縱，即倡導同盟。

他不但不脫亞而志望「留亞」，日、朝合邦，與清合縱，直到中日甲午戰爭勃發之前年，更把構想擴展到「亞洲黃人國的一大聯邦」的形成。

現在日本人所看到的亞洲已不止於中、朝，而是包括越南、泰國、緬甸等在內的廣大範圍地域。

一大聯邦結成的目的，不必說，是在於對抗西歐的亞洲侵略。但是歷史的進程與樽井的志願相違，日、朝並非對等的合邦，進展成為以殖民地統治為結果的日、朝合併。

寫《脫亞論》、《大東合邦論》的1885年，也是大井憲太郎（1843～1922）的大阪事件被揭發之年。

大井是自由黨左派的有名人士。大阪事件，是指聽到金玉均等朝鮮的開明派，在由日本提供軍事援助而實行的甲申事變（1884年）中失敗的消息後，大井等計畫援助朝鮮開明派，祕密準備了資金、武器，在即將渡朝鮮之際被揭發的事件。

在大井的想法之中有「我們非奪取彼國而是欲強化彼國者也」，認為就「朝鮮現時之狀況而言，是欲給予其國民安全幸福之主意也」，即有所謂自由民權思想之擴張為宗旨，以及若「欲給予其社會活動之力，以引起外患之事為特別之好手段，在此之際實施應該能引起人民之真正之愛國心」，這種與日本國內改革的構想摻雜在一起的情況。

應該注意的是，大井與福澤、樽井所不同的是，不把朝鮮與中國放在同一立場來對待。

同情被壓制下的朝鮮人民，大聲喊著解放的大井，卻把清朝民眾看成是，「支那人即使腦袋挨揍也恬不知恥。唯利是圖，幾乎到了是人與否不得區別之程度」，憎惡甲申事變中清朝對朝鮮開明派政變的武力干涉之餘，將清朝與民眾不分青紅皂白地加以憎惡，後來則蔑視之。

於是，甚至於出現了主張「朝野官民同心協力」（1892年，東洋自由黨組織的宗旨）去做亞洲治國的方策，使清朝與朝鮮從屬於日本，由此達到日本＝亞洲盟主之主張。

以上透過福澤之脫亞論，樽井空想素樸的留亞・聯亞論，大井的微妙復合了解放與侵略的侵亞、興亞論等基本模式，可以看到19世紀末日本的對亞洲思想的展現。

然而穿過岡倉天心的「亞洲是一體」，之後喊出「興亞思想」、「日支協作論」、「東亞共同體論」、「大東亞共榮圈」等口號，在與亞洲諸國的協作論、改造論、更有侵略論等各種相互矛盾著的要素摻雜在一起的同時，近代日本嘗試著在亞洲中確保其地位。

但是那一切都被收斂在近代日本的國家性、結構性體質所製造出來的「時勢」中一直衝到八一五，迎來了敗戰。

從那以後30年，經過一個世代，人們又重新提問「亞洲之中的日本」。

情況明顯地改變了。將文明與未開化、西洋與東洋、白色人種與有色人種放在對立位置來思考的框架看來是過時了。把國家＝統治階層＝民眾看成一體的看法本來就沒結果。隨著人權意識的高揚，這會愈來愈明顯吧。

提出「亞洲之中的日本」的問題本身，在一定程度上是意味著日本對亞洲應有的新思想摸索。

侵亞是屬於議論範圍之外的，新模式的脫亞也好，留亞、聯亞、興亞也行，但是將以「誰」為特定化對象來推行政策，這才是問題之所在。

漸漸醒悟的亞洲民眾，不僅只是對「被侵犯」表示出積極的抵抗，他們早已不肯繼續當人種主義或「血」的囚人。所以有好好考慮的必要。

為了不回到曾經走過的路，我認為有必要把1885年具有代表性的對亞洲的思想，再次做為「溫故知新」之材料來活用，因此我從書架抽出幾冊古書重讀。

本文原刊於《*The Japan Times*》，1977年3月23日，C12版。原題「Japan in Asia——Great Debate on Japan and Japanese Related to Nation's "Loss of Aim"」

請聽聽來自亞洲的「大地之聲」

◎ 林彩美譯

自1955年以來，我就是東京的居民。做為中國人研究者就心情而言，我自以為在深層處同日本人共有著「儒家文化」，即使偶然覺得是與「異文化」相邂逅，毋庸說是神祕，甚至可說是一種創造。因此，我在這之前也沒什麼感到生活上的不安。

但是，自日本成為世界第三之經濟大國，從各方面傳來奉承之聲，我不得不感到情況完全變了。特別是傅高義（E. F. Vogel）的《日本第一》（*Japan As Number One*）成為熱門話題後，這種感覺更甚。他儘管把日本稱為是「做為第一」，但也沒有說是「真正第一」。但對此讀者毫不在乎，該書仍是暢銷不衰。我認為這種情況乃是不尋常的。

對日本人而言的《日本第一》，真正是一本甜言蜜語的「惡書」，我們讀此書的結論便是如此，或許這是基於獨斷和偏見的讀法。當然，我並沒預謀將這本305頁的日語譯書祭為「元兇」。因此，我覺得不安的對象並非是該書，喜滋滋地認可該書的日本人實在太多，與此相反，將其做為「毒書」來閱讀，並加以批判性定位的評論太少，現今日本的此種情況正是我感到不安的源由。

讓日本人感到無限幸福的，大概是其高度經濟發展的成果。除此之外，我認為亞洲各國首腦的對日發言和要求日本經濟援助等也可算是要因之一，前者便是新加坡總理李光耀所說的「向日本學習」和馬來西亞總理馬哈迪（Mahathir Mohamad）「向東方看齊」的發言。後者則可從不斷要求日本經濟協助的韓國、中國大陸、台灣等國家和地區中體現出來。

「向日本學習」、「向東方看齊」以及要求日本經濟協助，原本都毫無「完全」肯定日本之意，儘管如此，許多善意的日本人往往自我陷入「美麗的誤解」中，這乃近年的實際狀況。不能忘記迷惑有心之日本人的另一個重大因素，是「社會主義的亞洲」——即「中華人民共和國」和「越南社會主義共和國」。

到1970年代初為止，社會主義亞洲外表看來堅如磐石，不僅亞洲史，從世界史的角度來說，許多人拍手稱快，認為他們做為歷史前衛在戰鬥著，從而將人類甦醒之夢寄託在他們身上。

揭開蓋子一瞧，這乃是一場白日夢。貧困和人口的壓力之狀況依然未變。沸騰的亞洲活力仍沒有找到噴發口。因此，可以預見到在不遠之將來，亞洲將再次強烈地凝聚並爆發出「大地之聲」。即使現在開始尚為時不晚，我認為日本朋友們應該克服現在喜不自禁的狀況，具備起能聽清楚「大地之聲」和「地上之聲」的耳朵。進一步說，這也是我的期待。

本文原收錄於岩波書店編輯部編，《これからどうなる日本・世界・21世紀》，東京：岩波書店，1983年5月，頁268～269

儒家思想與日本近代化：澀澤榮一的個案探討

——並試論和魂洋才與中體西用之差異

一、題目設定的緣起

正當港、新、台、大陸、東亞及歐美各地學術界，普遍重新探討中國傳統思想和文化價值的地位，並提出「儒家問題與現代化」，以求綿延幾千年的儒家思想在現代復活，並對西方文化做一根本性之對抗。這一重大的課題，迫使我再次追尋、整理，並探討自己在30年前已萌芽在腦海裡的一些思考和困惑。通過反思，有助於給自己的思路在中國傳統文化影響和所處的近代化社會之交錯中，試作暫時的定位。

我是1955年11月21日從台灣前往日本留學的。翌年四月考上東京大學研究所。記得當我第一次旁聽有關日本經濟史課時，日本人教授，土屋喬雄（1896～1988）博士，介紹的便是日本近代企業之父、日本近代化之父，或者說是日本資本主義之父——澀澤榮一的為人、思想、事業等。斯時土屋教授正在主編《澀澤榮一傳記資料》〔《渋沢栄一伝記資料》〕（全58卷），他特別提起澀澤的二本言行錄和一本演講紀錄。第一本為《青淵百話》。

《青淵百話》的「青淵」為澀澤之號。這第一本言行錄出版於1912年，當年一共印了八次，翌年再被印成普及新書（好似岩波新書的縮小版本）版，可當作目前的一種暢銷書（best seller）看待。第二本言行錄為《新編青淵百話》（《青淵百話》被收編於《澀澤榮一全集》〔《渋沢栄一全集》〕第一卷，出版於1930年時，由澀澤本人加上改編並增補合為153話所以名為「新編」）。

另外一本演講紀錄即是《論語與算盤》[1]〔《論語と算盤》〕，初版為1928年，迄今仍被廣泛閱讀（最新的版本則由日本東京的國書刊行會於1985年10月1日發行）。

當我聽到《論語與算盤》的書名時，感到無比的驚奇與困惑。我雖出生於日據時期，受日本殖民之教育，故中國國學底子甚差，但透過家庭教育和光復後十年來，在國府教育政策做為核心的國文、公民以及三民主義的教育下生活，還是會受到傳統儒家思想的一點灌輸的。且不說，那時由於國文底子差，根本不可能弄懂儒家思想的奧祕，就是做為一個年輕力壯、充滿好奇心、富於進取心和自命不凡使命感的年輕小夥子來說，對在家裡以及課堂裡的，那種保守的、缺乏新鮮感的、古板的、又是訓詁學式的有關儒家思想的說教和詮釋是不會感到太多興趣的。不但不感興趣，甚至在本能上是具有抗拒心理的。原想在異國、異文化的他邦——日本，將可受到一種振聾發聵的新思想衝擊和洗禮，沒料到第一堂經濟史課竟然出現了「論語」又是「算盤」，還把兩者連結起來，這怎能不對我是另一面的衝擊呢！然而，這堂課的

1 《論語與算盤》的最新版本為國書刊行會，1985年7月30日第二版發行本。〔最新版本有東京：筑摩書房版，2010年2 月〕

日本教授運用非常科學且又摩登的經濟學詞彙，深入淺出地講解了澀澤的生涯、企業家精神，以及他的暢銷書所帶給日本企業界和一般社會的廣泛影響。

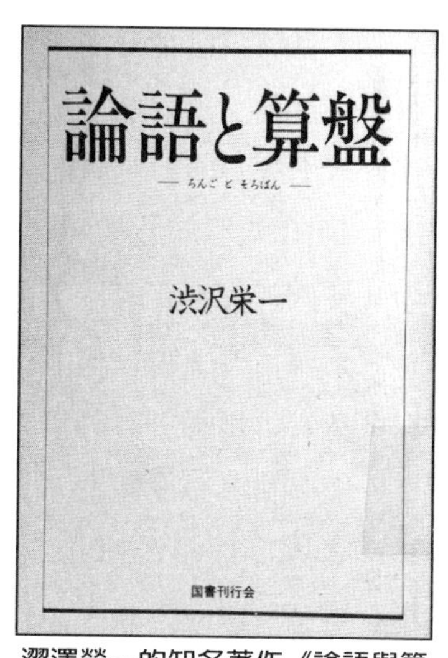

澀澤榮一的知名著作《論語與算盤》

土屋是「日本資本主義論戰」時「勞農派」的主將，他在戰前的論戰時站在「勞農派」的立場，正面地肯定日本資本主義的近代性格，而向強調日本資本主義的封建遺制性格之「講座派」掀起激烈而持久的「日本資本主義論戰」。日本戰敗後，他不但沒有改變立場和史觀，更透過多年來對日本經濟史有關資料的蒐集、整理、鑑別、排比、復刻以及分析研究，增補他的理論根據。

土屋教授的著作《澀澤榮一傳》〔《渋沢栄一伝》〕（1955年，東洋書館）和澀澤的前引三著作，特別是《論語與算盤》給我帶來既新鮮又富於刺激的新視野。

在初步研究土屋教授學說後不久，我開始接觸土屋教授在東京大學經濟學院的同事，但在戰後之論戰場裡卻是「好敵手」的大塚久雄（1907～1996）教授之著作。

大塚博士在戰前時期「日本資本主義論戰」時，一方面是尚年輕，另一方面是他志於西洋經濟史，因而沒有及時或直接衝上論戰沙場。但在思路上，他是被定位於「講座派」末座的。

大學時代，他除了旁聽著名基督教徒思想家內村鑑三的「聖書講義」外，還參加了由東大教授矢內原忠雄所領導的「東大聖書研究會」。眾人皆知，矢內原教授為《日本帝國主義下之台灣》[2]的作者，又是台灣大學名譽教授張漢裕博士的授業老師，由此我們可稱大塚教授為張漢裕教授之同門學兄。

大塚博士，依據聖書研究而構築了日後支持他自己研究學問和抵抗日本軍國主義的精神基礎。

他在日本軍國主義最為猖獗的15年（1931～1945）期間，不但不曾屈服於日本軍警之淫威，仍然留在東京大學和書齋裡，把馬克思（Karl Marx）的歷史唯物主義和馬克斯・韋伯（Max Weber）之宗教社會學二者連結，並揉合創造出「大塚史學」的壯碩學問體系（《大塚久雄著作集》全13卷）[3]。

我透過大塚教授的翻譯、介紹或詮釋，慢慢接觸到韋伯的《中國的宗教：儒教與道教》，特別是它的第八章（結論：儒教與清教）主張，傳統儒家思想為中國不能走上資本主義發展的阻力之說。1960年代以後，大塚博士本身雖還藉著韋伯的理論架構和概念，但他已開始摸索立足於亞洲人，以及第三世界人士固有且與歐美有異的自己腳板上，來給韋伯的方法和概念加上琢磨和填補新方法與概念之具體路途。他開始對亞洲以及第三世界的革命和有關現代化問題發言，發言中當然包括對中國革命以及儒家

2 矢內原忠雄，《帝國主義下の台灣》，岩波書店，1929年發行。

3 大塚久雄，《大塚久雄著作集》，全13卷，岩波書店，1969～1986年發行。

思想的重新評估問題[4]。

接受了土屋和大塚兩教授的啟發後，我逐漸從感性排斥儒家思想轉變為依靠著理性好奇心理圍著儒家思想——特別是《論語》而苦惱、徘徊或困惑的學子。

雖然旅日30年，但我卻始終抱著不是親日、而是盡量立足於知日的態度，我想在比較研究中，尋找屬於我或者是我們中國人自己該走的路。我一直想，為什麼日本近代的洋務運動（即日本的近代化運動，後來經過明治維新開花，結了一定程度之果實）和中國的洋務運動在起步上並沒有多大差距，而後來的演變卻大相逕庭？30年來，我時常在思考，日本為何可以把儒家思想結合於近代企業的經營，或者是給他們資本主義企業的創業和經濟作某種催化劑或凝固的一個文化、思維上之手段或工具；而我們反而一直採取兩種極端：要嘛無條件地打倒，要嘛做為其對立面而加以全面推崇或護教。或許我孤陋寡聞，所知有限，我們中國人的前輩和我們自己都沒有花過充分的精神與力量對儒家思想傳統進行真正的批判繼承工作。但是，最近幾年有杜維明、劉述先教授等好學之士，開始重新做批判繼承儒家傳統的學術研究工作，力圖在新的國際形勢下，接上因動亂歷史而中斷的中國文化傳統延續的斷裂層，在國際化的潮流中確立中華民族的自我定位，以一個穩定而明確的內部自我立場，來構築一個包容世界菁華的開放的近代化體系，以求得在開放中保持自我文化傳統中的優勢，

4 大塚的具體見解，可參照《大塚久雄著作集・第11卷・比較經濟史之諸問題》之有關論述。

不迷失自己，同時又以鮮明的民族文化特色為世界近代化增添光彩。我認為這是值得注目和重視的工作。

雖然我不是研究中國哲學或思想史的，但是因為旅居日本30年，加之一直注重中日關係史、中日文化的比較研究，所以，今天我也不揣冒昧地碰一下儒家傳統和中國近代化這個棘手的題目。我想通過介紹澀澤榮一及其對《論語》的見識，並將儒家思想結合到日本近代企業經營的過程，來做一番帶有比較性的介紹與探討，以求為研究儒家傳統和中國近代化之關係提供一個較新的參照座標，並期待著這種研究能從空洞的理論務虛，轉到促進社會改革的求實方面來。

二、澀澤榮一事蹟簡介

如前所述，東京大學著名日本經濟史教授土屋喬雄開篇就談澀澤榮一[5]和他的《論語與算盤》，土屋教授是屬於勞農派（戰後的政治舞台上係處於左派社會黨立場，與共產黨立場的講座派相對峙）的學術界代表人物，他是用馬克思主義經濟學方法從事教學與研究，然而，就是這樣一位人物，竟然高度評價澀澤榮一富有近代企業家精神，並且把澀澤榮一的成就歸功於他對孔子經

5 澀澤榮一的有關傳記，除了由他本人之口述成書的《雨夜譚》，由岩波文庫於1984年11月出版外，具有典範之作有二本，第一本為土屋喬雄著《澀澤榮一傳》（初版由改造社於1931年11月發行，戰後改由東洋書館，於1955年發行）。第二本為幸田露伴著《澀澤榮一傳》，岩波書店，1939年6月10日第一次印刷，近版即為1986年9月4日之第五次印刷者。

典《論語》的詮釋與應用。這對於我來說，在某種意義上又是一種理性的誘惑，因為我在台灣從未聽過利用近代社會科學、經濟學、經營學來對儒家思想進行詮釋的說法，同時亦部分消除了我因對日本近代帝國主義向外侵略的體制面上的憎惡而附帶產生對澀澤榮一個人之抗拒性心態。我開始饒有興趣地了解起這個傳奇性人物來，以求從他身上找到一把打開儒家思想與日本近代化關係之謎的鑰匙。

澀澤榮一，1840年生於現在的日本埼玉縣。這一年正值中國發生鴉片戰爭。日本一向視之為強大鄰國的清朝中國，竟然敗倒在歐洲同日本相類似的島國——英國的槍砲下。日本震驚了，內部開始醞釀起變的動因，我們同時得注意，斯時日本社會已廣泛存在有初期資本主義的社會經濟基礎和其架構。澀澤家是所謂的村莊大農，集農業、商業、小金融業（前資本主義性格的）於一體，農業當然是指稻米、小麥的栽培及養蠶；商業與工業是指將自家或別家栽培的染料——藍靛加工銷售；小金融業是指經營村莊裡的錢莊，即封建時代的地方性小銀行。這種亦農、亦商、亦工、亦金融的經營氣氛和環境，給予澀澤很大的薰陶。就在他14歲的時候，因關東地區乾旱，他父親就讓他去外鄉代他收購藍靛原料，從而培養並使他的商務才華得以發揮。而那一年恰巧是1853年，美國培里將軍（M. C. Perry）率艦隊來到日本，用大砲逼迫日本開國。翌年培里再東來，同日本締結《神奈川條約》於橫濱。時勢開始造就澀澤榮一這樣的新人物及日後的財經鉅子。

然而，值得注意的是，在歷史大轉變時期中崛起的澀澤，其所受到的教育恰恰就是以儒家思想為基礎的漢學。他自小從父親處習得漢學基礎，七歲就進私塾研習儒學，故而深諳孔孟之道。

正當澀澤年歲24，血氣方剛之時，日本國內政治風起雲湧，他一度加入尊王攘夷黨之行列，準備參與推翻德川幕府的革命性行動。因事敗，為擺脫幕府追究，他西下京都。當時德川將軍的分家——一橋家在京都，家長是德川慶喜。慶喜於1866年承繼了將軍職成為第15代德川將軍，於翌年（1867）並被情勢所逼奉還政權給明治天皇。因澀澤素有行商理財的本事，知音朋友便推薦其到一橋家管理財政。政治上的挫折反而使他得以其擅長——理財而步入仕途。可見人生禍福實難以預料！這一年為1863年，是他的才能得到社會性發揮關鍵的一年。

到了1866年春天，一橋家家長——德川慶喜將要接任德川幕府將軍的權位，澀澤對此陷於苦惱之中。這不僅因為幕府政治已處於風雨飄搖之中，而且，澀澤原來是反體制分子，他既不願做幕府政治失敗的犧牲品，又不願背叛原來的朋友和庇護過他的恩人。因而他曾試圖勸阻慶喜去繼承將軍權位。但是，機運又一次垂青於他。1867年，法國巴黎舉行世界博覽會，澀澤榮一做為將軍之弟弟——德川昭武的隨員，跨出島國的羈絆，走進「用不到一百年時間，創造了超過人類幾千年文明總和的」資本主義歐洲。這不但使他避免被捲入1868年明治維新革命的頭破血流之漩渦，還使他大開眼界，受到一次極深刻的資本主義近代化的洗禮和實地現場的薰陶。

1868年底，他從機聲隆隆的歐洲返回革命後百廢待興的日本。明治政府大藏省（財政部）不拘一格，起用他參加新政府的創制（財政、銀行和貨幣制度等）和改革，澀澤得到了全面發揮才能的機會亦一起地到來。1872年，他就任大藏省租稅司正。1874年，因政府內意見不和，他隨當時的大藏大臣井上馨一起辭職。1874年，他正式轉入實業界，開始著手創辦近代日本資本主義體制下第一家的「第一國立銀行」，大大地向近代實業界邁進一步。其實他已在未仕官前的1872年，也就是他自歐返國不久，直接投奔舊主家（時已退隱於靜岡縣），幫慶喜創設近代日本的第一家合本商事公司「商法會所」自任總經理掌理一切。到他1931年謝世為止，澀澤榮一經手創辦的企業共有五百多個，其中包括：銀行、紡織、房產、造紙業、造船、海運、鐵路、車輛、啤酒、化肥、近代旅館業、保險業，除此之外，還參與創建了因培養日本財經界菁英而著名的一橋大學。可以說，他創建的企業基本囊括了近代資本主義企業的各行各業。他92年生涯中的大半，也就是六十多年間，不就可視等同於日本明治、大正全期和昭和早年的一部完整產業史。這不能不說是一大壯觀的軌跡。難怪他在日本被稱為實業王、日本財經界之龍頭。最近，甚至有人將他稱為日本近代化或日本資本主義之父。不管怎麼說，通過對他的分析，至少可以從一個側面解開日本近代化成功之謎，是不會有人存疑的。

更為重要的是，在澀澤榮一成功的過程中，儒家的經典名著《論語》是他永遠能夠克敵制勝的法寶。解開這個謎底，對於我們宏揚民族傳統文化（這種宏揚不僅僅是有哲學意義上、歷史光榮感、文化遺產保留上的意義），並且將其適用於推動社會倫理的實際運作中，有著一種嶄新的意義。

三、澀澤榮一的著作及其思想簡評

在這一節裡，我將較為詳細地介紹和評價澀澤榮一的著作及其思想歷程。首先應該補充說明的是澀澤榮一為什麼會獲得成功呢？從其客觀條件來看，有這樣三個顯著的特點：第一，他生於一個歷史大轉變的時代，斯時日本已孕育有初期資本主義的社會經濟基礎，日本被迫開國後，為避免像中國一樣淪於半殖民地，爆發了明治維新，企圖以革故鼎新來發展近代資本主義，這可謂是生逢成就英雄之時；第二，但是，澀澤榮一個人的文化素養是在傳授以儒家思想為基礎的私塾所奠定的，他沒有機會進入高等學校學習，也沒有留學鍍金過；第三，然而有幸的是他曾到巴黎考察世界博覽會，目睹歐洲近代資本主義文明的生機，激發起他仿效學習和追趕歐洲資本主義的雄心。在這種背景之下，他居然能把儒家思想與歐美先進資本主義實業及其技術巧妙地銜接起來並加以揉和，以這種獨特的東西方文明融匯的方法，來推進日本近代企業的創始和發展。

澀澤榮一已將其成功的經驗寫進他暢銷不衰的名著《論語與算盤》和《論語講義》[6]。

可以斷言，解開澀澤成功之謎的金鑰匙便是他的名著《論語與算盤》。其實，《論語與算盤》並非是澀澤在書房中「磨」出來的學術論文，而是他在企業以及各種場合進行的演講彙集，儘管該書是在1928年出版的，但是，直到今天，它仍是暢銷不衰的

6 《論語講義》（1～7冊）的最新版本，由講談社發行，被納入講談社學術文庫，共7卷，1975年9月發行。

名著，是許多社會中堅菁英和企業家案頭必備的經典之一。半個多世紀後的今天，當我們翻開這本書時，撲面而來的並非是其他舊書中常有的霉舊味，而是新鮮活潑的連珠妙語，給人們帶來了無限的啟示。《論語與算盤》由下列十章組成：1.處世信條；2.立志與學問；3.常識與習慣；4.仁義與富貴；5.理想與迷信；6.人格與修養；7.算盤與權力；8.實業與士道；9.教育與情誼；10.成敗與命運。

從該書標題即可看出，這並非是一本小商小販發財的指南針，而是一本充滿哲學思辨、道德境界的近代資本主義大企業家的驚世留言。

或許有人會說，該書出版於1928年，而作者死於1931年，這只是一本代表作者晚期思想之書，並且是在他死後才對日本實業界產生影響。其實不然。如果我們追溯一下澀澤生前的歷史及其影響力，便會赫然發現，澀澤一生著述甚豐，其中有他的人生回憶錄《雨夜譚》，更值得注意的是前面已提過的1912年發行之《青淵百話》一書。這本暢銷一時迄今亦被列入實業界人士名著的著作，彙集了他的往事回憶和演講談話，這是澀澤站在明治年代的一個主要實業家的立場上，縱論東方式資本主義體制下之人生觀、社會觀、國家觀、宗教觀、男女青年修養論、實業論，可見，澀澤的主要思想已經早在《青淵百話》中表示無遺。然而，《論語與算盤》雖然在許多問題上和《青淵百話》有重複，但在論及儒家思想和企業經營、振興實業界有關事項上，則後者顯得更為透徹，甚至於可說達到爐火純青的地步。

一般中國人從《論語》中聯想到的不外乎是道德，即

「義」，而對算盤的印象則是買賣，即「利」。因此，這兩者之關係可謂水火不相容。所以，中國人一般較難理解，在澀澤的思想中，為何會形成「論語算盤說」、「義利兩全」，更甚之是「道德經濟合一主義」。《論語與算盤》的開篇是「處世與信條」，在其第一項「《論語》與算盤之關係的遠近」中，澀澤寫道：

> 今日道德之根本，應首推孔子門人所論述孔子事蹟之《論語》一書，《論語》爲眾人所推崇拜讀乃周知之事實。但論語與算盤，（一般而論）這兩物雖相去甚遠，無法並舉，但我始終以爲，這算盤乃由《論語》造成，而《論語》則有賴於算盤方有眞正的財富活動之價值。因而，《論語》與算盤之關係，實爲既相隔甚遠又相距甚近。（中略）吾竊以爲，這物質的進步，倘不能充分以極大之欲望而圖利殖，則絕無法進步。同樣，只崇尚空洞理論、唯求虛榮之國民，絕不能發達眞理。因此，我等自身盡量不只求政界、軍界之不跋扈，而希望實業界盡量擴張實力。這即爲增殖物質之要務。此項尚不完全，則國富無以達成。尚論及達成國富之根源何在，則謂之，如無仁義道德、名正言順之富，則其富絕無長久持續之理。在此，將《論語》與算盤相去甚遠的隔閡加以統一，實乃今日之緊要之務。[7]
>
> （《論語與算盤》，頁1～2）

7 前引《論語與算盤》，頁1～2。

從上述論述中，我認為有如下三點應加以注意。第一，明治時代的日本人較普遍地閱讀《論語》[8]，甚至有「讀《論語》而不知《論語》」的成語流傳，令人覺得意味深長的是，中國人或華人，不問海內外，幾乎所有的進步知識分子自五四運動以後，不僅對儒家不感興趣，更多的是表現出不正常的反感。中國大陸近年出現了為孔子「正名」的思潮，這姑且不論，在台灣，體制方面積極地推行護教（孔子即儒教）運動，即便如此，人們對儒學或儒家思想也是長久地漠不關心了。當然，其中或許有抗拒體制的一面存在。與這種情形相比較，日本的今天依然是不斷翻印、新版有關《論語》的書籍，書店的書架上比比皆是，暢銷不衰。中日兩國對儒學和儒家思想的接受方法，至19世紀末期以後，就呈現出極為不同的差異，這一事實我們必須承認。第二，必須指出從明治維新的初年到1880年代，一般日本人也依然認為《論語》和「算盤」是無法並舉，兩者相隔甚遠的。僅就此而言，中國人和日本人對《論語》的傳統看法並無多大差別。但是，維新成功後，澀澤就認識到這種狀態不應繼續綿延下去，而要根本改變對《論語》的傳統認識，這不能不說是罕見大膽的真知灼見。

在明治時代初期，武士道精神依然是日本社會的典型風範，輕商之習依舊瀰漫在社會之中，這對於日本近代化之經濟發展殊為不利。因以，澀澤率先而起，為「士魂商才」之培育大聲疾呼，而此種新型士魂商才的培養基礎便是《論語》，關於此間經

8 參照色部義明，《よみがえる論語》（《復甦的論語》），德間書店，1981年11月發行所收之「《論語》與傳統日本」一章的論述。

緯，澀澤在《論語與算盤》的「士魂商才」一節中論述道：

> 以前，菅原道眞說過和魂漢才，這非常有趣。對此，我常常鼓吹士魂商才（中略）在社會上站住腳必然要有武士的精神。但是，僅偏重於武士精神而沒有所謂的商才，那必然招致經濟上的自滅。因此，必須士魂加之商才。要培養所謂的士魂，從書本角度言有許多必讀之書，然而其中仍以《論語》爲養成士魂之最根本。如此說來，商才又如何呢？商才也可以在《論語》中得到充分養分。道德上的書籍和商才似乎沒有關係。但是，實際上商才本來就是以道德爲根柢的。背離道德的不道德、欺瞞、浮華、輕佻的商才乃是所謂的小才子、小聰明，而絕非眞正的商才。由此，如果認爲商才不能背離道德，則可以由寫道德的《論語》來加以養成。[9]

在此，澀澤論述了「士魂商才」之要點。

我追尋著澀澤論述的社會狀況之歷史軌跡，便赫然發現，被納入明治維新政府的官僚群，其心理狀態的大宗依然拖著士農工商的階級意識之尾巴。一般而言，「武士的商法」使維新後的混亂期，武士階級之生活狼狽不堪，儒者式的對商業之蔑視依然籠罩著世情。因此，資本主義的實業培養及經營尚凶吉未卜，所以，資本主義經濟發展的奠基人澀澤才有上述之言行。他這裡說的「商才」當然不是資本主義前期的小商業及小商人有關者，而

9 前引《論語與算盤》，頁2～3。

始終是指能夠具體認知近代資本主義實業經營能力和經濟合理性的人們之能力。他在「士＝論語」中帶進算盤（近代經濟理論和實業的經營），用當代語言表現，他的目的主要是要謀求「官」界有關人士的資本主義性格的活性化。

那麼，另一方面，澀澤又是如何把握「算盤」，即當時的商業和商人的呢？

早在1930年代初，就將澀澤評價為日本資本主義之父的土屋喬雄，有其著《澀澤榮一傳》的「第二十七、對實業的雄心大志」一節中作了如下敘述，即：

> 澀澤（時為1871年夏天，正值澀澤任大藏權大丞兼通商司之職）常常語東京、大阪的商業家們會面，就業務上進行了種種談話。當時，封建時代以來的商人卑屈之風尚未被一掃而空，而對官人時，僅平身低頭。他們既無學問，也無力量，有關制定新規的努力及改革等問題全然不曾想過。日本商人和澀澤在法國遇見的商人簡直猶如天壤之別。在此狀況下，即使政府全力以赴制定貨幣法、協助實業家們殖產興業。但澀澤認為今天那樣的商人素質斷然無法使日本的工商業改良進步。基於此，他自己退出仕途，委身於工商業，矢志率先振興衰弱的商業，開拓日本未來工商業的新生面。[10]

由此可以明白，澀澤在《論語》中帶進一方面的算盤的志向

10 土屋喬雄，《澀澤榮一傳》，改造社，1931年11月發行版，頁188～189。

之一，便是改善前期資本主義性格之商人素質。他企求商人必須兼有教養和學問（但並非空洞的學問），掌握經濟理論和經濟倫理兩方面，能與官僚平起平坐而平等交往，充分發揮監督和制衡的作用，也就是說，他期待著近代資本主義性格之企業家出現。

日本學者長幸男（現任東京外國語大學校長*）對澀澤做了如下的高度評價：「如果冒著犯單純化危險的錯誤來談澀澤思想的話，它是對舊幕藩體制下的封建思想之批判，對明治資本主義社會形成之肯定（這一場合的批判係採取體制內批判的態度和姿勢）。一言以蔽之，可將其稱為日本的資產階級（資本主義的、市民社會的）思想。」[11]此外，長幸男還將澀澤的「論語」的近代商業觀納入馬克斯・韋伯的思考範疇內，加以詳細闡述。

長氏舉出了韋伯在〈新教的論理和資本主義的精神〉中展開的著名命題，同時又提綱挈領地向我們提示了韋伯在另一論文〈儒教和清教〉中闡述的觀點。即：傳統的儒家思想阻礙了中國資本主義——近代化的內部自發的出現和發展，對現世的秩序——權威之順應，即順守表面的禮儀、對階層秩序的恭順，儒教就是以最完全表現此種順從的形式性行為之徹底的合理化，亦即做為君子的人格之完成為目標。所以儒教缺乏像新教那樣的預言者的，超越的批判現世的力量。因此，雖然巨大的前期性商人資本、高利貸資本的營利組織得以形成，卻不能由此自發地創造

---

* 長幸男於2007年1月30日逝世，享年82歲。

11 長幸男，〈名著——その人と時代——青淵百話〉（〈名著——其人和時代——青淵百話〉），《エコノミスト》（《經濟學人》，日本，每日新聞社發行，1965年7月6日號，頁76～77）。

出以永遠持續革命的，批判的合理主義為內在原理的近代資本主義。

接著，長氏自己加以如下的說明：

> 那麼，爲什麼在明治時期以後的近代日本，由澀澤所代表的實業家的儒教倫理會是資本主義形成的ethos呢？第一，儒教是以父子的上下關係爲基軸的家族道德之擴充普遍化，正是對上級權威的恭順才形成最主要的自我陶冶——修養。因此，如果設定並同意西歐資本主義社會做爲規範的秩序，做爲由國家應「趕超」的既定目標——權威，那麼，儒教式修養的嚴格主義將起到如同新教徒禁欲主義一般的社會機能（social function）；第二，近代資本主義是通過競爭形成一物一價和貫徹等價交換的市場經濟。可以說，澀澤的「義利兩全」是極力排斥由賄賂商法寄食利權的特權御用商人的行爲及非合理的投機欺詐來奪取利益，並用儒教式的用語來表現由價值法則進行公正交易爲原則的近代資本主義經濟倫理。當然，對資本制經濟來說，賄賂、利權、投機等是無法根除的附屬物。但是財富的眞正源泉在於基於合理計算的生產競爭市場，財富的非合理之掠取並非是體制的基本原理。因此，「義利兩全」、「論語算盤說」就是企圖要制定這樣規定的澀澤之理念。[12]

遺憾的是，以上的說明並沒有能夠結合歷史的現實來說明為

12 前引《雨夜譚》所載的長幸男之「解說」，頁233。

何日本的儒教倫理會成為日本資本主義形成的ethos，而在中國的儒家倫理卻無法成為中國資本主義形成的ethos。

近年來，日本做為經濟大國而被譽為「大龍」，並倍受世界注目。亞洲NICs，即新加坡、香港、台灣、韓國的經濟增長也引人注目，被譽為四條小龍。在這種情形下，四條小龍提出了這樣的自我設問：「為何日本能成功，我們就不能？」這一設問的潛在前提就是：我們比日本還具有（至少差不多）正統的儒家文化的歷史傳統，如果對此加以合理的復活，何愁不會成為明天的「日本」？新儒家學派的學者仁人大概也都是抱著這種「樂觀」的「幻想」，以為儒家的現代復活之日，便是「儒家文化圈」（包括中國）國家地區的近代化達成之時。然而，他們卻沒有切實地找到儒家思想和現代經濟、社會、文化契合的「接著劑」〔譯註：黏著劑〕或「催化劑」。所以，換句話說，他們只是提出了一個「空洞」的設想，卻沒有搭起一座從現實到達該設想的暢通之橋樑，因此，我擔心新儒家的興起會成為曇花一現的「明日黃花」，其理論將在不遠的將來被剝蝕淡化。

這裡再言歸正傳。在《論語與算盤》中，我們能讀通解明的第三點，是澀澤試圖將在傳統儒學中相隔十萬八千里的《論語》和算盤的實質揉合起來，並將其「兩立」或「合一」的思想性運作，以及允許他的觀點之明治初期日本的社會經濟條件和圍繞日本之國際環境諸問題。

現在，我們再次回顧一下澀澤的言行錄。澀澤在〈武士道與實業〉中述說道：

武士道乃日本之精神，它自古以來只在士人社會奉行，在委身於殖產功利之商業者之間，其風氣甚爲缺乏。舊商工業者明顯地誤解了對武士道的觀念，認爲如以正義、廉直、俠義、敢爲、禮讓爲宗旨，則買賣無法成立。其所謂「武士可嘴叼著牙籤而耐飢」的風氣，對工商業者而言乃是禁忌。或許這正是所謂時勢之所然也。然而，正如武士道對於士人爲不可或缺，商工業者尚無其道，亦無法立足。所謂商工業者無須道德之俗見乃是不值一提之錯矣。當然，在封建時代，認爲武士道與殖產功利之道相背馳，彼儒者之所謂仁富不兩立的觀念乃與今日之商工業者犯同樣之錯誤。仁富絲毫不相背馳的理由，今已爲世人所容認了解。孔子所謂的「富與貴是人之所欲也，不以其道得之，不處也；貧與賤，是人之所惡也，不以其道得之，不去也。」（《論語・里仁》第四）正合乎於武士道之眞髓，即正義、廉直、俠義等。孔子之訓中的賢者，貧賤不易其道，乃與武士道的臨敵不得背向的覺悟相似。另外孔子的如不以其道行之，則雖得富貴，亦無法安享其成，這也和昔日之武士的不以其道行之，則分毫不取的意氣如同出一轍。理所當然，如富貴，則聖賢亦渴望，如貧賤，則聖賢也不欲，但是，他們是以道義爲本，以富貴貧賤爲末。而舊商工業者反其道而行之，故將富貴貧賤爲本將道義置於末矣，其誤解太甚。吾竊以爲，武士之道與實業之道，必須促使其爲一致，不但如此，他們應該可以一致者。[13]

13 《澀澤榮一全集》第1卷，平凡社1930年8月發行，頁222～224。其原文則為1921年刊《青淵百話》所採錄者。

在此，澀澤強有力地主張，必須確立義利合一說的信念。

他痛歎道，孔孟之訓本來就是「義利合一」的，而後世的儒者則將「仁與富」的關係完全曲解成另外的東西，繼而殘留禍根至今。

做為後世儒者誤傳孔孟之道的一例，他激烈地批判了朱子學派的儒學解釋：

> 宋代之大儒朱子在孟子之序中說：「用計得數，則建得之功業，亦只是人欲之私，與聖賢之作如天地懸絕。」從而貶低了貨殖功利之事。如將此話再推進一步思考，則和亞里斯多德的「一切買賣皆罪惡」的名言完全一致。這從另一層意思來說，就歸結爲：仁義道德即使是仙人所染成之人的必須所爲，那麼，投身於利用厚生的人，即使將仁義道德排除在外也毫無關係。這樣的説教絕非是孔孟之教的眞髓，而只是他們閩洛派捏造出來的妄說。[14]

從他的言行錄中，筆者發現，在江戶末期至明治時期的儒學新受容及其活用的過程中，至少有二個「新釋轉化」之局面。

在第一個局面，做為明治維新體制——日本式資本主義社會體制結構的一個側面而逐漸形成的初期日本民族主義，是伴隨著「和魂」——「武士道」（眾所周知，武士道後來走到負面，被

14 前引《論語與算盤》，頁102～105。

軍國主義所動員而被編為「大和魂」為害鄰邦亦為害自己，這個問題需另稿討論）的新解釋，及發揚政策之提倡而顯現出來的。江戶末期日本具備的國內社會經濟條件、圍繞日本的國際環境都支撐和允許此種「新釋轉化」。

首先看政治體制。在繼德川慶喜的「大政奉還」（1867年）後的「版籍奉還」（1869年）中，明治政府加強了對藩政的統制，早在1871年就開始實施「廢藩置縣」。結果，在日本第一次實現了做為近代統一國家的政治體制。但是，使幕藩體制崩潰的力量正是在該階段已培養起來的社會經濟活力，國民性規模市場的形成、資本的積累、工資勞動的創出等近代資本制生產的經濟諸條件已相當程度地準備成熟。此外，促使近代化的社會諸條件——流通網、教育的普及、社會的思潮、情報文化的發達，也在一定程度上完備了。這諸方面的力量合成一體，形成當時的「國力」，來擺脫歐美列強的外來壓力，將日本從殖民地化的威脅下解放出來。以上正是筆者所說的支持並允許「新釋轉化」的日本社會諸條件。

這暫且不論，在剛才所舉的〈武士道和實業〉中，澀澤委婉地認為武士道的精髓「正義、廉直、義俠、敢為、禮讓等的美風」，同孔子之訓有著相類似性。

此外，在戰後的新風潮下，被高度評價為財經界人士中讀通《論語》之頭一號人物的色部義明（前協和銀行會長）在其自著《復甦的論語》一書（請參照註釋8），率直地說：

傳統的日本道德並非來自於佛教的道德，更與基督教之道德無緣。可以說，導源於儒教的道德確實是唯一的。德川時代自不待言，明治以後亦是如此，在「教育敕語」中顯示出的國民道德，儒教的影響明顯地很大。儒教中本來就沒有對神的宗教觀念。至少在中世紀以後，日本人的罪惡意識主要是從儒教的反省中產生的。

不久，儒教成了日本的社會道德尺碼，對日本武士道精神的完成也起了相當大的作用。在江户、大阪及各地形成的私塾、各「大名」（爲幕府的地方諸侯，如同現今的縣長）的藩校中，也廣泛地進行《論語》的學習。當然，其中武士階級的子弟很多。他們尊重中國古代封建制時代的道德論也是必然的。[15]

關於近代日本之儒學「新釋轉化」的第二局面，則由長幸男給我們提供了啟發：

「青淵主義」（指澀澤的「論語算盤論」、「義利兩全」、「道德經濟合一主義」等思想）產生，是爲了將舊體制下對立的道德和經濟結合起來。爲此，這二者必須被否定一次，然後做爲具有新的肯定內容並且互相適合的（新面目）轉生。澀澤的道德＝論語主義是對著形式化的儒教＝朱子學的自由解釋而進行的「新釋轉化」，是將《論語》眞正做爲古典在新時代復生的一種思維運作。他將他的經濟——實業克服了前期性商業的經營狀態，並將商業和工業培育成具有近代商業活力的社會

15 參照前引色部義明之論述。

基礎構成體（中略），他不是奉祭死去的孔子，而是企圖讓活著的孔子在現實中昂首闊步。孔子的精神成爲「格物致知」的客觀探求精神而發揮作用。[16]

如上我們不厭其煩地介紹和評析了澀澤的思想，並介紹了日本學者對其的評價。同時，筆者亦補充了日本明治時代的社會政治背景。在如下的分節，筆者將展開自己尚未成熟的文化比較論述。

四、兩個提法的特點比較及其對中日兩國近代史發展的影響

眾所周知，「和魂洋才」是明治維新以後，日本人大量引進西方科技文化時所用的一個口號。其中一部分人認為，這一口號是模仿「和魂漢才」而來的。因為在西方的船艦逼迫日本打開國門之前，在漫長的前資本主義時代，中國是日本當之無愧的老師，無論是在國家政治制度還是社會文化、經濟技術方面。

同樣，在中國近代史上，也有「中體西用」的著名口號，從表面來看，它與「和魂洋才」有其相似之處，但實際卻相去甚遠，也只因為如此，它們對兩國近代史的發展產生了截然相反的影響。

在進入比較分析之前，我們為了緊扣主題，再次回過頭來歸

16 前引《經濟學人》所載長幸男之論文，頁77。

納總結一下澀澤榮一的思想，尤其是他的《論語與算盤》。當讀者們看到了《論語與算盤》這個書名以及我剛才的介紹，應該注意到二個值得我們思考的問題。

第一，《論語》做為儒家的經典著作，講的是「義理人情」，即人際關係的準則教訓，而算盤則表示赤裸裸的賺錢工具。而澀澤榮一將其合為一璧，這就意味著將道德和功利相配而用並將其兩方保持了平衡，甚至「轉化」使之相互浸透。那麼，從思想史的層次而言，這種銜接和揉合的過程是怎樣進行的？並且，其結果又是怎樣影響到企業和社會的穩定發展？

第二，已如前述，在儒家思想的正宗發源地——中國，要麼將《論語》做為陳年古董，把其徹底砸爛而後快；要麼將《論語》變成嚇人的說教和戒尺，只須誦讀而不許或懶得究其原始或根本要義。那麼，為什麼澀澤又能化腐朽為神奇，將其活用於日本近代資本主義企業的創設與發展上呢？

在分析澀澤的著作和解答上述問題之前，我覺得有一個問題必須先提出來，那就是，澀澤能在日本近代企業中有效地運用儒家思想，並非是他具有徹底改造《論語》這本經典之作的哲學思辨能力，而是日本社會及日本人的思想方法中，已經存有一種接受他的社會條件和理解他的「新釋轉化」《論語》的框架結構也就是思維盤子，這是《論語》在日本社會中得以廣泛發揚光大的前提條件。

下面，我將從幾個方面來展開論述。

中日兩國對儒家思想一般認識之差異

儒家由孔子創立，至今已有二千多年的歷史。儒家文化傳入日本的歷史，也已相當久了。但是，正因為客觀的社會條件之不同，對儒學的對應也產生了極大的距離，尤其是明治維新以後，日本社會進入嶄新的歷史發展期，這種對應的差異更明顯地反映出來。

我們都可把《論語》當作除了倫理綱常等準法律（道德法律），其餘都是民眾處理人際關係的智慧。

我認為，在中國歷史上的「循環和交替」（改朝換代）的運動過程中，一般來言，中國老百姓對政府的態度基本上一直不曾有過太多的信賴感。基於此，往往體制當局方面，雖然意圖從上而下地利用儒家思想特別是《論語》來維持統治「秩序」，但百姓中真正能攀上達致「忠」的境界者卻是不多。攀不到的「落第」儒者以及根本連攀的條件都沒有的一般老百姓，他們是不會被體制的意圖套住。為了防衛或維持自己的日常生活，他們卻利用儒家思想，以「孝」為中心來保衛他們依據家族以及宗教一類之生活秩序。並且往往亦通過自己的周旋來處理周圍的人際關係。不必費言，這一種以「孝」為中核來結合的秩序，本來就具有對付體制秩序也即是以「忠」為理念核心的一種秩序，而保衛自己生活並有所建構的一種性格。故是，老百姓的「孝」與體制上的「忠」，不一定會直線地依循體制當局之意願而順利銜接，甚至發揮統治者意識中之功能，往往還可能互背相離而行。

依我膚淺的觀察認為，儘管歷代政府如何將儒家思想限制於民，欲逼使其為統治秩序意識之一部分，但社會經濟條件不夠成熟時，一般老百姓不但不會接受甚至於還會迴避。一般老百姓在日常生活裡，他們不曾把儒教和道教當成對立者來看待，反而把兩者適宜斟酌配用才是常情。換句話說，儒家文化和道家文化是互為調適並彼此吻合融匯，成為符合各個歷史階段之大眾的生活智慧或生活方式。

任何歷史階段都曾經有過一些讀書人，會依靠儒教來求取仕宦之途或謀取功名以及致富之道。他們亦會逐漸地把儒家思想捧上了不切實際的金科玉律，結果把原始儒家精神扭曲以及異化。但這些儒者畢竟是少數，以往我們的學人是否有過偏、高估過它之嫌，值得我們商榷。

而日本則相反，明治維新以後，他們之老百姓對天皇制的熱烈信仰教外國人結舌而難於理解，他們同時對自己政府一直較為信任。

因條件不足，我們中國人不易做到，所以我們一直把「修身、齊家、治國、平天下」當作口號在喊。但明治維新以後的日本社會卻無須喊口號，修身與齊家既不矛盾，齊家更是不曾與治國（當整合社會來解釋）相對立，當把社會治得有條有理（等同於「治國」），國家也就穩定上軌道（「平天下」）了。「修、齊、治、平」四個環節本身在以往的中國，的確包容了甚多矛盾，但在明治維新後的日本社會確是既不矛盾還被普及到各個角落，成為一種普遍意識或普遍性價值觀念。

另外值得我們留意的是以「孝」為核心的父子關係。在我們中國，父子關係固然是不能有所事先選擇的認同關係，因而兩者間之血緣，當然不能變，其關係永遠不變尚可成理。但有關扮演角色的無限制的蔓延，甚至於父母親所體現的所有價值和行為一概為「絕對性的正確」，子女卻反而永遠是「錯」和忍受或屈服。這一種沒有新陳代謝的社會道德律易走其反，成為社會進步之阻力。

但在日本，他們不分男女，不分個別家庭或社會以及官界，一貫地保持合理循軌的隱居（退休）制度。隱居後的父母，一定把「權」與「鑰匙」交下給第二代的。他們之「交棒」與「繼承」是老早已形成，有社會準則的。

從以上二個最平常的事例，我們便可窺知，儒家思想在日本已被「轉化」和「調適」的一斑。

雖然他們把儒家思想經過「轉化」和「調適」，穩定了自己社會和促進了日本的近代化，但在同一個過程裡，他們亦形成了日本獨特的集團（團隊）主義，大走其負面。與軍國主義結合成為日本式法西斯主義侵略了亞洲其他國家，他們的近代化為何惹禍，亦值得我們一併探討。

澀澤榮一與「和魂漢才」、「和魂洋才」的轉化

在歸納和闡發澀澤榮一的經營思想特點，我想用最簡潔的文字來提出一個我認為是極為重要、極富啟示性的結論：《論語》倡義、算盤言利，二者合而為一，乃謂之義利雙全，或謂之道德經濟合一主義。如前所述，澀澤的教養背景乃是以儒家思想為基礎的漢學，而他經營的則是資本主義近代企業。這樣，我們就可

以把他的思想形成用一個簡單的公式來表示：漢魂（儒家思想的內涵）→和魂（儒家思想經過他的詮釋，轉變為日本近代企業得以活用的指導綱要）＋洋才（歐美資本主義的科技）。意即他將《論語》加以新釋，變成近代日本人的東西，然後再銜接上歐美資本主義。這就是把漢魂轉化調適為和魂然而再吻合洋才。有些日本朋友只將澀澤奉為實踐「和魂洋才」的典型人物，是一種片面不夠完整的提法，因為和魂中，還有一個轉化漢魂為和魂的重要過程及問題存在。

其實，日本人早在提出「和魂洋才」之前的先進倡議的卻是「和魂漢才」（通說謂由菅原道真【845～903】主倡）。也就是說「漢才」已衰而不足取時，日本人才改了取「才」之來源而把漢才轉換為洋才。在此，我們得特別提到，日本人把「漢才」轉移到「洋才」的過渡期（明治維新後短暫期間）還提過「和魂漢洋才」之口號[17]。同時亦該注意他們始終堅持的是「和魂」的維持、重編、增強、創建之路，甚少聽見他們有過完全捨棄其本位立場和傳統而全盤西化一類之倡議。至於儒家思想進入日本後是如何變貌的，這是一個很大的研究課題，這裡暫且從略。我們要詳論的是澀澤榮一的個案，即他個人是怎樣把「漢魂」（即以《論語》為經典的儒家思想）加以理解、新釋，變成「和魂」，並有效地銜接「洋才」的。我想從三個方面來闡述：

第一，如前所述，中國自近代以來，是從兩個極端來看待以孔子和《論語》為代表的儒家思想。一是堅決打倒，一是奉為金

17 參照加藤仁平，《日本教育思想史研究——和魂洋才說》，培風館，1926年4月15日發行，頁316～346。

科玉律。往深處分析，這兩個極端乃是孿生兄弟，即都將儒家思想看成是統治秩序的手段或工具，是將家產官僚制變成合理主義的中間環節。這樣，要推翻統制體制的一方便要打倒它，而統治體制的一方則要將它變成恭順與教養的理論。而澀澤榮一則超越了這種統治意識的傳統範疇，將《論語》從統治者的「百寶箱」中「偷盜」出來，加以全新的解釋，使「論語」變成他和近代企業人士的「對話」，也就是說，把批判的武器變成武器的批判，形成一種批判的理性。這種超越的結果，使《論語》從傳統的解釋，走向一個嶄新的天地。具體而言，變成了澀澤在實業界的一種倫理觀。

第二，如果說，如上的闡述是一種高度抽象的概括，那麼，從認識論和方法論的角度再具體說，我們可以發現，澀澤始終提倡的是一種不脫離實際的學問，這樣，他就把傳統文化中看來是矛盾的東西——如「義和利」——變成新形勢、新條件下可肯定的內涵。在澀澤所處的時代，日本的儒學家主流是用朱子學來解釋儒家思想，這實際上和中國一樣，把儒學變成一小部分「儒者」引為自傲的象牙塔式的學問。然而，澀澤榮一卻不信邪，他大膽地把《論語》從朱子學的框框中解放出來，在明治維新體制和歐美技術衝擊日本的新形勢下，重新解釋《論語》，使它轉生，這就是說，他把形式化、古董化、教條化、宗教化的儒學還其本來面目，真正肯定「現世」，即實學（新釋《論語》）與實業結合，變成近代企業經營的指導靈魂。具體而言，他把儒家思想的「格物致知」，變成對生活現實探索的理論根據，從而闢出了一條截然不同於宋明理學的、詮釋《論語》的新路。

澀澤欣賞的是王陽明的「知行合一」說，他在《論語與算盤》一書中，將他親身經歷的事情、認識接觸的人物，甚至前赴美國旅行的所見所聞，都與《論語》聯繫起來思考，也就是說，他把儒學的保守、固定、成形的部分通過他的實踐、通過他由感性上提升到理性的認識，來進行一種堪稱創造性的破壞和轉化並加以改良、發展，最後融匯成日本資本主義近代化的新企業精神。其實，這也從一個側面證明韋伯並未白對傳統儒家思想否定的片面性。其實，怎樣造出契機使傳統文化不產生斷層而銜接到今天的文化上，從而使傳統文化遺產變成新文化、新文明的助產婆、催生劑、新血液，這正是今天我們對傳統文化進行新反思的關鍵所在。澀澤的實踐告訴我們，他利用王陽明的「知行合一說」而創造轉化之《論語與算盤》的「新儒學」，的確係與韋伯所定性之傳統儒教思想有所差異。澀澤並告知我們，保存國粹並不就能直線地發展壯大新文明，對傳統文化不但有保存和解釋的一面，更重要的是經過否定揚棄加以轉化活用的一面。

第三，只要我們認真閱讀《論語與算盤》一書，便可發現，雖然澀澤氏十分推崇《論語》，並加以解釋，但他絕非是盲目崇拜。他反覆研讀《論語》，發現其雖然講人際關係，但通篇較少談到人的自立自營能力，而且，孔子對其弟子談的多半是治人之道、政治家的處世術之類，甚少涉及被治者的立場。這樣的教訓，自然使下層人物根本不必或無須談獨立精神，並產生一種可怕的依賴惰性，被統治者永遠只能乞求治者的庇護，反過來亦易於陷入忍受治者的壓制陷阱。澀澤氏認為這是《論語》的一大缺陷，非加以彌補不可。為此，他在《青淵百話》中專設一節談自治力（第72節）。因為，近代資本主義經濟是一種競爭力極強的自由經濟，它要求企業家必須具有自立自營的精神，果斷、迅速、徹底地處理面臨的一切問題。這裡，澀澤氏提出了一個極為重要的問題，那就是企業家的主體性和確立主體意識的問題。

當年，澀澤氏離開大藏省下野的原因除了內部意見不和外，更重要的是，他認為實業界光靠政府和制度的保障是不夠的，如果企業家沒有確立牢固的主體意識、主體意志，企業不可能有真正長久而持續性的發展。就制度和個人的關係來說，制度是可以模仿和引進的。但是，個人的素質即企業家的精神是無法模仿的。這種企業家的精神必須從自身的內部思想架構和自身所處的社會背景中自內部產生出來。按照澀澤氏的公式，就是要通過漢魂→和魂＋洋才的過程，將日本企業家的精神架構加以改造，使其變成一個覺悟的主體，來自下而上，並促進社會體質的革新，從紮實的根基來推進資本主義發展，並力促社會的整體性之現代化。可以這樣說，倘若沒有經過創造性轉化，良好消化「洋才」的「和魂」，即新主體就或許不能形成近代日本的民族精神（ethos）。

澀澤榮一對《論語》這本經典的科學態度以及主體性、主體意識問題的提出，對我們有著絕大的啟示作用。同時我認為澀澤在《論語與算盤》裡所提出來的ethos是與韋伯所提基督教新教型的ethos大同小異。話轉回到晚清民初的中國，為何中國人沒有能夠找到契機和條件，把「漢魂」創造地轉化調適成為「中體」然後吻合於「西用」，而來發展中國型的資本主義近代化，這個課題的探討將是敝人的下一個應該完成的作業。這裡我僅僅想用微觀的橫向比較和宏觀的縱向掃描，來勾畫出這一課題的概略。

「中體西用」論的挫折

幾乎和日本在「和魂洋才」的口號下邁向近代化相同時期，清朝中國也提出了「中體西用」論，嘗試推行以洋務運動為名的近代化運動。但以甲午戰爭（1894～1895年）中的失敗為象徵，洋務運動遭到挫折。

晚清期的「中體」和近代黎明期日本的「和魂」相當不同，它既非復甦，反而是死記硬背已空洞化的儒家思想，然後滿足於將「死」的孔子供奉在祭台上，這就是當時清末改良派的主流之作法和想法。

連這樣軟弱無力的「中體西用」論都不肯承認和接受的守舊勢力，在中央和地方都十分強大，阻礙著各種「近代化」政策（這只是局限於極為有限的制度改良政策。其實質是一種姑息的妥協產物，即部分地採用資本主義的形式，來彌補增強和維持舊統治體制）的實現。

在遭到挫折的洋務運動以後，發生了以康有為領導的戊戌變法（1899年），它雖然以明治維新為範本，但也遭到短命的挫折，即如史稱的「百日維新」。

在清朝末期，企圖承擔起重新理解「中體」責任的有識之士，只有康有為和梁啟超等極少數人。

但是清末中國的形勢同江戶末期至明治初期的日本，是全然不同的。支撐「新釋轉化」的社會經濟條件總體上說是極為脆弱的，伴隨著面積等於全歐洲的中國之不均等發展的差距亦極大。產生資本主義萌芽的地區也僅局限以東南沿海地區為中心，儘管如此也是極其微小，非但不能成為產生近代資本制生產的諸前提，連擔當起火車頭的力量或能量都尚未具備。不僅如此，負荷過重的歷史包袱及伴隨著極度社會經濟落後的中國，化成了擁抱著社會經濟和政治結構間錯綜的諸矛盾、新思潮和現實國民性智力之間存在巨大差距的深大「泥濘」。在這泥濘中，中國前進的腳步被拖住、被吞噬，並陷入到惡性循環不能向前的邊際。要求改良的有心人士往往只向著泥濘深淵興歎而止，這就是當時中國的實況。

鴉片戰爭後的滿洲王朝已呈現出末期症狀，其社會制度和政治體制的病根已深沉不治。但滿洲王朝依然沒有停止最後的「掙扎」。在體制內新出現的曾國藩、李鴻章、左宗棠等洋務派地主將軍們巧妙地利用西洋式火器和列強的支援，鎮壓了相繼而起的反政府叛亂——太平天國軍、捻軍、西北回教徒的叛亂、雲南省杜文秀的叛亂，殘殺了無數的農民和少數民族。這些犧牲雖然成為以後反帝、反封建戰爭的教訓和能量的積累，卻無法直接形成進行「維新」的諸前提和儲備進行維新的人才。滿洲王朝由此得以苟延殘喘，拖長其滅亡的命運。

包圍清朝末期的國際環境也不利於中國的「維新派」——改良主義集團。不但是不利，更應該說是具有破壞性的。因為列強的壓迫、破壞甚至掠奪進一步惡化了「泥濘」中國的病狀。其結果可以說，列強也與中國國內的政治社會經濟條件一樣，阻礙了晚清期中國的維新。

鄰國日本與中國共享有「儒家文化」，它通過「新釋轉化」儒家思想的「和魂洋才」使維新得以成功。與此相比，中國沒有「新釋轉化」的條件，因此，「新釋轉化」無法生效，「中體西用」論產生不了效能，維新也由此遭到挫折。

結果，革命取代了維新。辛亥革命—五四運動—革命，一再革命之路，在某種意義上可以說是必然的一個行程。

不得不放棄維新，選擇革命的道路，從近代中國的內外諸形勢來看，中國的急進主義者當然沒有「新釋轉化」儒家思想的餘地和興趣。他們以「打倒孔家店」為口號，批判儒家，激烈地提倡全面否定儒家思想，最後付諸激烈的政治行動。「動」常常從對極呼出「反動」來。與中共對峙，拚命想保持住辛亥革命以來之政治主導權的國民黨主流派，出於政治上的考慮，竭力維持和復活「孔孟之訓」。在五四之前從保守主義者集團的極右翼中形成了對辛亥革命直接反動的「國粹學派」。

只要稍微回顧一下這兩者的軌跡，便可發現，他們都只在訓詁上，而不是「新釋」上花費更多精力的傾向。

應該注意的是，當中共做為反右鬥爭的一環，開始以屬於民主黨派的政治家、社會學者、經濟學者等知識分子列為批判對象時，做為其「反動」，出現了引人注目的「新儒家」學派，他們以香港、台灣為活動中心。現在在北美定居，往來於大陸和台灣的大部分華人中國哲學、思想史、中國史研究者亦可分歸於這個流派之新生代。

這一集團的中心人物有四位：五四以來的「論客」、政治家張君勱（1931年組織中國國家社會黨，戰後做為移到台灣的中國民社黨領袖進行言論活動）、在香港和台灣兩地大學教授中國哲學和中國文學的牟宗三、唐君毅、徐復觀。

饒有興味的是，他們四人都是中共樹立政權後留在大陸的熊十力（1885～1968）、梁漱溟（1893～1988）的友人、門生，或多或少受到他們的影響。

他們以公私兩個側面發現了中共反右鬥爭中出現的中國傳統文化之危機，發出了「為中國文化敬告世界人士宣言」，強烈呼籲了維持以儒家思想為核心的中國文化傳統之立場。

「新儒家」集團與國粹派大不相同，他們似乎企圖從哲學思想史研究的框架和世界人類之普遍意識、倫理這二個座標軸來重新認識儒家思想。

文革結束以來，中國大陸推行了四個現代化政策，亞洲四小龍（NICs）的經濟增長，日中（大陸）、美中（大陸）建立邦交，這都給東亞帶來了前所未有的「和平」國際關係。

其結果之一部分，圍繞台灣海峽的「抗爭」關係顯著緩和。以納入新儒家一派末流的哈佛大學杜維明教授和耶魯大學的余英時教授等為代表的華人系新一代學者，針對中國傳統文化的再評價和儒家思想的再認識，在學界中非常活躍。他們的舞台從台灣、香港、新加坡到中國大陸，一部分人擴展到韓國。

儘管如此，新、老「新儒家」的代表，幾乎都是中國哲學、中國歷史或中國思想史的專家，這不免有點寂寞。人們期待著從社會經濟或社會經濟史角度來研究儒家思想的學者早日出現。

五、簡短的結語

我們在前面四節中分別介紹了澀澤榮一的思想，並對中、日近代化的過程中儒家思想的不同命運做了概略的比較。在結語中，我想再談幾個與此相關的問題。

「儒家文化圈」和經濟增長

前已所述，近二十年來日本、韓國、台灣、香港、新加坡等東亞五地區的經濟起飛，宣告了韋伯理論必須修正。因此，有的歐美學者提出了一個觀點：即「做為後進型非西歐文化圈發展之過程，是否有一個『儒家文化圈』的模式存在」[18]。新儒家學派也從結構和文化兩個層面來解釋東亞各地區的經濟起飛，即從結構上看，東亞之不同於或優越於西方，主要在於它的政治上的相對性安定和處於決策層的優秀分子組成的「專業官僚」群確定並不斷改善的工商政策，也即是政府的明智的行政工程。從文化上看，東亞社會屬於漢文化圈，而漢文化的主導成分是儒學，從而走出了一條「儒家資本主義」的道路。因此，他們期待儒學將繼漢唐和宋明之後，獲得第三期發展，從而面對西方文化的挑戰做出創見性的回應。

我認為這樣來看待東亞五地區的經濟起飛原因，以及反思儒家傳統，只是一種「事後諸葛亮」過於簡單的推論。

18 參照中嶋嶺雄，《二十一世紀は日本、台灣、韓國だ》（《二十一世紀是屬於日本、台灣、韓國的》），第一企畫出版，1986年6月5日發行。

眾人皆知，以原理上來界定日本和亞洲四小龍的經濟增長之國家和地區，其歷史和現在所具備的內外諸條件有很大的差異，大致區分有三種類型：第一，台灣和韓國；第二，日本；第三，新加坡和香港。這其中的形勢演變，即使是評估四小龍的經濟增長與儒家文化有密切關係之中嶋嶺雄（請參照註釋18）也是早已周知的。日本是成功地實現「維新」近代化的亞洲唯一國家。台灣和韓國都分別受到日本帝國主義的殖民地統治，也就是說，被日本的「近代」所制約，共有了做為日本資本主義外延的殖民地型經濟發展的前史。第二次世界大戰後，雖然其歷史的經緯有所不同，但基本上都處於美國遠東政策的大框框中，台灣及中國大陸、韓國和朝鮮民主主義人民共和國各別「分斷」並固定化，直至今天。兩者均是在軍事專制權威主義體制下，以獲得了從屬日美型之經濟增長的特殊事例。而新加坡和香港是沒有「農業問題」的商業觀光都市國家或「地區」。另外新加坡是以不可欠缺印尼和馬來西亞，香港是以不能欠缺中國大陸的市場為前提而獲得目前之經濟發展的。總而言之，「五條龍」各自所具備的內外、歷史諸條件相當不同，一視同仁地來考察是欠缺考慮的。

如果「通過儒家文化的世界」能無媒介地直接與工業化——近代化或經濟增長聯繫起來，那麼清末民初的中國近代化就不會有那麼多的混亂、挫折和苦惱了。

因此，我認為必須克服不注意時代和歷史條件的差異性，籠統地來談傳統文化、傳統儒學的現象，我們應該從歷史的演進來分析儒家文化的演進，並注重橫向的比較，這種動態型研究才能避免某些過於簡單化的缺陷。

此外，我認為，我們現在研究的重心多偏在哲學、思想、歷史等範疇的儒家文化，我們應該跳出這個框框，期待著能有像澀澤榮一一類型的人士，能引用《論語》來談經營、談企業家精神、談企業或企業家的社會責任等問題的飽學之士出現，把儒家倫理真正有效地揉進近代企業之經營管理中，真正發揚做為文化認同的那些價值。

「義利合一」與「向錢看」似是而非的兩種態度

澀澤榮一一生為資本主義發展而奮鬥。但是，到了晚年，他也發現資本主義存在著弊病。比如，資本家的「唯利是圖」、「賺錢第一」給社會各方面帶來嚴重的失調。如何消除這些毛病呢？他認為必須從思想上加以指導。具體而言，就是將他的「義利雙全」的企業經營指導思想發揚光大，擴及到整個社會。這就是提倡「盈利的道德化」，即把謀取功利與社會責任掛起鉤來，並逐步實行企業的社會化。這就是說，成熟的企業要對福利、環境、教育等社會問題承擔起責任來。他在其晚年所做的多種社會事業就是他實踐其理念的嘗試。一個穩定的社會、調和的勞資關係、平衡的生態環境、較高的教育水準，會促使企業更健康地發展。從左派的觀點來看，或許有人會批評他是「調和階級矛盾，護持既成秩序的保守主義財經鉅子」，但我認為，他做為一個從德川幕府末期封建社會中跳出來，並力謀自求發展的日本資本主義之代表人物，居然在1920年代已有如上列見識已是極為難能可貴的。

正被經濟至上主義，以及拜金主義旋風吹得昏頭飄然的台灣和大陸（它比起台灣，雖然還短缺資本主義型的近代合理主義企業家精神甚多，但據傳他們社會的功利主義已經不亞於台灣）的現況來言，我確信重估澀澤之《論語與算盤》，借鑑其「道德經濟合一主義」、「義利雙全」的企業家哲學或企業家精神，是不管是在台灣或中國大陸都將具有其重大意義的。也就是說，我們應該將傳統儒家文化中關於個人的道德修養、思想情操、向上進取、獻身精神，吸收融化於現代經濟發展、企業經營之中。唯此，才能在現代化的進程中避免西方資本主義社會的弊病，以收到孫中山先生的畢其功於一役的成效。這是反思傳統文化的一條新路。

本稿由下列二種文稿整合組成：1.〈儒學思想與日本的近代化——澀澤榮一的個案探討〉（“Confucianism and Japanese Modernization——A Case Study of Eiichi Shibusawa”），先在「『儒家與現代化』國際性學術研究會」（1986年8月17～19日於台北圓山大飯店）上宣讀，後經過刪改在《當代》（台北）第6期，1986年10月1日發表；2.〈「儒教文化圈」論之一考察——「和魂洋才」と「中体西用」の分れ目——〉（〈有關儒家文化圈論之一個考察——「和魂洋才」與「中體西用」之分歧點〉），《世界》，1986年12月號（岩波書店），特此聲明。

本文原刊於《中山社會科學譯粹季刊》第2卷第1期，1987年1月，頁153～170

試論日本的困局與挑戰

說在前面

本日座談會的主題為「『中』日關係新發展之評估」。對報告人之能力來言，頗感吃重。原因無他，所謂「新發展」本人尚未找出其頭緒，當然就難給予「評估」。報告人只能就上揭題目來勉強卸責，請諸位先進有所見諒。

怎麼看江澤民訪日日程之延後？

據10月15日早上六點（台北時間）日本NHK衛星電視的新聞報導，江之訪日日程已敲定為11月25至29日。他將與日本首相小淵舉行會談，並發表《聯合公報》（將成第三個公報）。日方將在其中表示對侵略中國大陸的反省和道歉。

大陸方面，8月21日所提出江訪日延後理由為抗洪，但台方多數媒體推測為，因日方不答應把美國柯林頓（Bill Clinton）的對台三不列入有關文書或公開宣示，故大陸方面藉抗洪而拖延訪日日程。

雖然有些事後諸葛之嫌，江訪日延後之背景是否另可以做如下的推測：

第一，本來的訪日日程預定為9月6至11日，在此之前第二次辜汪會晤及辜江會的實現已見曙光，中共沒有理由不從辜汪、辜江兩會撈些「成果」，以加強其談判優勢。

第二，韓國總統金大中之訪日日程已決定為10月7至10日。韓、日相會的重要議題之一為「歷史認識」課題的解決，中共沒有理由不從韓、日會談中獲知日方有關處理「歷史認識」的底牌。

第三，小淵內閣（1998年7月30日～2000年4月5日）剛成立（雖然其幕後老闆為竹下登，他掌握了對大陸經援的主導權），內閣核心的掌權者亦屬於親大陸派之野中廣務（官房長官），民調支持率偏低，被視為短期過渡內閣。日「中」會的緊迫性需求在於日方而不在「中」方，暫緩訪日，中共更方便於運作。

第四，中共方面步步為營、多方位強國外交的主要對象只剩英國布萊爾（Tony Blair）新政權了。布氏將率領21人組成的商貿代表（包括英國前100家大公司近四分之一的首腦）。布氏實際上已在10月6至11日訪問大陸及香港，完成兩者所謂的「建設性夥伴關係」及加強經貿合作之旅。

第五，台灣的媒體不甚注意大陸商機對西方大國之誘惑力。柯林頓總統帶了上千名美國財經界領袖和布萊爾首相率領21名的企業界首腦，究竟在大陸之旅達成了何種經貿合同？我們很難自媒體獲得資訊。一直被世人認為「經濟動物」的日本人總不會忽視英美商貿界對大陸商機的舉措，大陸方面亦將乘日本在經濟不景氣，金融「再生政策」的不易推行，大公司的頻頻倒閉，及失業率的逐步增高等困局中，展示「大陸商機的誘餌」來逼日方退讓。

美日安保新解釋、美日防衛合作新指南等

只要細讀「美日安保新解釋」及有關「新指南」等內容，不難發現日本人於對美的單方面合作是何等的寬容（難怪頗多親美【非媚美】及知美日人批美鴨霸的言論由而出現）。若從橋本第二次內閣對俄（尤其對葉爾欽〔B. N. Yeltsin〕個人）的系列非尋常性親近外交，我們不難窺知，日方在打何種算盤。

日本敗戰後的善後，尚留有北方四島所有權的收歸及與俄國簽定和平條約的重要課題，另一個迫切課題即是如何和北韓建構睦鄰關係。兩者我們可以概括為日本的北方外交來考察（當然，對俄是主，對北韓是副）。葉爾欽承諾，將於2000年與日本簽訂俄日和平條約，橋本則藉美日新安保及新指南向美方示好來推進北方外交，藉而解決重大的地緣政治問題，目的：1. 為穩固來自於北方的威脅，另可藉俄國的力量牽制中共和北韓；2. 乘機開發西伯利亞石油資源來確保日本的能源，一石二鳥地亦可提供鋼管而振興萎縮多年的鋼鐵業；3. 促進北方外交可乘勢拉俄一起參與圍繞朝鮮半島的四國會談，擴大成為六國會談。誠然，與俄、北韓若能順利建立睦鄰關係的話，盼望良久的獲得安保理事會席次之策略上，將來亦可減少阻力係易於洞察的；4. 橋本的上述企圖雖然小淵盼望繼承並加速推行（小淵聘橋本為外交最高顧問，並

任小淵外相時的政務次官繼其外相職位）北方外交。但難測的風雲卻嘲弄了橋本等人之「願景」，金正日於8月31日發射了大浦洞一號震驚了日本人；俄國的金融危機（盧布的貶值，股市、債市、匯市的大幅滑落的三重苦）蔓延到中南美，再波及到美國，大有惹發世界金融大恐慌之勢。俄國社會的動盪（近百萬人的大示威）及葉爾欽的健康亮起紅燈等凶兆教日本人慌張。除了橋本本身飛俄外，高村〔正彥〕外相10月17日晨抵達莫斯科，小淵首相亦將於11月10日訪俄晤葉之行，這些該係為了維繫並強化日、俄間已建成的「互持好感」氛圍的連續行動來看待。

北韓的大浦洞一號帶來的訊息

第一，北韓的眼中只有「老美」，日本不被當作交涉對象，這種態度即使粗魯卻是明確的。

第二，有關大浦洞一號，究竟為導彈抑或衛星的試射之爭論，美、日之間的看法一直有其差異，這一種美、日間之矛盾應如何觀？（有人提出，美方藉機引誘日方參與「TMD」（戰區飛彈防禦系統）故作姿態？）

第三，大浦洞一號發射隨後，美與北韓間、美日間都曾有過高層次的安保對話，但日方卻把日與北韓間的對話和交流管道切斷。

美方的關切點主要在於核武及導彈的擴散如何防備及制約；日方朝野卻恐慌地在討論其本身的安全問題。北韓的戰略意圖在於與美國達成和平協定的簽定，戰術性目標即放在解除美國對北韓的經濟制裁及提升其交涉地位，並獲得更多的糧食援助和解套KEDO（朝鮮半島能源開發機構）預算的支出。

對話的結果，美方獲得了日方參加TMD研究計畫的承諾（總預算被估計為上數百億美金，美國一直在尋找合作金主）。

日本承諾參加TMD，有識人士認為，美日軍事同盟下可選擇的外交空間本來就有限，參加了TMD將更自我縮小選擇之機會，並自我窄化外交空間，何苦而為之？

第四，北韓的大浦洞一號大大地拉近了韓日關係，它充分呈現在日皇及日本人接待金大中訪日之超禮遇舉措上，那些舉措係本報告人留日41年不曾見過的。

中共何時並如何打出「遺棄化學武器」牌？

批判日帝侵華之「南京大屠殺」牌，人人知道。比起「南京大屠殺」牌對日本具殺傷力的「遺棄化學武器」牌，在台灣卻鮮有人提起。

「遺棄化學武器」的善後處理問題，初次由中共方面向日方提出的時期為1990年的事，為何中共方面在此之前不曾提出此問題頗耐尋味。據日方人士所做的善意解釋是：1. 中共方面欠缺對化學武器的真正認識；2. 大陸各地已頻傳出被害人的消息，但當局欠缺處理技術及財源；3. 中共忙於搞運動，無暇顧及鄉下百姓因化學兵器所禍及的痛苦。當日本外務省官員被告知「日本侵華戰爭將結束之前，日本軍在大陸各地遺棄的200萬發化學武器及100噸的化學毒藥劑，戰後以來包括死亡者已有2,000名以上的受害者」云云時，嚇得無言對答。中共方面要求日方該負起責任並攜返日本處理。日「中」間的有關此問題的交涉由此開始。日「中」共同的實地調查卻遲到1996年5月才正式開始。自北邊的黑龍江省孫吳縣至南邊的江西省上高縣已查出22個地點，保管在軍民倉庫及埋在地下的化學武器約有70萬發，數量可能還會不斷地增加。「南京大屠殺」牌，日本右派人士常藉「口水之爭」來塞責，但「遺棄化學武器」則找到了實物證據難於迴避，加上，CWC（《化學武器禁止條約》）已於1997年4月生效。在反對化學武器及反對污染保護生態的世界大潮流下，日本當局若處理不善的話，可能遭受國際輿論之譴責。據日本外務省高官的估計，善後處理所需的財政支出可能要超出近於一兆日圓之天文數字。中共若藉此打它的「歷史認知」牌，將是何種情景？值得我方關注。

暫時的結語

敗戰國日本雖然再起，現成為世界第二經濟大國。但自「蘇東波」的來襲及冷戰結構的崩潰，它所倚靠的日本式資本主義及日本式經營，近年來全都面臨被解構之威脅。

日本學者自我定位為近代日本的第三次大危機（第一次為明治維新，第二次為第二次世界大戰之敗戰，第三次為本次的跨世紀危機）。

1950年代以來，一直深深影響著「中華民國在台灣」命運的兩大國，誠然首位為美國，次為日本（尤其在經貿方面）。值此歷史巨變，國人如何企求自立自強之路？我們不該忽視有關日本的困局及挑戰，特別是研究其內涵及客觀解讀。

本報告人今天的未成熟之見，若能對當今日本的理解有些許的幫助，則幸甚！

本文係未刊稿，按文中所述，應寫於1998年10月

從奈伊博士的戰略思考，考察東北亞二大火藥庫之未來

說在前面

本年〔1999〕5月24日，日本參議院終於票決通過「美日防衛合作新指南」配套法案。這正標誌著，《美日安保條約》的實際實施上獲得了諸多法源的支撐，將擴大適用範圍並邁入新的階段。另它又無疑地向亞太地區住民宣示，美軍仍然將維持十萬大軍規模，繼續留駐於亞太地區。在美國主導下，美日兩國不但強化了既往的同盟關係，尚且進一步彰顯了它的軍事同盟性格。再者以此為軸心重編了「Pax Americana」（依靠美國霸權「主導權」下所維持的和平秩序）的新機制。在日本的全面性支援體制下，美國將參與並且主導亞太地區的「集團安全保障體制」之建構、強化及實際運作。

自美國總統柯林頓於1996年春天訪日時和日本首相橋本龍太郎簽署發表的《美日安全保障聯合宣言》（同年4月17日）以來，中間介有「美日防衛合作指南」的重新制定作業（其中間報告公布於檀香山，1997年6月7日，最終定案則公布於紐約，1997

年9月23日，以降通稱為「新指南」），至今年5月24日「新指南」的相關法案在日本國會參議院的票決通過，正好花上三年一個多月。難怪美方（尤其是國防部）曾有過咄咄責難之雜音。按「舊指南」則指1978年11月27日所制定者。其主要內容：第一，防衛範圍僅界定於日本；第二，日方開始承擔駐日美軍基地費用之一部分；第三，促進美、日間的共同作戰研究；第四，重新調整軍事行動時的指揮系統；第五，整頓軍事行動時的補給、輸送等後勤支援機制；第六，將更積極地推行美日武器技術合作有關事宜等。其實，迄1989年以前不曾有過發動實際軍事行動狀況的產生。由而所謂的「舊指南」，實際上並沒有「用武之場合」。但波斯灣戰爭、北韓核武試驗嫌疑事件等相繼爆發，圍繞東北亞安全保障的環境生變，遂使美日雙方痛感有重整「美日防衛合作指南」之迫切需要。爾後，催生了美國防部對亞太地區戰略架構的重建等一系列之作業（俟後重述簡介）。

在此我們有需要確認，所謂的國際秩序，通常既是易變又是不穩的。以《美日新安保》（比初期《安保條約》者已演變近似公開的軍事同盟關係）為樞紐，將有所建構的亞太新秩序可預期的持續期間，不難想像會愈來愈短。原因無他，亞太新秩序的結構「因素」難免變得快速驚人。諸因素間的互動範圍及相關目的等之變化比既往的任何時期都將要來的深且廣。頗多有識之士雖懷有幾分存疑，但皆認定中國大陸及東南亞國協（ASEAN）十個國家的近期經濟成長的潛能不該忽視。它們被視為具有扮演21世紀前半期全球性新經濟發展的「火車頭」角色之可能。從而，亞太新秩序的結構因素之性質及圍繞該秩序的國際環境暨關係，亦將被迫在量、質雙方面發生激變。

以《美日新安保》為軸心來維繫的亞太新秩序，爾後能有效地維持和運作多久，有待我人冷靜觀察。未雨綢繆，細慮可施的因應良策，該係我們迫切的有關安保的重要課題。

美國防部的二次有關「亞太地區戰略架構」報告書

起於1989年的「蘇東波」驟變，歐洲的冷戰結束，美蘇的對立又打上了句點。美國國會人士，歡迎了上述的驟變之外，他們並沒有忽視美國赤字財政危機。他們更耿耿於懷的卻是，在美國核武保護傘下突飛猛進的日韓兩國經濟實體的突出成就，美國輿論界早已大聲叫喊日韓該承擔相應更多的協防財政負擔，並且更不該繼續討價，而在「協防的共同巴士車」自享自娛了。美國國會遂向國防部提出「重估美軍在東北亞的presence（干預或介入）」的要求。繼之，國防部在1990年4月提出了《第一次報告書》（“Department of Defense, A Strategic Framework for the Asian Pacific Rim”, 1990）。報告書呈示了美軍在亞太地區的裁減三階段計畫。第一階段（1990～1992年）將裁減14,000到15,000人（其中包括在日美軍的5,000～6,000人）的兵力。第二階段（1993～1995年）將繼續裁減，至於第三階段（1996～2000年）則視實際狀況再作裁減計畫之檢討。報告書呈示上述計畫外，尚明記了對日韓兩國要求增加美軍駐軍經費的負擔金額。

《第二次報告書》（“Department of Defense, A Strategic Framework for the Asian Pacific Rim”, 1992）則在1992年7月發

表。本報告書具有確認完成第一階段計畫和繼而進入第二階段計畫方針的相關目的。值得我人注意的是，1990年4月至1992年初夏之間發生了波斯灣戰爭，蘇聯之解體，駐菲律賓美軍遭受菲國國會的反對，實施了全面性撤退以及北韓核武開發嫌疑等大事。因此，第一次報告書所明示的第二階段裁減計畫，迫於形勢只好做了大幅度的修正。1. 駐韓美軍的裁減又被延期；2. 駐日美軍部署於沖繩的75架F—15戰鬥機僅裁減了18架及相關兵員700名而已。不過因實施了菲律賓的全面性撤軍之故，裁減總人數反而比原計畫增加了4,900名。駐日美軍則除了駐軍於沖繩者裁減了上述的700名以外，其兵員規模並無任何的變更。

奈伊博士主導下撰述的「第三次」報告書

1995年2月27日，美國國防部發表了《美國對亞太地區的美國安全保障戰略》（“United States Security Strategy for the East Asia-Pacific Region”，簡稱為“East Asia Strategy Report” ＝ EASR）。本報告係奈伊（Joseph Nye）教授主導下所完成的。奈伊氏的學術關懷領域及探討視野十分廣闊。他不但具有深厚的學術根基，其學術成就亦備受讚譽，是相關人士皆知的。

因篇幅所限，吾人在本稿所關心者只好暫限於奈伊氏在美國安全保障決策相關機關的資歷及其對安保相關的戰略思考，尤其他對當今亞太地區安全保障的戰略性思考及主張。理由甚為簡單。《美日新安保》（包括《新指南》）的「催生婆」、「定調者」暨主要理論架構提供者非奈伊氏莫屬。甚至，去夏美國總統柯林頓訪大陸時在上海的口頭「三新不」發言，亦屬於奈伊氏所築構、美國對亞太地區的美國安全保障戰略範疇內的另一種表達來看待。

奈伊氏的絢爛資歷及人性關懷

奈伊1937年出生於美國東部的紐澤西。1958年畢業於普林斯頓大學，繼此獲得著名薔薇（Rose）獎學金前赴英國牛津大學深造。1964年獲得哈佛大學博士學位，1969年出任哈大教授國際政治學，爾後在研究所講授國際安全保障和外交政策與倫理等專題。值得吾人注目的卻是1976年，他訪問了廣島，並參觀了「廣島原子彈爆炸資料館」，遭受到難於言喻的衝擊。翌年（1977），他接受了卡特（Jimmy Carter）政權的邀聘，擔任了二年的國務次卿助理（deputy undersecretary）並兼任國家安全保障會議主席，主持核武擴散相關事宜。

1979年自官界返回哈大並兼任國際問題研究中心的所長。1986年，他把在官職時的體驗、遊歷諸國時的諸多對話或「為何美國保有核武屬於正當，但別的國家企圖保有卻是不該？」等質疑加以整理。又把來自於學生們的「我們為何需要保有核武？」「我們是否面臨著因核武戰爭而將被毀滅的命運之門口？」等的諸多發問，挑揀釐清。他經過深刻的思考、自省及昇華，寫了一本通俗性的小冊子，便是《核武戰略與倫理》（*Nuclear Ethics*, The Free Press, N.Y. 1986）。1990年，他受了哈大的同僚保羅・甘迺迪（Paul Kennedy）的暢銷書《大國的興衰》（*The Rise and*

Fall of the Great Powers, Random House, Inc., N.Y. 1987）的強烈刺激，寫了「反駁」性專著《領導的覺悟》（*Bound to Lead*, Basic Books, Inc., N.Y. 1990）。書中呈現了對自國＝美國之自信暨對圍繞美國的諸多次強國家或地區的冷靜分析及評價，可讀性頗高。

他所關心的學術領域自早期的非洲地區統合論出發，中間創出相互依賴（interdependence）概念，一鳴驚人，近年則傾斜於跨國界的安全保障問題。吾人若要追索其「心路歷程」，目前我們還可以細讀其新作、半自傳性的小說《髒手》（*Dirty Hands*，目前上梓有日文版，東京都市出版，1999年4月）*來參照。他內心深處橫跨著頗錯綜複雜的「人性關懷」係筆者深信不疑的。

貓頭鷹（owls）學風與他的近作

世上為了區分某個人的學風、作風抑或政治立場，藉鳥類的性格來比喻。鷹（hawks）派和鴿（doves）派在日本亦是常見的。但奈伊氏以貓頭鷹（owls）派自居，對筆者來言卻是初見。

他的貓頭鷹，是來自於古代希臘神話的保護雅典的女神鳥。她演變至今為「智慧與技藝」之象徵。他所以自居的主要目的，係和傳統的「權利政治」現實主義者劃清界線，鷹派則是拒絕的、甭談的對象，與鴿派亦有保持區隔之原意。

1994年，在柯林頓第一任政權，他重返官界。就任二年的國防部次長助理，主持了國家安全保障有關事宜並兼任國家情報委

* 日文版為伊藤延司譯，《ダーティー・ハンズ》，東京：都市出版，1999年。

員會主席。此期間他主導了《美國對亞太地區的美國安全保障戰略》的築構及完成如上述。當柯林頓總統組其第二任政權時，他卸了職又回到哈佛就任約翰・F・甘迺迪學院的院長迄今。

有關他的近作，我人選取下列三篇論述並藉此對其戰略思考及主張嘗試綜合性的考察。1.〈更深一層的交往個案〉（"The Case for Deep Engagement", *Foreign Affairs*, July/August, 1995）；2.〈美國在資訊（情報）上的優勢〉（"America's Information Edge", *Foreign Affairs*, March/April, 1996。按：此文係與前統合參謀本部副議長維廉・歐恩斯〔W. A. Owens〕共撰）；3.〈日美中「不等邊三角形」——競爭・牽引・平衡之力學——〉（此文筆者只找到刊載於《This is讀賣》1999年1月號之日文版）。

奈伊氏在其論文第一篇首先強調，駐亞太美國10萬大軍對東北亞當今的經濟繁榮（請留意，此文發表時，亞洲金融風暴尚未發生，日本景氣之惡化又未表面化）之正面相關關係。他云「10萬兵員中的36,000名在支援同盟國＝韓國。駐日本的47,000員兵力，強力地呈現了美軍對地區安全保障及防衛日本，將有所關心參與的意願。美軍的干預不啻是抑制了東北亞諸國對擴充軍備之需要性。另，此軍力既有抑止霸權國家抬頭之效，又可成為安定化之力量」。他的話中裡頭另有其話，他欲表達者不外是，既可以防止北韓之南侵，又可抑止日本的核武開發暨中共霸權之抬頭等。

他並展開了「安全保障等同於氧氣」之論，缺氧時才能叫人著慌。其實，經濟的繁榮不能欠缺政治秩序之先行樹立。目前的東北亞，為世界上經濟最為活躍的地區。迨21世紀初，可預測亞太地區的經濟活動將占全世界三分之一的規模。我們該瞻望未來的20年，那時，我們終究將有無、能否支撐教人另眼相看的經濟增長相應的政治秩序和安全保障架構之存在？難道非要把企業家及投資家所盼望的安定先讓軍備擴充競爭暨軍事紛爭來打爛了它不可？

他看好中國大陸國力之增大、視俄國早晚將再起，及日本將扮演更重要的角色。再者，國際機制將該如何因應朝鮮半島的緊張？這些都是維持東北亞的安定和繁榮的關鍵性因素所在。

該文的第二節，奈伊氏揭櫫了有關東北亞安全保障的五個戰略選擇設問暨答案。第一，美國從東北亞撤退，只在西方及大西洋尋求同盟關係為其戰略選擇。這種選擇該係沒有任何人會認真考慮的。何故？不管自史地、人口結構及經濟等任何層面來考察，不須贅言美國的確已是太平洋國家。尤其在經貿上，美國與亞太地區間年約有4,000億美元的交易額。這個數額足足可提供300萬人的國內僱用機會。企圖把美國自經濟生氣勃勃的地區割離，誰能相信，這一種戰略選擇是可行且不是愚蠢的。

第二，以冷戰終結為理由，把美國與亞洲諸國的同盟關係取消為戰略選擇答案。如果採用此戰略選擇的話，將出現爭逐「權力平衡」的國際政治生態新狀況。它將取代美國獨特的「領導地位」（leadership）。由此，美國可以驅使某國與某國對立或競爭之戰術。某些人可能會認為，如上作法比較省事且可減低成本。其實不然，它們不但導致成本之增多還會惹發不安定化狀況。在東北亞的權力分配，尚欠平衡，無法讓美國可以輕易且機械地調整諸國間的關係。企求權力平衡方式的出現，又可能迫使東北亞諸國藉軍備擴充競賽來因應新狀況的局面彰顯。這一種狀況的出現後，美國不得不再度回到實施關心參與政策時，美國將被迫如何調整新興勢力或增強後的勢力間的平衡而有所費勁。這一種營造，不僅需要更高的成本，還得冒險相機行事。當今美國，可從同盟諸國獲得年約50億美元以上的「責任分擔」（burden sharing）金。它減少了美國的財政負擔。這個益處將只好流失。

權力平衡方式不但將失去上述責任分擔金之利多優點，還會讓我們既往為與當地區諸國建構關係所支出的寶貴投資，一概泡湯。

第三，則以構築寬鬆的地區機構代替美國與東北亞諸國的系列同盟關係。這類機構或許可當為聯合國機制的補充角色來運作。不管何種狀況，短期間內要構築具備高效率的地區性機構並非易事。就EU（歐盟）從構想迄今，其成形整整花上了40年以上的歲月。遑論連構想的雛型尚難尋出的東北亞，談何容易？在此地區，冷戰前就存在的「恩怨情仇」又未必已見克服。換句話說，東北亞尚欠缺構築有望可補充聯合國之地區性機構的充分條件。頗多國家已表達過，美國是否見了構築相關地區性機構後，便要自東北亞撤退的憂慮。總之，只靠構築地區性機構為戰略的選擇設計是不能提供充分的安全保障戰略架構的。

第四，在東北亞築構類似NATO（北大西洋公約組織）的地區性同盟為戰略選擇之設計構想。但，引進以歐洲為典範的地區性同盟機構的構思是錯誤的不必多言，那種新型地區性同盟，將難免迴避被認為是以俄國抑或中國為靶子的危險。俄國將在東北亞扮演何種角色尚屬未知之數。把中國當為假想敵人又是錯誤的。奈伊氏更進一步斷定，可資於判斷今後的中國將變為「我們」敵對國家的根據是難於找到的。不必諱言，亞洲問題專家中，預測中國對非屬於自己文化圈諸國可能會採取攻擊態度者的確存在。但識者中認為，中國將會自願成為肯擔負東北亞中的大國責任而扮演相應角色者，也有。暫時把它假設各一半來思考。如此假設，也只能夠因應其50%之可能性而已。一旦採取圍堵政策的話，再想把政策扭轉改正方向時，必然地將面對高難度的阻撓。另預設對方具有敵意而採取相關對應策時（不管其敵意是否為事實），隨而將催生真正的敵意而成為其結局的。對正在建構途中的「中國『大國』（power）」的對應方法裡，當今柯林頓政權所採用的交往政策（police of engagement）是遠比其他方案要來得精湛是肯定的。

奈伊氏的第五種設問及答案則是「美國的領導權或是領導地位」。柯林頓政權已經斷定，以美國的領導權為基軸的方法來因應狀況，對美國暨北亞諸國的雙方都是有利且是上善之策。實際上，東北亞諸國已發出信息，他們又企盼美國的領導。這是足以佐證上述的判斷的。

吾人不嫌其煩地，將奈伊氏的五種戰略設問暨答案介紹如上。目的在於凸顯他對當今圍繞著東北亞的戰略狀況的認知以資諸賢參照。

從上述的簡介及本論文的其他論述，我們不難判讀，奈伊氏對美國所抱持的大國信心和美國的領導權自負是夠堅定的。美國一度因在尖端武器競賽中遭受到蘇聯的挑戰，在經濟層面及部分科技又遭受過日本的追趕，此類夢魘自柯林頓政權登台後，在美國人心中已不復存在。其實奈伊氏早在1990年上梓的自著《領導的覺悟》〔*Bound to lead: the changing nature of American power*〕中的第二部〈新的挑戰者〉（Part II, “New Challengers?”, p.115～170），已有詳述並批露其本人的相關認知。

其信心係早有其來自和根基的。參與第二任柯林頓政權時，基本他以美國領導權為基軸的「交往」（engagement）政策已建構在其人性關懷暨道德情懷上，更顯示了他的基本構思及堅持。在他訪台期間（1998年1月間），筆者聽過奈伊氏本人的報告和演講。他的相關主張亦溢於言表鮮見有遺。他的頂頭上司亦是同夥人的前國防部長裴利（William Perry）之支持，當然又可數進他義無反顧地步的自信來源之一，是毋須質疑的。

上述的奈伊報告（所謂的《第三次報告書》）則基於柯林頓總統的「交往」（engagement，以對話及交往為軸心）政策暨「擴大」（enlargement，擴大市場經濟和促進民主主義以及人權保障為核心）政策為基調所建構的「美國對亞太地區的美國安全保障戰略」。

本報告由三大部分組成。第一部分：為了強化冷戰終結後的同盟關係而正視及重估了既有同盟關係的相關基礎，此為奈伊氏報告之樞紐部分。意指不為冷戰結束而取消任何既往的同盟關係。第二部分：繼續維持既往在前方所展開美軍關心參與的規模。意指「第一」及「第二」報告所言及的撤軍計畫已中止。奈伊氏特別指出，當今東北亞地區的最危險地點為北韓。雖然將與北韓繼續開展交往及對話，但又不得不為了防備「萬一」，那有自此地區撤軍之愚蠢之事。遑論，美軍的關心參與，對確保交涉場合時的美國席位有幫助外，對貿易之順暢展開又有不可忽視的功能。

第三部則是地區機構的構築有關事宜。構築此類機構的目的，不在於取代抑或統合美國在此地區的同盟關係。主要目的在於醞釀亞太地區的相互信賴感而有的具體措施。簡述之，是為補充美國領導權在亞太地區同盟關係中立於不衰地位而企圖營造的。柯林頓政權強力支持APEC（亞太經濟合作會議）及ARF（有關安保領域的東協地區論壇），可見其一斑。

本文係原刊於係《自由時報》主辦、台北駐日經濟文化代表處協辦之《亞洲安全保障與兩岸關係研討會論文集》中，所發表之論文，1999年6月12日～13日

司馬遼太郎史觀對東北亞情勢影響之淺析

說在前面

日本人作家司馬遼太郎被中國人（包括兩岸三地、華人及華僑）圈子所注目，其人之言論引起廣泛談論，應該始於1994年初夏。

事出於司馬訪台，並自1993年7月2日號的《週刊朝日》，開始連載他的《台灣紀行》〔《台湾紀行》〕至翌年3月25日號。同誌的5月6日及13日號（日本的週刊雜誌係於該號所標示的出刊日期之一週前上市為慣例。因此，前引5月6日號是在4月30日便問市）亦特別登載了〈對談・場所之悲哀〉，此文被中譯改題「生為台灣人的悲哀」，刊登於台灣的《自立晚報》（4月30日起一連三天，全文登完）。

《週刊朝日》為日本高品質新聞（high quality newspaper）《朝日新聞》的姊妹週刊雜誌之一，是購買的讀者可攜返住家，和家人一起閱讀的正派雜誌（甚多日本週刊雜誌帶有黃色成分，僅供上班族消遣之用）。一般而言，忙於閱讀專業學術論著的學界人士，則不甚注意這類週刊雜誌，比方我們學術界人士比較關注的朝日新聞社系週刊雜誌卻是《AERA》（拉丁文之《時代》）。

由而，筆者鮮少會去翻看《週刊朝日》，它正在連載司馬〈台灣紀行〉的1993年秋天，偶爾與久識的客家系台籍商界人士相遇。他在宴會席上披露，戴教授竟然與司馬遼太郎是老相識！我聽此言一頭霧水。敝人不曾與任何台籍人士說過我與司馬登過同一講台，也沒有提過與他在同桌共飲過。不久後，有位久居大陸而不滿「六四天安門事件」，經過不少曲折在日本鄉下謀到餬口教職的台籍「新知」來了電話，告知在司馬的〈台灣紀行〉連載記文中看到了我的名字。我猜測，他們倆都不大可能是司馬歷史小說群的讀者，他們的興趣大概只在翻看通俗性正派週刊雜誌時，不曾意料到戴某和司馬之些許瓜葛而感到驚奇。為何學農的戴某會與日本著名作家司馬有交誼？

出我想像之外者卻是另一名在台名人之一的外省籍S校長：「老戴，你怎麼也認得司馬遼太郎呢？」問話的時期該是「千島湖事件」（1994年3月31日發生）及〈生為台灣人的悲哀〉被刊登於《自立晚報》後（第一版本則係《自立晚報》1994年4月30日、5月1日及5月2日所譯載者；第二版本該是由台灣《新台灣》週刊雜誌所譯載者；第三種版本該是李金松譯，司馬遼太郎著《台灣紀行》【台灣東販股份有限公司，1995年6月1日】所納入者）。S不懂日文，大概他判斷上述對話，具有某些政治訊號，所以他找人了解加深其認知，在此過程中發現了戴某之姓名。據我所知，S嗜讀過山岡莊八的《德川家康》中譯本，但我不曾聽他提過司馬其人暨其作品等有關事項。

此次為了撰述本報告，筆者在大學裡找了日文系所研究生，查尋台灣有無涉及司馬之相關作家論或作品論？真教人失望，那麼多人在批判「司馬vs.李之對話」，又有一些上年紀的「親日派」抑或「媚日派」台籍人士在稱讚上述對話，但所欠缺者卻是出自我國人之手且具有相當水準的司馬論或其作品群論的研究業績。「批判」也罷，「讚美」也罷，相關人士所「秀」者只是口水之論而已，欠缺學術研究基礎之爭論，最後的命運將是成為泡沫而雲消霧散的。其實，台灣地區以外之中國人圈子的陋病頗有類似之處，說一句好話，中國人學術界過於繁忙，分工來得過細，無暇顧及司馬這一類日本「小作家」之流。設若要報告人說出刻薄一點的話，我們中國人社會仍然難於超越輕視鄰邦日本之「夜郎自大」心態，陷阱該屬於既是小聰明過人又不屑「笨工」者所惹發者，慣於逐波隨流，偏好於形式功利主義虛晃一招式的文化交流（司馬1990年3月還就任了「日本中國文化交流協會」的代表理事。因而，受到了大陸地區有關人士之青睞及禮遇），國人慣常失察於本質性之「要害」，此在司馬一事亦是典型之例。

早在他逝世（1996年2月14日）半年前，報告人就曾批判過他的《台灣紀行》。此文本為1995年10月19日於立教學院諸聖徒禮拜堂以〈近百年的台灣與日本〉所做的演講，其後經過整理發表於*Chapel News*（1996年1月號，立教學院諸聖徒禮拜堂發行〔參見《全集》9〕）。

批判的要點如下：1. 這一本書相當討好日本一般讀者口味。

司馬是著名作家，加上他的文筆流暢，報告人頗擔心，此書將如何地負面影響「台日」或「中日」關係，值得大家注意；2. 只要瀏覽了此書，讀者不難發現敝人的小名。但司馬並沒有把報告人註明為台灣史的專家。雖然在其書中，引了經本人發掘在我的《台灣史》相關論著所活用的資料，例如，乃木希典在據台初期，以日本駐台派遣軍司令官身分寄給吉田松陰（幕府末期的志士，著名的長州藩士）家私信之類；3. 社會、人文學者引用他人著作或所發掘的初見資料不註明出處時，將被指摘為「剽竊」而遭受詬病，小說家真是「幸福人類」，可以不尊重他人在研究業績上之「priority」（應該享有被尊重的優先權）；4. 他書中所引用者沒有一件是原為中文著作者，僅找合其胃口者，尤其對其所引用者概給予好評，方便封人之口；5. 林房雄出版《大東亞戰爭肯定論》[1]的1960年代中葉，雖然日本國內有其部分共鳴，但在日本以外鮮見有其附和者；6. 「蘇東波」之變後，日本左派抑或社會評論界，甚至於以東北亞為主的批判派人士日趨失其筆鋒；

1 林房雄，《大東亜戦争肯定論》（東京，番町書房，1964年初版），繼而翌年亦上梓《續大東亜戦争肯定論》。上引兩書雖然贊成和反對各半，但暢銷一時。林在1970年11月25日合為一，改訂三版。

按：林房雄（1903～1975），雖沒有參加共產黨，但自稱共產主義者，並據親共左派人立場活動，於1930年代初期，後經過三進牢轉向。上揭林著則可看成為其小說《青年》（1932～1933）及《西鄉隆盛》（1939～1970）22卷本中為林透過評論方式所呈現出史觀之「菁華」。從而，筆者認為，要明察日本近代保守右派民族主義思想的源流及其走向，非先釐清德富蘇峰及林房雄史觀再與司馬史觀連結起來考察不可。這個課題將是大工程，據筆者之孤陋寡聞，不知有何日本學者對此有過挑戰，而日本人批判派學者又難有「自我剖析」及自我內部的「日本法西斯」有效批判業績之彰顯。日、德學界之大差異點該存在於此。

7. 久缺批判的社會境況，司馬之相關台灣言論很可能誤導一般日本人誤判台灣和台灣人及中國大陸和中國人所處之真實狀況；8. 筆者看完司馬之《台灣紀行》後，想起第二次世界大戰中之德富蘇峰（1863～1957）的例子，德富之著作《近世日本國民史》全100卷的前大部分，和他的煽動性花言巧語投好於斯時日本國粹主義的社會氛圍，被日本法西斯活用。敗戰後，「遠東裁判」法庭判其「自宅軟禁」罪。

在我演講中，委婉地暗示法西斯通常是既不給預告，又不讓人有所察覺地偷襲而來的（暗喻並警告司馬又可能走上德富不光彩之路）。非常不幸，不出我的意料，當今右派日本人之篡改歷史教科書運動家們所依據之理論「源頭」，已明確地主張是來自於司馬史觀。因此，我冒著撈過界之嫌，藉此機會表達一些不甚成熟的看法，並向諸位先進請教。至於司馬的有關台灣言論則另找機會將再詳論。

司馬遼太郎為何許人

司馬本名為福田定一，本為日本大阪市人，出生於1923年8月7日。我們瀏覽了他過世後由大河內昭爾所編的〈司馬遼太郎年譜〉[2]，則一目瞭然，他未成名前尚未取筆名為司馬遼太郎，以福田定一所走過來的既非主流又坎坷多舛之路。他以從軍裝甲兵外，考進的報社亦是支流的《新日本新聞》，後再轉進產業經

2 責任編輯齋藤慎爾，《保存版――司馬遼太郎の世紀》（朝日出版社，1996年6月25日初版第一刷。按：此出版社雖冠有朝日，但與朝日新聞社無關），頁246～252。

濟新聞社京都支局的。不可不說是頗不得意的新上班族。1956年5月，司馬以〈波斯之魔術（戲法）師〉獲得他第一個獎項的「第八屆講談俱樂部獎」。此獎未能算是上乘之文學獎，勉強可以當為大眾傳奇通俗小說獎來看待，日本文壇斯時尚頗看重「格式」，以正派文壇為努力目標者，通常看重者為具有歷史傳統的芥川獎或直木獎。

中學所念者不但是無名的私立學校，一般菁英所志願的舊制高等學校，當然不得望其項背。他能考上者也只是大阪外國語學校的蒙古語部，此語部（「部」等於中文所說之學系），除了具有雄飛蒙古大草原，或自甘情願被「皇軍」及日本浪人所頤使的右派軍國主義青年才會投考，司馬雖然性情溫和，但他會嘗試追尋遙遠的蒙古大草原，是否他個人早有脫離日本島國被歧視窘境之企圖心？誠然，他自司馬遷取其筆名，亦有其「通底性」之心理，或許可以解讀為司馬之深層心理，潛藏有心嚮往之神馳自求之不自覺意識，及某一種原動力（motive power）在蠢蠢欲動[3]。他在《街道漫步》〔《街道をゆく》〕之〈文明論〉系列作品群所涉及，並選擇街道的偏頗性亦值得我們去分析，司馬同情且關懷弱者和少數民族，包括其邊疆居住地等相關人道主義關懷課題，其心境[4]可以說不難追尋的。

---

3 至於，為何選擇蒙古語科的「事後諸葛亮」式自我正當化則呈現於自著《韃靼疾風録》（上下二冊，中央公論社，1987年9月）及《草原の記》（新潮社，1992年6月）上。本次無暇詳介，俟後補記。

4 〈年少茫然の頃〉（原刊登於《Channel》【《頻道》】，1966年4月號）。同註2，頁106～107。從此文，讀者不難發現他對李登輝先生過度贊揚並崇拜之自卑心理（散見於《台灣紀行》一書之中）之源頭。

如何解讀福田定一選取其筆名為司馬遼太郎

除了前述理由外，本人將更進一步地嘗試解讀其意圖：1. 司馬當然來自於司馬遷；2. 「遼」之義涵則為「長遠」。成名之後，福田定一尚且保有自謙之初願，自認為距司馬遷相當遙遠，是不可及之渺小日本人；3. 太郎當然是日本人之代號。

「英雄不問其出身」係國人的一種俗諺，但為了真正分析某人一生事蹟時，「蓋棺論定」雖有其必要，但該人的前半生如何釐清及認知亦不能欠缺。

司馬在早期福田未真正成名，尚用福田定一的本名時：1. 他對司馬遷是有仰慕之念；2. 他亦自認難於接近司馬遷之境界；3. 日後文壇地位穩固，司馬成了暢銷、流行作家，甚至於「國民作家」時，司馬迷者開始以「成名者學問大」的俗氣，再添上了福田早期即具凌駕司馬遷之意。

當任何論著變成《聖經》，任何人物被拜供於「神壇」，做為社會科學研究家之一員，有必要反對此態度是毋庸置疑的。

日人亦有批判司馬之晚年軌跡（所言、所為、所行等）者。其一為太田昌國，他先把司馬作品依其特徵分為四個時期來探討。第一期（1950～1960年代前半）：《梟雄所住的首城》〔《梟の城》〕為代表作的傳奇浪漫小說期。第二期（1960年代前半）：《坂本龍馬：日本近代第一豪傑》〔《竜馬がゆく》〕、《劍客生涯》〔《燃えよ剣》〕、《篡奪王位故事》〔《国盗り物語》〕等之英雄小說類時期。第三期（1960～1970年代）：《坂上之雲》〔《坂の上の雲》〕所代表的歷史小說期；第四期（1980～晚年）：《這個國家之造形》〔《この国のかたち》〕一類的文明批評敘述期。太田昌國認為：司馬之作品對他來言，只有第一期的作品及免於陷進「英雄小說」俗氣的幾篇短篇小說之第二期作品群，值得他一讀而已；至於以高度經濟成長期做為時代背景，逐漸開展的第二期主流作品群所呈現者＝所謂的「司馬之新世界」，與他愈距愈遠，不啻枯燥無味，根本只是唾棄之物。它係瀰漫於日本社會的「常識」，因此僅能算是「庸俗」之作。作品中處處插入「說教」之辭，令人讀之厭倦。誠然，司馬早期的「反權力」之叛逆氣味已過眼雲煙[5]。

敗戰後首位國民作家的出現與自由主義史觀之興起

太田所言，司馬作品的「常識」暨「庸俗」屬性，恰恰係我人解讀為何司馬所以成為「國民作家」之鑰匙，另一非司馬迷肯定的評論家中島誠，卻給了人們補註性解讀。

中島云：多數的成人、學生和新上班族在反《美日安保條約》（1960年）鬥爭敗下陣深覺挫折時，時勢卻開始在謳歌經濟成長（池田勇人內閣之所得倍增，高度經濟成長政策上了軌道），青年們難免被時尚的巨流吞噬，人人面臨被迫自我迷失之景況愈趨嚴重，他們不但被坂本龍馬的男子漢氣概浪漫主義吸引，更被其既果斷又敏捷的行動力所魅惑，人們把龍馬的既悲劇

5 太田昌國，〈近づく司馬遼、遠ざかる司馬遼〉（天野惠一編著，《「自由主義史観」を解読する》，社會評論社，1997年9年30日，頁163～173）。

又短暫的生涯（按，他26歲即被刺殺*，龍馬的諸多新建國構想未見其實施前便被殺，正是一般日本庶民歷來所喜愛的悲劇性「戲碼」，頗值我人深思）投射於各自的身世而有所嚮往，其題亦具妙趣，云：「龍馬乘風而飛」包含有進行式之餘韻，教人共鳴[6]。

僅止於成人學生及年輕上班族嗜讀的話，當然不能成為「國民作家」。所謂的「國民作家」，其概念雖無嚴格的界定，據一般常識，該是不分年齡、性別、職業、階級等的一般庶民階層都被囿於某作品群之著名作家之稱，司馬生前作品之暢銷及總銷售冊數被傳為超過1億冊以上。

批判派社會評論家的佐高信分析道：「日本企業經營者群亦有陷入誤讀司馬《坂本龍馬：日本近代第一豪傑》之嫌。」

經營者畢竟是「動機主義者」的一群人，不必有太多的運作，企業本身便能營運無阻，人人只被灌注「好像做了些什麼」就心滿意足了[7]。

總而言之，司馬勤撰歷史小說，並惹發了司馬作品狂銷的特殊現象，此期正是敗戰日本經濟重建已成→所得倍增（高度經濟成長）→經濟大國夢之呈現（其反面卻是漸失目標，重尋「日本」、「日本人」為何？「日本民族主義」如何重塑的重要時刻）。日本右派人士心知肚明，鬱屈於心，深深體會扼制日本人「能量」向前釋放者非美國莫屬，但礙於北方「大熊」的俄羅

---

* 坂本龍馬生於天保6年（1836），於慶應3年（1867）被刺殺，得年應為32歲。

6 中島誠，《司馬遼太郎が行く》（第三文明社，1994年1月21日），頁6。（引用文為報告人之意譯。）

7 佐高信編著，《司馬遼太郎と藤沢周平》（光文社，1999年6月30日），頁166。

斯，隔鄰「紅色太陽」的中國依然存在，自衛隊的軍隊正規化、核武化，鑽營聯合國安全保障理事會常務理事國席位不易，各自只能在其觀念上追尋其「原型日本」（Proto Japan）夢。司馬的歷史小說（尤其以幕府末期至明治維新初期的英雄志士為中心的描述）真正投好人們之胃口，且亦可填補上述一般庶民之夢。司馬作品成為人們的「最愛」，係其來有自。

1980年代末至1990年代初期，中國大陸正忙於開放改革，引進市場經濟方式企圖建構「具有中國特色的社會主義市場經濟」機制，東歐起了激變，蘇聯亦在其七十餘年「虛構大盤」下瓦解，美國的「雙胞胎赤字」尚未能克服，其經濟龍頭地位遭受了日德兩國的威脅，日本正遭受著泡沫經濟崩潰的後遺症而苦悶。

日本右派抑或新保守主義派人士，開始大力欲解開其外來意識形態的束縛。

主張自由主義史觀人士，以其所需借用了司馬之如下表述：

> 我具有把事物擺在太陽光下，卻不願擺在月光下觀察的精神傾向，所謂自律於不夠透徹以意識形態「遮光鏡頭」來看事物的姿勢。此外，我對應外界的過去、現在和未來時，將盡我所能，把自己逼近到「零」之狀態。在情感上不加添任何「正一（plus one）」或「負一（minus one）」[8]。

客觀持平地說，當今日本的自由主義史觀一派，只是由司馬

8 司馬遼太郎，《十六の話》（中央公論社，1993年10月）刊載。

之一些敘述來取其所需，以藉司馬之聲望企圖造其勢而已。司馬所言，採自自由主義作風，不拘不束地觀察歷史事物姿態所衍生的自由主義史觀的內涵，係與所謂來自於「自虐史觀批判派」、「遠東裁判否定派」、「日帝的殖民統治行徑派」等的「自贊史觀」一派不肯認罪，所主張的自由主義史觀是有其差異的。（有關兩者間的差異，將另尋機會試析。）

本人在本節的研討課題，暫時只設定於「1. 為何司馬會被利用？2. 司馬作品與其史觀的缺陷何在？」

「自贊史觀」一派者囂張，甚至於耽溺於「日本的一切，萬萬歲」的高調景況，遂出現於當今部分日本知識界係眾人皆知的，司馬作品之狂銷和「自贊史觀」派之囂張，兩者間具有「通底」的社會背景。日本政界的中道左派之消失，和「自由民主黨」的一黨獨大體制的解體亦是互動的，日本政界諸勢力向一邊靠攏的重編趨勢至今不見休止。

繼自民黨一黨獨大體制解體後，就任聯合政權的第一位首相細川護熙發表了「我本人認為『太平洋戰爭』是侵略戰爭，是錯誤的戰爭」（1993年8月10日，就任後首次記者招待會上的發言）。斯時的日本遺族會的會長橋本龍太郎（日後他亦就任了首相）即刻反彈地說：「細川總理的講話讓陣亡者遺族難以忍受，我們要重建被遠東裁判所歪曲了的歷史觀」。於是自民黨內創設了「歷史研究委員會」，並由政界、輿論界和學術界相關右派人士相繼發表了共計20次的歷史問題演講，嘗試平反敗戰以來日本史學界所積累的日本當代史研究業績。

日本社會黨的衰退及「日教組」（日本教職員組合「工

會」）之分裂解體是「互為雞蛋」的關係。

面臨世界規模的激盪（以「蘇東波」及東西冷戰結構之崩潰為標誌）下，日本政界又被逼重編。

在其前夕的1980年代，日本勞動組合總評議會（簡稱「總評」）於1950年韓戰時創立，早就遭受自1970年代以來的日本資本主義成熟（由泡沫經濟彰顯）之衝擊，逐漸地失去「工會團體的國家中心屬性」領航功能。它只好於1989年9月解散。取代了「總評」者則簡稱為「連合」（日本勞動組合總連合，成立於同年11月21日）。

自1950年代來，「日教組」支持中道左派的政治及工會運動的主柱之一。它亦受「總評」脫胎換骨變為「連合」的工會界重編劇之波及，而鬧了分裂。1997年5月當時，「日教組」已分為二：1. 為「日教組」（加入會員數約為37萬人）；2. 「全教」（全日本教職員組合，本是「日教組」反主流派，因不屑加入「連合」而另成立者。其加入會員數則約為21萬人）。除了上述兩者，另有不參加任何工會團體者的人數已超過50萬人之巨。尤其，新錄取教職員之工會加入率降至30%，讓敗戰以來，奔馳於「民主教育」戰場的老戰士們，不堪回首。

「連合」催生了政黨的全執政黨化。它便是意識形態上差異之模糊化與政界人士（共產黨為例外，它吸收了既往部分社會黨左派，擴充了些許勢力）向在朝黨（企圖掌握或參與政權）之一極靠攏趨勢。

細川的「非自民聯立政權」（1993年8月成立）及對侵略戰爭認定的既述發言，都在上述包括日本、東北亞以及全球性整體秩序的劇變與後續新秩序建構的胎動下所作。

「日教組」的分裂及重組，乃至新就職的大部分「新人類」們已陷進「情緒低落症候群」（apathy syndrome）或「敗走神經症」的社會一般狀態，給了右派教育界人士暨新保守主義政客們莫大的機會。

1995年7月，遂有「『自由主義史觀』研究會」（編撰歷史教科書教員的同人性組織）向小、中、高校歷史教員公開呼籲（之後，略稱為呼籲）參與之舉。

次年12月2日，繼而亦有了「有關創設『編纂新歷史教科書之會』的聲明」（以降，略稱為聲明）的發表。

「呼籲」與「聲明」的各自簽署者之差異值得我們關注。前者主要是屬於「邊緣」的小、中、高校及少數非主流大學之社會及歷史科教員。後者則是著名漫畫家、小說家及活躍於中央論壇的右派、新保守主義派大學教授和隨筆作家，其中最突出者為東京大學教育學部的藤岡信勝教授，從而藤岡已成為自由主義史觀派的主要領導人，其背後的真正「師爺」則為西尾幹二（電氣通信大學教授）。藤岡為非東大出身的東大教授（此種例子不多），更值得他人注意者，則其非專業於歷史研究領域的學者。據傳，他年輕時代在北海道大學念大學部及研究所時，尚屬於教育圈內日共派的活躍分子，之所以轉向的契機，藤岡在其自著告了白，他云：「最大的起因該是與司馬遼太郎作品之相遇。」[9]另亦云：「司馬史觀對我重建『歷史教育』意願起了難以估量的

9 藤岡信勝，《汚辱の近現代史》（德間書店，1996年），頁52。

重大意義」。[10]

那麼，對藤岡產生了莫大衝擊的司馬史觀，究竟對藤岡本人具有何種內涵？下面，再藉藤岡本人之解讀性發言來嘗試簡介。

藤岡將「司馬史觀」整理出如下四個特徵：1. 倡導健康的民族主義（nationalism）；2. 重視寫實主義（realism）；3. 脫離意識形態的束縛；4. 對官僚主義之批判。藤岡便把自己的看法加上他所認為的司馬史觀更進一步地打造成為「自由主義史觀」[11]。

一橋大學教授且是日本近現代史著名學者的中村政則，卻把藤岡所謂的自由主義史觀批判得體無完膚。他云：「那或許只能算是『信奉史觀』者」。[12]

一般所了解的「史觀（或歷史觀）」，是指有關歷史世界的結構及其發展的整體性看法。依據此觀點，藤岡所整理的司馬史觀者是不夠周全的。他選的只是「軟」、「正」及「美」的一方。另一方面的「硬」、「反」及「醜」卻被藤岡忽視了。不，該說的是，「祖師爺」司馬之歷史世界，本來就欠缺了筆者在上述所指的歷史世界之「另一面」看法。

在日本的論壇暨文壇中，雖然有批判司馬者，但僅是少數。原因無他，司馬的盛名叫人卻步，鮮少人敢犯眾怒。散見者，常常亦只是客氣八分，批判二分，點到為止的委婉方式為多。

以下，舉出令人欽佩的三位批判家：

---

10 同上書，頁258～259。

11 藤岡信勝，〈自由主義史観とは何か〉（原來在文藝春秋社所發行之《諸君》月刊雜誌所寫的論文，後被收進前引《汚辱の近現代史》中）。

12 中村政則，《近現代史をどう見るか——司馬史観を問う》（岩波書店，1997年5月20日），頁3。

1.大岡昇平（1909年3月6日～1988年12月25日），著名作家。在他後半生往還於小說和評論之間，此出於他本身之負面戰爭經驗（包括在菲律賓當美軍俘虜的慘痛經驗）所寫的一系列戰場小說膾炙人口迄今，有關歷史小說的探討業績，對他個人來言，或許只是「副產品」，但他敏銳的指摘及創見，卻給日本文壇暨歷史學界正派人士頗大的影響和啟發。

大岡在自著中，非常委婉的指出，司馬在其《坂上之雲》，只願瞭望「明治的光明面」。因而，其小說的文章脈絡及邏輯結構，將很難釐清歷史人物錯綜複雜之心結與行為的所以然[13]。

筆者，已在初步性的批評司馬著《台灣紀行》欠缺點，不難看出其本質是來自於司馬的本質性思維和敘述手法的基本模式。

司馬只知道參照「軟＝方便」的日文資料，只願採訪他願意見面的人物（對他是可預期的正面人物，對他亦可講些「好話」的崇拜者一類人物）。他不願去正視「醜的史實＝殖民統治必具的既醜惡又負面的史實」，因而不可能看得透台灣的立體更該是總體性構圖。（有關司馬的批判尚有多處，在此從略）

2.社會評論家佐高信對司馬批判是直率激烈的。

我們只要細讀佐高的近著《司馬遼太郎和藤澤周平》中所列的，對司馬批判相關的「小題目」，已可窺知其大半。（此次因時間和篇幅的限制，詳論只好等待後日）佐高列出司馬遼太郎所迴避的問題如下[14]：

⑴司馬忽視了最感頭痛（麻煩）的問題。該文所指最麻煩的

13 大岡昇平，《歷史小說論》（岩波書店，1990年11月15日），頁130。

14 參照佐高前引書，頁64～92。

問題則是有關「天皇制」之問題。行家都知悉，探索日本近現代史最根本的本質性問題，在於如何掌握抑或釐清天皇制之問題。

⑵善意的好人是看不透根本問題的。佐高把司馬歸類於「可愛」，但不可敬的善意人物之一類人士。據筆者未成熟的解讀，司馬因為耽美，不願意正視人物及人間之醜陋面，所以看不透本質性的問題。在其歷史小說中所塑造的人物，一概利用他所謂的俯瞰式（自上望下）手法而有所定型。根本是他所想像而築構的人、事與物。他豐富的想像力在其剛出道時立即被老一輩文壇人士看破，當司馬以《梟雄所住的首城》獲得第42屆直木賞（獎）時，小島政二郎審查委員驚奇、並感歎，司馬能搞出這般「大謊言」（想像）的才華。另一位審查委員的海音寺潮五郎則讚美他說，司馬具有近時青年所欠缺的嬌嫩感性暨奔放華麗的空想力等等，此都是司馬表現手法的佐證[15]。

上述的發言，反而給歷史學者生疑和反彈。「豐富的想像力」及特殊的文采係屬於文學（fiction）的，但歷史文學抑或歷史小說（nonfiction）是需要「史實」為基礎的。這個質疑便衍生了正派歷史學界對司馬手法之批判。歷史小說（或文學）中的「史實」對「虛構＝想像力」間，應該保持何種、或何等關係為理想之爭論。

佐高雖非專業於歷史研究之評論家，但他卻是專攻經濟學及政治思想史的正派社會評論家。他繼而列其⑶英雄史觀之陷阱。⑷司馬把歷史描繪成所有歷史全可理解的世界。司馬依據「事後

15 同前引書，註2之頁240。

諸葛亮」來決定他認為的歷史。

作品中的人物亦是據其本身所好而恣意「創造」的暨果斷又敏捷的英雄好漢。這一種頗「平明易解」的歷史觀，雖然可以討好讀者（愈是司馬迷愈易於陷入司馬的「歷史情網」，把自己投射於司馬作品之英雄豪傑身上，而有所「自我同一化」。不分政界、財界以及企業經營領導層人們，一概拜倒於司馬作品人物裙下，是有其來由的。

3.第三位是蘇聯政治史及歷史小說、傳記文學的研究家菊地昌典（1930年2月17日～1997年5月22日）。他在自著《歷史小說為何？》中，亦批判性的指摘司馬越拘泥於「時間」和「俯瞰」的二元視角，吾人非常容易可以找出，司馬為何不撰寫「當代」的理由。「當代」本身即便是欠缺「時間」和「俯瞰」的年代。誠然，當代史係難於成為司馬歷史小說之對象背景的[16]。

菊地在上述之前又指摘，「鳥瞰的方法＝俯瞰法」係與歷史學的客觀主義有所不同[17]。

菊地亦云：「後世的作家或歷史家若認為歷史是可以俯瞰的話，那將是對歷史欠缺謙虛的一種傲慢。」[18]

司馬對歷史的傲慢及認識的局限，對「時間」的認知上又自暴無遺。他認為「某個人物的死亡，其相關的時間將不斷地流去，越經過時間的沖洗，越可以占據更高的視角來鳥瞰某個人物

16 菊地昌典，《歷史小説とは何か》（平凡社，1979年10月30日），頁168。

17 同上書，頁164。

18 尾崎秀樹、菊地昌典，《歷史文学読本》（平凡社，1980年3月18日），頁211。

及其人生。撰寫歷史小說之趣和妙則在此」。[19]

代跋：司馬是否會變成罪魁禍首？

難怪，超級歷史文學作家司馬雖更早超過吉川英治（1892年8月11日～1962年9月7日）的盛名，但講壇政治思想史界的泰斗丸山真男（1914年3月22日～1996年8月15日）等東京大學教授的門生，一概沒有把司馬放入眼中來討論。他們一貫地認為司馬的歷史人物的詮釋，僅是想像的產生者不值一談。（按：吉川是藉《宮本武藏》【1935～1939】為主，再以《太閣記》及《三國志》等為副，而成為戰前日本軍國主義時代的著名大眾文學家及「國民作家」，其作品出版冊數據傳僅次於司馬，幾近1億冊可舉。）

行家都該知悉，吉川和上述的德富蘇峰，與他倆的主觀意志，全然無關地被軍國主義者所擄，而相互補成為斯時的幫凶。

日本知識界雖有少數人已發覺事態的嚴重性，一再地警告，千萬勿把歷史小說、歷史文學及傳記文學當成真歷史來誤讀。但人少聲音小，加上司馬處處對東北亞的弱勢族群表示表面的同情和關懷，誤導了人們的視線。甚至於他的盛名與甜言蜜語，還教思想膚淺有餘，過度信奉「牛肉主義」或立於「風派」（西瓜派）的一些檯面人物喊出「司馬作品會誘發他的『感應』」等之媚詞。

19 司馬遼太郎著，〈私の小說作法〉（《每日新聞》，1964年7月26日）。

我們不難指出不出現「惡人」、只能見到「好人」一類的歷史文學，其對人性的觀察係不可能有其深度的。司馬的人性（人物）觀與對東北亞之認知度之不夠深及其局限性，根本不需要「亦敵亦友」的台灣客家系中國史學家的筆者來指責。

前引的菊地昌典與著名日本近現代史家色川大吉（1925年7月23日～）各自都有對司馬的批判。

菊地認為，司馬自東北亞的視角，把日本相對化且反照射日本之方法本身是個進步，但閱讀了司馬之《有關人群的問題》〔《人間の集団について》〕（越南訪問回來的作品，自1973年2月赴越南採訪，同年10月便由產業經濟新聞社出版局出版，趕應景的新聞社採訪記事，難免自暴其短），發覺司馬切入「當代」問題的功力頗有不足之憾[20]。

同世代的色川則認為，司馬雖在其《街道漫步》等作品，對朝鮮寄予同情及關懷，其實對朝鮮本土的潛能認知，並沒有任何改變。在其心底仍然保持著優越感，認為朝鮮被日本殖民地化是應該的，沒有日本，朝鮮便無法現代化[21]。司馬對日本殖民主義之基本看法在其《台灣紀行》一書的脈絡亦有其通底性，問題在於中國（包括台灣）史學界未曾有過對司馬的原理性批判，是值得我們人人該反思的。

希特勒之德國納粹產生自舊德國的政治文化體質、政治層次的價值判斷，尤其屬於一般庶民者所不該忽視。忽視將遭受到「歷史」的殘酷報復，此是近代德國人給全人類帶來的無上啟

20 同註18，頁212～213。

21 同註7，頁199，色川在與佐高信對話中之發言。

示。廣島、長崎的原子炸彈的歷史教訓已日趨被沖淡。知悉戰爭之悲慘世代亦日漸凋零。司馬史觀已開始被自由主義史觀主張者到處利用，日本社會經濟的不景氣依然低迷著，右派、新保守主義政客們為了追尋新的出路和出氣口，正忙於重建並回歸其可敬的「原日本」、暨「原日本人＝尊重自我民族的民族中心主義＝新國家主義」而蠢動。上述三者會否流於一尊，甚至於重新成長為東北亞的罪魁禍首？竟然我們史學界人士尚未發出警訊，讓本報告人深感不安及遺憾。

數日前，收到原是本人在日時的同仁之賀卡，他一貫地反對日帝對亞洲的侵略和殖民統治。豈然，在課堂裡遭受到他的三位學生質疑，學生還要他們的老師脫離日本國籍，有些年輕人還叫他為「非國民」。此風可長不可長？我們依然地可耽溺於口水之爭的階段否？

本文原收錄於《「五十年來的香港、中國與亞洲」國際學術研討會論文集》，香港：香港珠海書院亞洲研究中心，2001年5月10日，頁534～548。於香港珠海書院亞洲研究中心主辦，「『五十年來的香港、中國與亞洲』國際學術研討會」之論文發表，2000年1月25～28日

戴國煇全集 13

日本與亞洲卷・一

未結集1：探索日本

翻　　譯：李毓昭・林彩美・蔣智揚
劉俊南・劉淑如・劉靈均
日文審校：于乃明・吳文星・林水福
林彩美・張隆志
校　　訂：吳春宜

輯一

從亞洲看日本

家族經營原理的變貌

◎ 李毓昭譯

1

一般認為，日本的農業已經走到盡頭，目前正在轉角處。有人大聲呼籲，脫離此轉角處的方法，就是共同化或法人化。

從國民經濟的角度來看，揚棄經濟的雙重結構，縮短農業與其他產業的所得差距，為了促進農業生產力的發展，樹立長期且前進的政策，就是當下的課題。（農林漁業基本問題調查會的陳述）

至於與世界經濟的關聯，貿易自由化的諸多問題也受到了矚目。

在此時代背景下，至今為止一般所說的日本農業的家族經營原理，也不得不改弦更張。本文要思考的就是此一變化要往哪一個方向走。

2

如果說戰前的日本農業一般是在半封建的土地所有關係之架構下，以零星的家族勞動經營，應該沒有人有異議。

這裡所謂的「家族經營原理」，如同本刊上一期的說明，是以家族主義原理為支柱的零星農業經營，在家產之下經營與家計緊密結合，結果就是阻礙了農業經營發展成近代企業。

明治政府藉著自身的政治與經濟要求，維持其所依據的、半封建生產結構為基礎的家產制，並且刻意去維護。在以《明治憲法》為核心的法律體系中，尤其家族主義性質的民法就是其顯現之一。而在思想方面，首先可以舉出的例子就是教育敕語所象徵的忠君愛國、重視「家」等思想。由此可見，自明治以來，家族主義就受到歷代政府的保護和強化，也被利用來支撐孱弱的資本主義。而此家族主義也一直以農村做為絕佳的培養土存活到現在。農村是家族主義的人力供給源，也發揮做為後進資本主義基盤的功能。

換言之，可以想見此事在農村內部，或一戶農家內部中有其必然的理由。否則的話，戰後隨著社會的大變革（從天皇制政治體制改變為民主主義政治體制），家族制度雖然廢止了，為何農村依然維持舊態？即使有改變，改變的步調也始終遲緩，不是讓人難以理解嗎？

儘管眾人皆說，相較於過去，農村的家父長權力已經式微，或婚姻的自由已得到認同，但都還是認為強韌的抵抗力依舊存在。而這還是我們比較容易目睹的事實。

民主的教育有助於實現或普及戰後社會體制大變革所帶來進步的「理想家族」——以夫婦為中心的友愛家族，但是若忽視民主教育，其結果就無法免於把洗澡水和嬰兒一起倒掉的批評，而「理想家族」在現階段依然僅止於理念，在現實中稱不上已完全脫去舊殼。換言之，法律所要求的「理想家族」遠遠走在「現有家族」之前，無法輕易追上，不是嗎？

3

檢討追不上的原因，以及「理想的家族」與「現有家族」之間差距有多大，找出縮短此差距的方法，當然就是接下來的課題。首先我要指出，難以追上的最大原因是，此一法律理念中的「理想家族」，並非「現有家族」自然成長的結果。「理想家族」是在戰後社會體制激烈改變的過程中，由上面施加政治壓力倉促制定的。因此，「理想家族」並沒有等到能夠接受的社會與經濟基盤就緒，就急遽強迫推行。

那麼，為什麼資本主義發展到這個階段，仍尚未形成能接納「理想家族」的社會與經濟基盤呢？換言之，能確保「現有家族」發展為「理想家族」的社會與經濟條件為何依然不成熟，就是問題所在。

不用說也知道，資本主義社會的發展是都市社會的擴大與發展過程，以日本的情況來說，都市社會和農村社會的發展呈現跛腳狀態，農村社會依舊停滯不前。當然，在前近代社會中屬於基礎產業的農業，因其生產特質使然，很難發展成資本主義式的企業，但是日本農業繼續集資本主義後進性的不良影響於一身，就不可能使生產離開消費獨立，經營也無法轉變為企業組織體。這也就是把零星的小農生產模式固定為自己的根本生產模式，而這也是在強化家父長權力，令經營與家計在家產制下更緊密結合的原因。

4

可是，農地改革解除了半封建的地主佃農關係，廢止高比率的實物佃租，農民可以將剩餘的部分留在手邊，而成為戰後一股引進新技術或促進商品經濟化的原動力。可是並非一切都是美好的。此趨勢也帶來另一個結果，亦即農家經濟的不穩定。零星經營被丟進競爭經濟的漩渦中，不得不開始為低所得的不安定而煩惱。以前雖然也是低所得，可是在家族主義原理的運作下可以保持穩定，現在卻變成不僅是低所得，也不穩定。

這即是對家族經營原理的衝擊，而具體上的噴發，就是如今對法人化或共同化的要求或熱情的呈現。換句話說，最近從法人化或共同化可窺知的農業動向本身，既是家族經營原理崩潰的徵兆，也是煩惱的顯現。

前面提到農地改革使農家的經營原理產生動搖，但是還不能說所有農民都有所察覺，因為妨礙農民察覺的力量依舊強大。原因是做為農地改革實質內容的《農地法》，反過來給家族經營原理的崩壞踩了煞車。如同神谷慶治教授的說法，農地解放雖然扮演了前進的推手，後來卻使得應該在世界史上消失的家產制以小家產制的方式復甦。亦即是，《農地法》以家族主義式的零星自耕農主義為金科玉律。

因而《農地法》阻礙了農民發展為近代企業經營者，但同樣是法律，《新民法》中的繼承法卻廢止家族制度，特別是採用均分的繼承制，而反過來分解家族經營原理——家產制。讓人不得不說，這種同一套法律體系中的矛盾實在很嚴重。

而對此分解的趨勢推波助瀾的，還有戰後的民主教育、發達的媒體、擴大的兼差業、交通的發達，以及這些因素為契機或管道，不斷流向農村的都市消費生活模式的刺激等，在此就不深入討論了。

5

如上所述，在現時點，家族經營原理的變貌受到外部社會改變的影響，而在試圖斷絕與維持「現有家族」與「想理家族」的力量鬥爭中，一步步地走了過來。從農家的經營層面來看，這可以說是在至今為止的舊家父長專制下，生產結構轉變為新企業組織體的過程，目前正在辛苦地一邊嘗試錯誤一邊前進中。

不論此新的企業組織是法人經營還是共同經營，在實現之日，應該就會確立新憲法第24條所謳歌的新家族理想圖。亦即「理想家族」會在那一天轉變為「現有家族」。筆者祈禱那一天能早日到來，同時在此擱筆。

本文原刊於《食糧管理月報》第12卷8號，東京：食糧庁，1960年8月，頁46～47

分歧之根
——「JAP」與「支那」

◎ 李毓昭譯

這是去年〔1971〕五月發生的事。已在巴黎開店的設計師高田賢三，這次在美國首次舉辦作品展示會，地點在紐約第五大道被視為一流的百貨公司Bonwit Teller。他以「JAP」為作品商標，而且在《紐約時報》刊出的廣告上「光明正大」地使用「JAP」，而受到旅美的日裔市民抗議。抗議更進展到禁用JAP商標的訴訟，最後是在日裔原告敗訴的情況下收場。

在這當下，又有紐約最大的梅西百貨（Macy's）要經銷高田的作品，今年7月10日的《紐約時報》廣告上，出現題為「JAP賢三」加照片的大廣告，接著Batelick（Batelich；Batelik） Fashion Marketing公司旗下的雜誌上也出現JAP的字眼，而再度引發爭議。

JAP這件事被列為去年的大新聞，但不知道為什麼，這次媒體的反應很遲鈍。是因為這種新聞是炒冷飯嗎？不，該不會是因為一般日本人不曉得「JAP」的語感帶有沉重不堪的歷史包袱吧？日裔人士雖在訴訟中敗下陣來，卻仍群起抗議，對他們那種無奈的心情和抗議的含意有切身感受的，或許是我們這些旅日中國人。

我們是因為有比「JAP」還要沉重的「支那」問題形成內心的重負，才會了解日裔人士的心情。

雖然不清楚，但與「JAP」商標有關的賺錢邏輯之中，有人想得很開，認為：「『JAP』本來就是Japanese的簡稱，有什麼好吵的呢？」日裔人士當然無法接受這種說法。

直到現在，我身邊依然有日本「友人」毫不顧忌地使用「支那料理」、「支那麵」甚至「清麵〔譯註：清指「清國奴」〕」、「支那語」、「支那人」。他們確實和高田一樣沒有惡意，而且與高田不同，並沒有賺錢的心態，都是一些老好人。

文化界的代表O老甚至會慎重地以片假名和漢字區分「支那」一詞，體貼地強調沒有惡意。

JAP問題本身就是日本人彼此之間的分歧點。儘管這是英、美裔人士對日本人的蔑稱，但英、美人並沒有侵略日本。可是只要此名詞的語調中繼續含著壓迫與歧視的歷史，日裔人士就無法忍受，更不用說母國出身的年輕人就是在紐約這個被視為元兇的城市炮製出JAP一詞，何況又以JAP向最大的報社、最大的百貨公司推銷，這種經濟動物式的舉動是令人無法原諒的吧。

關於中日兩國人對「支那」語感的歷史經過，應該不需要我來說明。也有善良的人明明知道這段歷史經過，卻又來問我：「為什麼中國人能接受歐美人稱呼China相近的發音，卻不容許日本人稱呼支那呢？」

我們這時很想罵道：「自私任性！」當事者卻對自己的自私渾然不覺，讓人啞口無言。

不知道同胞的痛苦，不，不願意去知道同胞痛苦的人，如何能了解其他民族的痛苦？

這種「自私任性」正是日本人被稱為「經濟動物」的原因，而其根源卻意外地出現在日語裡頭。日語有「自分」一詞與自他共認的表現，卻沒有「他分」的說法。沒有「他分」就無法確定真正的「自分」。這雖然只是我的假設，但日本近代一味向西歐看齊，「自私」的後果全由亞洲來承擔，亞洲對日本來說是無「他分」的世界。四日市氣喘訴訟〔譯註：因空氣污染而致氣喘的病友對病因業主興訟〕判決後，財界人士公然宣稱：「以後只能去國外（當然是以亞洲為主）設廠了。」這種「率直」可以說與對「JAP」、「支那」的遲鈍相同。「殷鑑不遠」的警言仍然具有深意。

本文原刊於《コミュニケーション季刊》第2號，東京：国連社，1972年9月，頁27

放眼東南亞

——反日運動的潛流

◎ 劉靈均譯

降落羽田以來19年

我在昭和30年11月搭著螺旋槳飛機降落在羽田機場，算來今年已經是在日第19年了。最初的十年，我是在東京大學受到照顧，以東畑（精一）老師為首，受到很多先進指導的一個中國人研究者。

本來在研究所結束時，我應該去美國看看那兒的農業，接著回到故國；但包括東畑老師為首的各位老師都推薦我進入亞洲經濟研究所，結果就一路到了今天。

因為亞洲經濟研究所是特殊法人，所員都算是準國家公務員，一般而言外國人是進不去的，但由於諸位老師的盡力與盛情，我不但進入了亞洲經濟研究所，甚至還擔任了相當於管理職的主任調查研究員。

受到家兄的訓誡

但是我不能因此就跟大家說，過去在台灣我沒有受到日本殖民統治的傷痕。而且包括我的家族，都背負著相當嚴重的殖民統治傷痕。我的哥哥以學徒兵被徵調，叔叔為軍醫，姪子被徵調為軍伕，後來不幸身亡。

剛好在19年前，為了留學美國在東京降落時，見到十幾年不見，過去是學徒兵，後來成為日軍將校的哥哥，他跟我說：「就算以後要去美國，先在日本念念書再去如何？」

但是我光是想到在殖民時代和我一起讀書的日本人同學，或者那些殖民地官僚，就很不想留在日本，我對哥哥說：「我還是想要去美國。」結果我哥哥說：「你的想法不對。你分不清楚在某個特定組織、體制中的人的各種所作所為，以及離開那種體制後的人的區別。我從日本的軍隊中復員之後做為一個波茨坦〔譯註：德國地名。1945年，美、英、蘇三首腦自此地發出《波茨坦宣言》，勸告日本投降〕中尉，嘗過各式各樣的艱辛。但如果你還不能收拾起在殖民統治下所受到的傷害，對日本人繼續誤解下去的話，實在毫無道理。」並且勸我無論如何去考考看東大，我因而參加了考試，運氣不錯所以得以及格入學。

關於小野田先生

在進入正題之前，我想稍微提及昨天報導的「救出小野田先生」的新聞。

大概從現在到之後的兩三週，有關小野田先生的話題以報紙為首，雜誌、電視節目等等，我想可能給我們很大衝擊。我所在意的是其報導的處理方式。日本做為一個在資源和貿易上都極度依賴外國的國家，竟然連大報紙都如此無視於國際觀感。

在這之前，橫井先生的事情發生時也是這樣，但他以超人般的英雄形象被大肆渲染。當然橫井先生和小野田先生都是很了不起的人，但其實也是因為他們以日本軍人的身分被派出國侵略他國，才會落到今日的下場。

另一方面，也有類似的事情發生在日本的中國人身上：戰爭中被日本強制帶到北海道的煤礦強迫勞動，逃出之後躲進北海道的洞穴裡，直到戰後許久仍然藏著，最後終於被救出回到中國。像這樣相似的事件在國外也有各式各樣的例子。

站在對方的立場

因此，像是橫井先生或小野田先生這樣的事情被報導時，應該最好一邊比較類似的案例，一邊追究人類這樣逼近極限狀況的問題，亦即做為普遍性的問題來追求。我們都希望這種模式的報導姿態。但，至少在橫井先生事件時，並沒有用這種模式的報導。

在小野田先生的例子上，我十分期待日本的報紙上究竟會有多少篇報導從菲律賓那邊的人們的立場、從魯邦（Lubang）島上人們的角度來看的。此後兩三週大眾媒體的動向，其實也和今天的主題有所關聯。

欠缺國際感覺

前不久，我在日本新聞協會主辦的座談會上，和各大報社與通信社的外電部部長等人談了與報紙報導態度有關的話題。我當時向他們提議：「日本的報紙已經不只是屬於日本的報紙了。在日本發行後兩三天，新加坡、曼谷、全世界各地都能讀到，並且立刻做出回應。日本本來就是個海洋國家，包括資源、貿易等問題都勢必持續依存於外國，如果繼續做這樣欠缺國際感覺的報紙版面，勢必會遭到抵抗。希望各位能掌握這樣的狀況。」

我並不是希望大家去做一些迎合東南亞人的版面。但是，比如說最近，在京都大學某位以東南亞關係研究知名的教授，在著作中說新加坡這個國家是「說英文的支那人都市國家」。

別說「支那人」這樣的說法多不妥當，還有在座各位如果真的走一趟新加坡就知道，那兒的人並不是全部的人會說英文。此外，總理李光耀先生也說自己不是中國人，而是「華人系」，雖然和中國有著血緣或文化上的聯繫，但事實上是華人系的「新加坡人」（Singaporean）。

雖然這位教授對日本與東南亞的關係劬勞心力，但這般無意間不用心的說法出現在著作裡，兩三天之後勢必立刻會遭到嚴厲的批評。

日本人很自私

之前，新加坡發生了突襲事件。如同大家所知道的，在馬來裔人被當做人質時不肯派遣日本航空飛機，卻在科威特日本大使館被突擊占據時，日本政府立刻派飛機。當然日本和新加坡之間因為外交關係而有與國家主權相關的問題等等，有很多難解的問題，但單純面對前述事實的人究竟會如何看待這些事情，日本人必須要多加注意。

恐怕新加坡的一般知識分子或者學生們，都會覺得日本人怎麼會如此自私吧。既然不派飛機，在科威特大使館被占據的時候也應該貫徹這樣的策略才對啊？這樣是擺明了不把我們當人看待嗎——有這樣的看法也不令人意外吧。

東南亞人的心

一月的時候，田中首相在東南亞各地遭遇到反日運動的抗議。關於這件事，我們與日本的有識之士去年早就預料到這樣的事態將發生，連載在某家報紙的專欄上，果然就如所預測的發生了。我並不是要抱著「看！我早就說了吧」的心態來談日本與東南亞的關係。

關於這個問題已經有各種角度的看法，幾乎都被說盡了；正如日本大部分的有識之士所說「必須去理解東南亞的民族主義」或者「一定要理解東南亞人的心」。我覺得這些發言都沒錯。然而東南亞的民族主義實際上是什麼樣子、所謂東南亞人的心又是怎樣，這些問題的答案似乎還未清楚。我想在座日本善良的各位，大概也正為此傷透腦筋。

理解歷史的方向性

總而言之，現在東南亞一般大眾所追求的，也就是他們歷史的方向性、他們擁有的時代精神，我們即使無法與之共有，至少也應該盡力理解。這樣做，某個程度上在日本與東南亞往來的過程中，才能夠冷靜的觀察淤積在日本與東南亞各國之間的問題。

對於這次在東南亞的反應，或許日本人會有「都已經援助你們這麼多了，怎麼還被飼養的狗咬了呢？」的感覺，或者會感到「我們都已經以善意做了各種努力了，怎麼你們還這麼討厭我們呢？」

的確，將日本製的汽車倒翻、燃燒，造成數人死傷的事情是非常不幸的。但是我們也應該要想想，這是在他們的歷史中為了進步所必須付出的代價不是嗎？縱然這代價實在是太高昂了。

和日本一起腐爛

過去我曾經花了五十天左右，在東南亞轉了一圈，試著和報紙記者、教授、實業家等各種層面的人交談，其中有比較偏激的人這樣說：「夠了夠了，沒什麼好擔心的。無論說什麼日本都一定會進來。我們現在的政權怎麼說都是親日政權，希望將日本的援助、日本的資本導入我國以促進近代化。但現在的狀態下，我們是無法打倒自己的政權；同時也沒能力監督日本企業的進入。連日本內部也不能監督的話，乾脆就像過去中國共產黨反過來利用日本進攻中國〔譯註：藉機打倒國民黨〕一樣，只好讓日本整個國家爛到底，最後再一舉打敗！」

我想，這樣豈不是糟糕了？但老實說，當時我也不知道如何回答他們。確實，在現狀而言，日本的企業不進入也不行。而且其進入的方法也沒有什麼選擇。

有限的拓展之路

比如說，日本的企業想要拓展的話，要選擇合作夥伴，只能選擇官僚資本，或者所謂華僑資本，有時狀況更糟，就是買辦性質濃厚的華人系資本。雖然日本的有識之士中也有幾位認為應該與「民族資本」合作，但那說來容易，我認為實際上幾乎沒有實行的可能。一方面，對於想要拓展的企業而言，他們有對股東的責任，以及其他社會責任，在這樣未來渾沌不明、政局不安的國家，真的可以為了培育民族資本慢慢等個20年、30年嗎？就這點而言，日本企業想要拓展，能選擇的幅度相當有限，結果合作夥伴只能是官僚資本或者所謂華僑資本了——這就是現實狀況。

拒絕外國援助的聲浪

然而現在，東南亞各國的學生或者知識分子都積極地發聲，換句話說，我前面說得有點抽象的時代精神，或者所謂他們追求的歷史的方向性，正是他們對於國家建設（nation building）的想法，甚至就是他們自己搞政治、經濟、重新改寫自己的歷史，或者對創造自己國家的文化做貢獻——意味著這樣的style。然而現在日本企業想要拓展，在機制上卻無法與這些人攜手，只能選擇與官僚資本或華僑資本合作。

他們過去對日本企業的反抗，是因為「日本企業如果離開我們會很困窘，希望日本人能多為我們想想」這樣的論調；然而現在很快的就變成「不需要外國援助，我們要自己來」的說法。

我以為這也受到越戰非常大的影響。他們對越南這麼小的國家在如此困難的狀況下，仍然可以把美國打得落花流水一事感到強烈共鳴。所以會想要靠己力重建經濟，我們也可以認為，越戰也有推波助瀾的影響；而這樣的思想已經滲透進了東南亞的年輕人。

本文原刊於《いまばしくらぶ》第265號，大阪：社団法人今橋クラブ，1974年4月，頁16～22

從原點台灣看近代日本與亞洲

◎ 劉俊南譯

從金澤會議談起

我實際上是昨夜剛剛從金澤回來。6月6至9日（1974年）在金澤舉辦了「亞洲與日本民眾的交流」——我是做為觀察員參加了亞洲文化交流金澤會議（具體詳見鶴見良行編《來自亞洲的直言》〔《アジアからの直言》〕，講談社現代新書）。

今天研討會的主辦團體也是為了實現與亞洲的交流與連帶，因此，我的報告也要從金澤會議開始。

金澤會議的主辦團體是松本重治先生主持的國際文化會館，實際的執行者是鶴見良行先生。

參加金澤會議的有來自ASEAN（東南亞國協）五國的知識分子、新聞人、大學老師、建築家等，日本方面也大致是相同的領域者出席。包括金澤會議，小田實先生等人當下所舉辦的亞洲人會議或人口會議等，實際上有好幾個會議正在進行這種交流。

這些會議在舉辦這事本身，反映了日本與東南亞的關係處於非同尋常的狀態，即反映著正處於緊密化與排斥的增幅。

這種不尋常關係的展開下，在東南亞、日本雙方都有很多年輕人、有心人，從新的視角與姿態出發，嘗試就日本與東南亞的關係重新提出問題，我認為這是非常好的傾向。

在金澤會議上，也聽到了反映這種新方向與歷史胎動的發言，特別是來自東南亞方面的出席者，滿腔熱情，氣魄非凡。

此前我也時常有機會便參加這類的會議。對照往常的經驗，這次會議使我感受到了一些新的東西而回到東京。

以下就幾個不同之處做一報告。

無論怎麼說，這次會議幾乎沒有一點觀光的氣氛，這是必須傳達的。

正如剛才所述，來自東南亞方面出席者的熱氣與魄力非常感人。這種熱氣與魄力可以由下列事實予以證明。

他們都是準備從八一五以來的各國領導人手中接權柄的新一代，依我觀察他們明確具有這樣的自覺，並對應著現在的情勢。其次，他們對於各國的現狀，或者說將決定未來方向的各種「力量」中——認識到特別是外來「力量」中的日本「力量」占有很大比重，且發揮作用，因此引發出極高的熱氣。

其中特別就日本之「力量」與他們所在各國目前政治經濟統治層之間呈現膠著狀態，發揮作用的情況實際上進行冷靜的分析，坦率地說，使我感到吃驚。

他們對日本人參加者的下列發言也讓我吃驚。

「各位的自虐性自我批判已經夠了。對於我們而言更重要的課題是：今後我們能夠做些什麼，還應該做些什麼，彼此應就此進行討論。已經提出的檔案做為參考資料讀讀就足夠了，同樣的報告在會議上再一次做口頭宣讀沒有必要吧。」

對於會議的形式化、或者說是喜慶化，從一開始就有自我檢討的態度使人感到一股清爽的氣息。

另外，他們還積極展示了這樣的姿態：「不是日本的進入體制不好。我們做為接受方也有問題，這一點我們也需要進行自我批判。我們的認知或有不足的地方，希望日本諸位朋友給予批判。」根據我並不豐富的經驗來說，這樣伴隨自我批判的問題提出，以及非常積極的自我把握及自我反省的嘗試，如此毫不掩飾提出的例子，以前還沒有見過。以往的情形，多數都是說日本人不好、這裡那裡不好之類的發言，實際上這次是一次充滿新鮮、刺激氣氛的會議。

還有一個值得注目的是，東南亞方面的與會者雖然幾乎都是歐美留學的經驗者，但是他們指出為了與民眾交流，僅僅使用英語做為媒介是不夠充分的。這種會議往往都會陷入歐美留學經驗者「同窗會」的氛圍之中，但他們不是這樣的。另外，過去在開發中國家的菁英中，存在著並不是將英語做為對話手段，而是做為一種價值，特別不好的是有不少人認為，這是優越的語言，在以往的這種狀況下，他們這次提出有主體性的意見，我感到十分可貴。他們明確地接受越戰的影響，而且對於西歐型、日本型發展模式對於本國的適用性大都不抱幻想，這使我的感受很深刻。

這可說完全是新情況的急速展開，並非言過其實。

特別是在會議的最後，有認為這次會議是非常寶貴的會議，可是日本人方面的發言仍舊是分析性的、解釋性的，這一類的發言使人感到遺憾，是應該留意的。

可能是由於相互所處的狀況不同，並與自己在自身國家的定位不同的緣故，更加注重實踐性探討的東南亞方面的態度，與注重分析性、解釋性發言的日本方面，我可理解兩者產生了「落差」，如果說成果的話，就是相互得以確立主體性，在今後也必須能對等同格地進一步深化對話。這一點得到了印證。

原點・台灣的意義

今天，我選擇的題目是：「從原點台灣看近代日本與亞洲」，這不是因為我出生於台灣而選擇的。首先，我希望能澄清這一點。

正如大家所知的，而且我也這樣認為，近代日本與海外發生關係的最初之地就是台灣。

我們僅就史實來說。近代日本最初的海外派兵就是前往台灣。

另外，最初的殖民地也是台灣。這兩者的意義無論怎樣強調都不過分。可以這麼說，近代日本就是從台灣走向朝鮮，從朝鮮走向「滿洲」，再從「滿洲」進一步深入走向中國內部，從侵略中國深入到侵略東南亞，以此不斷展開，直到迎來八一五這個日子。

因此，就近代日本與亞洲的關係進行正確定位之前，必須從近代日本與台灣的關係進行正確定位開始。可以說，不探明對外侵略的原型，就不能汲取歷史的教訓，並使之成為自己的養分。

但非常遺憾的是，日本人不具有這樣的觀念視角卻是十分普遍的現象。

我十年來一直在主張這樣的觀點，但很難被大家接受。

連中國近現代史的專家都不能理解，所以傳給年輕的你們更是沒有可能吧。

近代日本第一次的海外出兵，即「台灣出兵」，是在1874年（明治7年）。這個事件與琉球的處分與征韓論有著密切的關係，據我的管見，有關上述關係有機的相互關聯認真進行定位的研究似乎還沒有出現。

另外，日本資本主義的發展，如果去除台灣的殖民地統治就難以說明，可是，在日本資本主義發達史的研究中，台灣部分還沒有受到正當的對待。

在調查研究方面，殖民地調查研究的原型幾乎就在台灣。可以認為，是先在台灣進行「舊慣調查」等，然後將其適用於朝鮮、「滿洲」，由此展開「中國舊慣調查」等，迄今的研究幾乎沒有就此關聯予以闡明的。即使僅取國勢調查〔譯註：人口普查〕一項，台灣也是先於日本國內予以實施的。然而，就連這些史實也幾乎無人知曉，不就是現狀嗎？

甲午戰爭研究也是如此。本來，台灣應該是甲午戰爭最後的舞台。基於對這一史實之充分認識的研究，終於在最近出版的岩波新書《甲午戰爭》〔《日清戦争》〕（藤村道生著）中才被提出來。研究之落後真是令人扼腕長歎。

請原諒好像我在自我宣傳，自從發表關於中日關係史相關論文以來，即對忽視台灣問題之缺陷大聲呼籲，幾乎把嗓子喊破，終於到了最近才有了反應，儘管很少但事實就是如此。

就連歷史學家也接受在法的形式終結的框架的守舊。因此，殖民地統治在法的意義上落幕時，人們也會產生錯覺，似乎「殖民地問題」也同時結束了。

因此，日本帝國的第一個殖民地、殖民地統治的實驗場——台灣的研究，似乎也隨著殖民體制的終結而令人感到其研究也可以結束了，誰也不想去從事這方面的研究。

從日本資本主義發展史研究忽略台灣開始，大致上日本近代史、中國近代史研究等都會忽略台灣，或只是寫上兩三行字含糊帶過，這是迄今為止的作法。

其結果不知何時起，台灣發生過激烈的抗日游擊隊、抗日運動等全部被遺忘，連「進步的」學者也墮落成這樣一個信奉神話的群體，相信日本在朝鮮做過壞事，但在台灣是實施了善政。

我本來是農學士，專攻農業經濟，但也有不少野心，希望能從事全中國的農業問題研究。但是，從1960年代反對安保運動前後開始，我擔心這種情況會成了嚴重的問題，如果就這樣忽略台灣的話，日本有朝一日還會走回原來的老路上去，結果連檢驗日本的對中國關係及對亞洲關係的學問上的牽制功能也將蕩然無存。雖然我是一個門外漢，但由於對此情況很擔憂，於是就針對有關台灣的歷史研究之重要性發表意見、書寫論文。

我所謂的「原點台灣」之意義，實際上是與這樣的問題意識相關聯的一個表現。我認為這不僅是單純的歷史現象問題，而且是做為日本人思想史的問題，也就是說是做為一般大眾的感覺的問題，這種對台灣的缺落，現在產生了各種問題，今後也可能將繼續產生問題，我有這樣的認識。

如果說這是什麼問題，例如我現在工作的亞洲經濟研究所，是1960年代初期設立的。其後就面臨著如何具體研究東南亞的問題，這主要不是年輕人，也不是日本的革新政黨，而是日本體制方做為自己資本主義發展的一環，將如何納入東南亞的問題發生。因此，我感到非常吃驚的是，有關台灣殖民地統治「做得很好」的邏輯，已經成為了考慮東南亞開發模式的基礎部分之一。歷史的現實是，台灣1949年在中國共產黨政權成立之時，國民黨中央入主台灣。其後展開了包括農地改革在內的所謂向大陸反攻的基地即要塞建設。這裡當然有美國的支撐加入其中。其後大約到1950年代，國民黨當局迎來了非常艱苦的時期，就自己的「力量」進行了重組。進入1960年代後，特別是從1964、1965年開始，跟隨了日本高度成長政策，採用高度經濟成長政策直至今日。在「GNP萬歲」的氣氛下，台灣被視為實現了緊隨日本之後在亞洲達到高度成長。這在亞洲中被定位為非社會主義發展的模型是當然的結果。當時，也包括日本善意的先生們，都將台灣曾有過的殖民地統治關係忘得精光，形成了一種看法：台灣是追隨日本，現在實現了高度成長，或者說農業、貿易都做得很好，這是因為日本殖民地統治做得好的緣故。

這樣一來，就很簡單地將台灣做為一種模型，考慮東南亞的經濟發展。我將這種情況定義為：仿西歐型的插手東南亞開始。首先，有關殖民地統治關係的問題，正如剛才我談到的那樣，先是遺漏，僅抓出術語部分，將其強加於東南亞之上。直接套用日本型、西歐型，差異太大，因此，做為非常方便的存在，提出台灣模型。因而，就出現了將台灣農業發展或其他等做為模式帶入了東南亞的情形。我擔心這是非常危險的想法，日本人這種「傲慢」，不久將會受到報復，而且，日本與亞洲的關係也將回到原來不好的狀況。

因此，我努力地與日本人展開對話，即使知道會受人家討厭，也一直堅持至今，而且書寫成文。其成果的一部分編輯為《與日本人的對話》（社會思想社）、《日本人與亞洲》（新人物往來社）兩冊書（後彙集為《台灣與台灣人》，由研文出版）。因為怕我個人的力量單薄，因而另外將有心的台灣作家吳濁流先生的作品《黎明前的台灣》、《泥濘》（均為社會思想社）、《亞細亞的孤兒》（新人物往來社）向世人送上，希望為彌補這種缺漏做出一點努力。可惜事與願違，吳先生的書雖然是很寶貴的著作，卻賣得不太好。

這先暫且不談，即使是左翼的大師們或者馬克思主義者，也與一般人沒有什麼不同，正如剛才所說，大致都在無意識之中持有「殖民地統治結束，殖民地問題就結束了」的意識。我是1955年（昭和30年）來到日本的。那時還是尚未進入高度成長期的岩戶景氣*之前夜。大致上在1958年以後，我在研究所碩士畢業、進入博士課程時開始，日本進入了經濟高度成長期。我由於研究而有關係的大學因為範圍非常窄，也許不能提出做為一般論的看法，但在這個過程中，我與日本的印度研究者、中國研究者等談話時，這些人都很推崇矢內原忠雄先生。他們說矢內原忠雄的《日本帝國主義下之台灣》是水準很高的研究。在與這些學者進

---

* 指1958至1961年日本戰後經濟高度發展稍前，受高率設備投資引導的好景氣。

行對話時他們會說：「我們的確是做了很壞的事，但矢內原先生留下了了不起的工作。」我真是不知如何是好。對於他們而言，這是一種免罪符，雖然不太清楚他們是否意識到了，但確實有予以利用的情況。但是，從我們的立場來說矢內原忠雄的存在，他們並不想聽，只先驗地強調《日本帝國主義下之台灣》是一部名著。這個神話將一直為人奉持。

不好意思又要自我宣傳，但我對於矢內原忠雄先生還沒有寫過正式的批判性論文，只是指出其中有問題。我覺得還是日本人自己來做更好吧，實際上我還沒有指出日本的內部問題，但是我們自己內部特別是從事獨立運動的人，都將《日本帝國主義下之台灣》聖經化。而所謂聖經化只不過是奴隸的發想而已（參照〈某助教授之死與再出發的苦惱〉，收錄於《台灣與台灣人》）〔參見《全集》1〕。神格化無論如何都是不好的。就當時情況下，即矢內原以什麼方式與台灣發生關聯的情況進行調查，於是，就出現下列的事情。矢內原寫作該書的過程中，一方面對台灣總督府權力保持了一定的距離；但另一方面，實際上也同台灣內部的抗日地主、資產階級中的右派聯手進行調查研究，結果此書成為支持右派的書籍，有這樣的經過。可能這與矢內原先生的主觀意圖無關，當時的台灣內部從抗日左派到包括台灣共產黨的左翼都被封殺的情況下，實際上這本書是這樣寫成的，同時也被利用了，這是史實。

在幾乎不了解這種背景的情況下被美化是很可怕的。即使現在，我就歷史狀況的進程更客觀地努力予以把握時，實際上這個問題，簡言之，存在著「殖民地統治結束，殖民地問題就結束了」的認識上陷阱，與現在的日韓問題也相關聯存在，與台日問題也有關聯，進而又投影在日本與東南亞的問題上。就是在這個意義上，我有了「原點台灣」的發想。因此，殖民地統治雖然結束了，但殖民地問題尚未結束。我並不是要立即提出古典的命題，上層結構與下層結構之關係的問題，實際上，我的本意是要指出這種認識之「膚淺」問題，至今仍留下了影響。

一般日本人與東南亞發生關係時，我認為大致可以分為兩種類型。一是所謂亞洲主義者。當然，有關亞洲主義有各種評價，還沒有分析清楚。究竟是否進行了認真的評價及定位也非常可疑。當然，亞洲主義有負面也有正面。因此，根據情況僅強調負面因素，出現其反動時又再胡亂強調正面。實際上其正反兩面，在互補的同時發揮著功能，這就是歷史的實際狀況吧。本來是這樣卻看情況任意利用，因此後來做出既不是這樣又不是那樣的分析、解釋時，不知何時民眾也被時代潮流捲入，拚命掙扎，這是一般的情況。其相互的聯動，或稱有機關聯一向未被闡明，因此，我覺得結果是無力或觀念論上的對應。這樣的情況至今仍做為問題殘留下來了。例如，考慮東南亞的問題，但近代日本自身存在的問題仍尚未認真進行定位，因此東南亞的問題變得難以理解。

談到現在東南亞的情況，總而言之殖民地統治遺制最終將以什麼形式予以克服，或者是予以手段化的問題與如何超越內部的前近代性的劇烈糾葛吧。換言之，在建國的過程中，如何克服殖民地遺制課題的定位，掌握就成為最重要的課題之一。對此，一方面日本想延用戰前浪人的接觸方式，或亞洲主義的接觸方式。

這種亞洲主義如果講得粗略一點就是，由於日本是亞洲唯一的獨立國家，亞洲是一體，因為是夥伴、因為很可憐，遂有了做為老闆或兄長幫助他們、照顧他們的發想。另外就是對西洋的反抗，因此，亞洲所有都是「善」的，因為都是先驗的「善」，便沉湎其中，大致就是這樣。

再者，又讀了各種書籍，大致上所說的日本近代，包括大藏省官僚在內的菁英，幾乎都是面向歐洲的。我認為這是當然的。要之，當時的主流要建設近代日本時，是考慮對於自己的、近代的日本發展有利的部分，非常急促地引進，為此做出了極大的努力。因此都是面向歐洲的。這樣一來，可以說所謂日本近代，幾乎沒能培養出正視東南亞或日本以外的亞洲地區，以及對那裡具有正常關心的「真正」知識分子。

最近，新的國際情況主要是從貿易關係來說，美國的市場堵塞，如何將做為商品市場、資源供給地的東南亞拉進，否則是走不下去的。在這個時候，迄今為止全無關心的——可能是非常僭越的說法，連「西歐迷」的人們，也開始要為亞洲做點什麼。他們在許多場合提示「日本型、西歐型發展模型」，更甚的是強迫其接受。對此開始表達拒絕反應的，就是這二、三年來的反日言論及反日暴動。

所以，有兩種接近方式。一個是亞洲主義的接近，還有一個是西歐迷的接近。被夾在中間的，是不關心的，或是革新派的人，我認為在革新政黨中，真正了解東南亞的人，其實並沒有那麼多。在一般情況下，他們跟不上情況的變化，這是迄今為止的實態。

對於日本而言的「台灣問題」已經結束了——這種看法在視野上不會寬廣。在日本的韓國研究得以這樣興盛，與其說出自日本人從內部的關心，不如說是在日韓國人諸君非常努力，一直奮鬥，其衝擊與刺激直到今天。與其說日本人方面主體性的接觸，不如說外面的激勵終於使內發部分開始發芽了。雖然是極僭越的說法，但我還是這樣覺得，有關台灣的研究坦率地說，直至二、三年前，仍然是完全接近零的狀態。

相較之下，中國研究者較多，大家可以在閱讀日本與中國有關的一些書而有所發現。大多將台灣漏掉了。嘴上說的是一個中國、台灣是中國的一部分。那麼，為什麼台灣是中國的一部分，對此一向不能充分了解。例如，南京屠殺問題出來了。這個南京問題也是終於在兩三年前漸漸浮出檯面。可是，在南京之前，恐怕已經就在台灣有過屠殺了。台灣在1895、1896年及以後，特別是最近可以說，非常典型的就是在1930年即「九一八事變」之前的霧社蜂起事件，也出現了同質的問題。實際上，這些一連串的問題，並非只有日本帝國主義才存在的特殊問題。例如，在新加坡的屠殺華僑問題終於釐清了。我並非有意去挖日本人的舊傷。因為如果不正確定位這個關係，就完全不會理解為什麼新加坡的反日言論這樣激烈。

而且不僅是新加坡。馬來半島的正中心有一個以產錫聞名的地方叫做怡保，那裡也發生了類似的事件。實際上，我以前給岩波書店《思想》寫的霧社關係的論文（具體請參照《台灣霧社蜂起事件資料與研究》，社會思想社）〔參見《全集1・霧社蜂起與中國革命〕中，提到越戰中的美萊村事件，做為人類來說這絕非偶然。一般的人在美萊村受到了的衝擊，但是如果沿著美國通向美萊村的道路來看，就會延伸到美國對土著美國人的屠殺，以及其後在菲律賓的屠殺等。因此，這並不是日本人特有的問題，實際上，是我們做為「文明人」，要談自己背負的歷史本身所反映的問題。因此，如果我們看看今天日本內部的問題，為什麼愛奴族現在只有7萬人左右？沖繩的問題變成什麼樣了？人們會關注這些問題。

幾乎所有的日本人都不知道台灣史。因此，我最初在中國法制史的大師仁井田陞先生的追悼論文集《日本法與亞洲》〔《日本法とアジア》〕（勁草書房），第一次發表論文，就清末台灣與日本的殖民地的對接過程及其機制，特別是下層結構〔譯註：經濟基礎〕——以寄生地主制為中心進行了分析〔參見《全集6・晚清期台灣的社會經濟》〕。

我在這篇論文所要達到的目的是，並非如一般流傳的那樣，不是後藤新平神通廣大因而才有了其後台灣的殖民地發展。確實，後藤是一個有才幹的人，但台灣的生產力階段資本主義的萌芽若不是已十二分含苞在內部，即使有幾個後藤新平也是不行的，有資料可供立證。

後藤新平的神格化、孫悟空化、猿飛佐助〔譯註：日本故事書裡的忍者〕化，我要主張從社會科學角度來看是毫無意義的。清末台灣是「木」，絕不是「竹」。後藤等殖民地官僚將這棵木接上了日本資本主義的「木」，為其後的台灣做好準備。

我在這篇論文之後，進而將我第一本評論集《與日本人的對話》中，有關台灣鐵路並不是日本人進入後建成的史實予以提示。然而，我收到了來自讀者的明信片。說這個姓戴的作者不像話，是在撒謊。我感到很驚訝。日本的參謀本部1895年1月出版了《台灣誌》〔《台湾誌》〕這本書。書中明確說了台灣是一個寶島，介紹了台灣的物產如何豐富，台灣的貿易經淡水、香港與歐美市場相連，台灣的砂糖生產、紅茶的出口狀況、樟腦在世界市場上的占有率幾乎壟斷等，實際上是將認真調查的結果編輯了這本書。但可惜這位讀者卻全然不知。忘卻雖然是一種美德，但也是很麻煩的事情。再深入談一點的話，當時以英國為中心的毛織產業急速發展，做為其防蟲劑的樟腦需求非常高，樟腦也可以成為火藥的原料。生產樟腦之地，當時是台灣與日本。台灣基本上占據了整個世界市場，日本只出產一些。當時就是這樣的關係。日本的明治政府，對資訊非常清楚。台灣有什麼路，實際上已經繪成了很精緻的地圖，也了解到鐵路已經鋪設，並且還了解到煤礦的挖掘情況，連台灣為了採掘煤礦還引進了美國人的技師等事。台灣與大陸之間的海底電纜，在日本人進入台灣前就已經有了。因此，當時日本的近衛師團向東京打電報時，實際上是從台灣經福州，進而再經上海向日本打的電報。軍部暫且不提，就說民間團體，例如肥後俱樂部於1895年6月出版了《台灣島實業一斑》〔《台湾島実業一斑》〕，介紹了台灣的貿易情況並提出「台灣島已可先著手進行的事業有製茶、製糖及樟腦製造業等」的明確建議，這樣的建議，無疑是在已了解台灣產業情況的基礎上提出的，一定不是胡亂猜想提出的建議。

一般的讀者好像懷疑是我撒謊，這究竟意味著什麼？我想提出這個問題。坦率地講，在一般日本人的意識深處，至今仍然存在著一種很強的意識，今天台灣是依靠了日本人的關照，才有了現在的發展。所謂殖民地統治，並不是一個可以做好事的體制。當然，說起殖民地的遺產，一定是有正負兩面。而正面的東西並不是照原樣即可進化發展，同時這些正面的東西並不是殖民者好意地為被殖民者留下來的。但是，可能是日本人中老好人較多，好了傷疤就忘了疼，有一種幻覺，覺得留下了非常大的殖民地遺產，這些都是正面的東西。關於遺產是正負兩面之物的認識，在日本人中比較少。

那麼，台灣的1964、1965年以後的高度成長，就全部被做為日本殖民地遺產的單純進化結果給予了解釋。我並不是說殖民地沒有遺產。台灣經濟戰後的發展是以日本殖民地遺產為基礎的解釋可以被接受，是正確的，但只能成為部分理由，僅僅如此而已。即使存在這樣的遺產，如果不能將其手段化，就這麼原樣放置也是不能成為正面的東西發揮其功能。要言之，對於支持國民黨或共產黨與否和這個問題沒有直接關係。當然，我自身是台灣人，因此，凡是日本人做的事就統統否定，我並不是以這般狹隘的心胸來看待、思考事物的人。而是從社會科學、邏輯的思考來將其視為問題。

但是有意思的是，另一方面在印尼的荷蘭人，在中南半島的法國人，在馬來半島的英國帝國主義，都做了很殘酷的事，日本人常這樣說。然而，任何殖民地統治都必然存在遺產。對於其遺產需要進行正面、負面的定位。同時，這些正面遺產在從殖民地統治奪取自由之時，被殖民者們經過與之對決之後是否具有以自己的手段將其轉化的主體性能力，或在當時情況下，從殖民地統治政權接受權杖的各個國家的政權、領導者層或民眾的力量，是如何相互作用，是否使上述能力得以發揮，這些都決定其發展方向。沒有這樣的分析視角，只是存在很多殖民地遺產即日本遺產，因此現在發展得好是由此而來，是不能這樣說明的。沒有注意到這一點的先生相當多。這是很令人遺憾的。

我認為，從客觀的側面來看，日本的台灣統治過程中，如果沒有建立極嚴密的戶籍制度並將其保持利用，今天台灣的「國府」當局就不能實現如此的治安維持。

但是，本來建立戶籍制度的日本人，目的是為了對於殖民地台灣的強力統治。將其做為研究應如何定位，研究的社會還原應以什麼形式向民眾傳達，民眾如何接受這些並昇華為自己的意識，這些才是問題所在。但目前連這些最低的前提條件還未具備，這是實際情況。

邏輯、倫理、情緒的難解難分帶來的弊病

任何國家的人們對於否定自己父執輩所做的諸多事情，在感情上一定有不忍之處，全面否定則需要非常大的勇氣。

我對大家的希望是，對於你們的父執輩在亞洲各國所做的諸多事情，並不是完全否定那樣冒昧的想法，而是在情緒性地投入及以倫理反覆斟酌之前，嚴格地在邏輯上首先將之定位。

特別是要準備與亞洲進行交流、合作時，應就邏輯、倫理、情緒進行明確區分，嘗試接近的方法是否妥當，確實是很難的事情。但出生於亞洲風土之中的我們，一直持有不能區別三者關係

的這種陋習，這種情況實在是很多，令人為難。

對於接觸的對象要擁有「愛情」是對的，但是，陷入溺愛、或一經挫折就轉愛為恨，這種例子並不少，這就只能讓人感到遺憾了。

例如，因為感謝蔣介石的「以德報怨」，就絕對擁護台灣，以往一直非常喜歡中國，但由於中國發生了文革那樣的事情，因此就轉為非常討厭，聽過一些研究者或作家有過上述的發言，使我很吃驚。

擁護或是喜歡，或是討厭，當然是個人的自由，但中國的歷史會與他們的感情好惡無關地向前發展，不斷添加新的內容。

我再說一個實例吧。泰國反日暴動時，一個到當地發展的企業幹部說到自己的苦惱：「我不抽煙也不喝酒，連酒館都沒有去過，我覺得自己沒有做過壞事，為什麼那麼討厭日本人呢？」

對於他的真心誠意，我們不能冷笑置之。但是，應該指出，他的表達確實是一種不同層次理解方式的表現。

另外，很多人都認為泰國是親日的，泰國人很老實，反日暴動發生前，這些是日本人的一般見解或常識。

一直在說泰國的學生不行、沒有活力的人，由於泰國他儂（Thanom Kittikachorn）政權倒台而發生了180度的轉彎，現在那同一個人又在說泰國的學生革命等。泰國的學生們才被他說得目瞪口呆了。

實情並非那麼單純，大家都已經很了解了。目下的形勢並非革命，絕不是可以革命為名的，不知會在某時軍部反擊而全面陷入渾沌之中。

對於台灣也是這樣，前往觀光，受到各種親切的招待。日語也能通，誰都不會提及殖民地時代日本人所做的壞事。有日本人對我說：「真的很令人放心。台灣真是個好地方。真的是親日的，真好。」歷史之底流淌的絕不是這樣柔情樂觀的東西。雖然不好說出口，但我在心裡只能說：「是嗎，你真是個老好人，很幸運、幸福呀。」。

另外，東南亞發生反日暴動等時，立刻就會出現針對派往當地職員必須謙虛之類的修身論，必須了解亞洲人的心，理解亞洲的民族主義等等的議論。

與其以企業等對進入當地的形式與東南亞各國民眾相處的結構進行邏輯性的分析，不如一下就從倫理面去說教，這也是問題所在。

說到亞洲人的心，馬來西亞總理拉薩（Tun Abdul Razak）、新加坡總理李光耀的心，當然也是亞洲人之心的一部分，亞洲人民族主義的不同之處也多種多樣。

更遺憾的是，東南亞的民族問題僅僅將「華僑」做為問題被意識。東南亞的建國過程中的民族問題或地域主義對立問題是更為複雜且多樣、這是要面對的實際狀況。

將這些不清不楚地置放著，而以「道學家」的倫理觀予以對應，也難以接近這些問題，不了解這些是不行的。

倫理說教的人當然是心裡很舒服的。但事實是，全靠這種倫理的接近，是不太有效的。

嘗試與東南亞的交流、連帶時，最低限度的必要前提是不需要曖昧的倫理口號。更重要的是對於東南亞民眾所指向的歷史方向表示理解，對於他們所要體現的時代精神即使不能表示共有的態度，至少應保持共感的姿態，我認為是必要的。

兩三項建議

昨晚，從金澤回來後，東南亞的某先生來電話，說已經到了東京，希望見見面。這位先生是國際交流基金會邀請來日的，因此，我問了有關待遇、飛機票和日補貼等。他以前來過日本，當時有非常多的不滿。但這次來，他說待遇很好而感到吃驚。日本物價漲跌很厲害，但是受到了非常優厚的待遇。說起為什麼吃驚，他說，戴先生在東京可能不清楚，我教的學生諷刺說，我們開始反對日本，因此日本就給我們錢等。

當然，這位教授也不是那麼希望得到日本的錢，他最為擔憂的是，與日本不要再一次發生戰爭，或再次變成不幸的關係，應該如何防止這種情況發生，怎樣做才能使東南亞方面真正理解日本，日本的人們也能理解亞洲。這是一位很努力、有善意的先生。但是，這樣的人以前沒有被重視，甚至還有敬而遠之的情況。

正如前面所說的那樣，新的情況已經出現了。

在政界、財經界現在都在努力傾聽東南亞的聲音，但是聽了之後怎麼辦，當然我是不清楚。我想說的是，你們在考慮民間交流是好事，但是你們的政府以及財經界怎麼想，眼前希望嘗試做些什麼，你們都有些敬而遠之是無濟於事的，我只是指出你們應該去明白情況，應該去釐清問題。

例如，前幾天「中教審」提出了「關於教育、學術、文化的國際交流」的答覆報告與附件「為了教育、學術、文化的國際交流振興的具體措施」，從《朝日新聞》的版面來看，沒有介紹內容，只刊登了很短的社論與委員同時也是導演的淺利慶太所寫〈上了文部官僚的當〉〔〈文部官僚にしてやられた〉〕的論文。這是不當的，如果說《朝日》不把一般讀者當作一回事，可能也不是過分之言。如何想「中教審」可以另當別論，在今日的情況下，中教審不得不將這樣的題目做為問題提出，其背景與意義應如何思考，另外，文部省的諮詢機構「中教審」是如何把握國際交流的，這也是必須予以理解的。

這問題可以先暫擱一旁。因為大家都是年輕人，處於只要打一點工就可以掙出旅費的現在，請大家一定要親身到東南亞去看看。因為百聞不如一見！日本國護照目前只是規定不能去朝鮮半島的北部，但如果想去，只要對方不予拒絕就可以去的話，我希望大家能夠試一試。

我還有一個願望，就是請大家一定掌握亞洲的一兩種語言，做為交流、對話的手段。一旦年齡大了，就記不住了，現在還來得及。正如我開頭時所說的，只靠英語已經不能與民眾進行對話、交流了。

現今比較而言，東南亞懂英語的只是新加坡、馬來半島、菲律賓等。可是，不知何時英語就成了唯一的媒介。但是，我非常感動的是，東南亞方面還在學習日語，要理解日本。坦率地說，即使在日本的研究者中，也有很多的人是閱讀英文文獻，對東南亞進行了解的，由於這種關聯，最好的對應就是在日本舉辦會議，用日語做為工作語言。在東南亞舉辦時則以當地最為共通的語言做為工作語言。當然，東南亞各國有的連國語都還沒有充分形成。所謂國語是好還是壞且另當別論，總之是有當地國家的共通語言尚未普及的不利條件，應該朝著這個方向前進。

我也用各種方式寫東西，並與編輯諸兄談話，但在日本全是些關於經濟、政治的出版物，東南亞的文學等幾乎上不了商業出版的基準。這是沒有辦法的事情。日本是資本主義體制，當然全以盈虧為考量。但重要的是透過英語能夠理解外國，這已經發展到很高的程度了。今後的問題是為了更深入地進行對話與交流，必須掌握東南亞或非洲即第三世界國家的語言。我的提案是：先熟悉一種，追求對話的可能性。

第三是不要太過於觀念性，盡可能抓住歷史的脈絡，然後盡量走出去，希望經常以日本之中的亞洲之接點考慮問題。我進行各種討論而了解到，問題並不是全在外部，而是在內部，這就是結論。包括這些，今後大家的接近，到外面去觀察現實，透過各位留學生加深理解，最終聯繫內部問題與外部對象的問題予以把握，這是我的希望。

第四個提案是不容易做到的，恐怕包括我自己也是，人很難自外於偏見。我有一個朋友，偶然到台灣去，雖然沒有對我說，但給別的朋友寫了信。其中說台灣非常髒。我很吃驚。並不是因為我是台灣人，說台灣髒我就生氣，可能與東南亞各國比，研究者認為台灣髒那就完了。當然，做為一般的例子都會比台灣更髒。問題是如何看待這種髒。無論再怎樣「進步的」知識分子，面對亞洲時，總是會有一種難以去除的優越感，實際上這是問題所在。現實中台灣對漢字、日語都可以溝通，而且在系統上，只要去看醫生就會明白，幾乎與日本是一樣的。連對此都存有不習慣、彆扭的感受，其他就更不用說了。愈是自認為進步的人，其實愈讓人擔憂。

我也在口頭上說要承認「他分」的世界，這是一種理念吧。我希望一步步地盡可能接近這個目標。因此，對於東南亞的人也是人這件事，頭腦裡雖然明白，但要在實際行動上不矛盾地表現出來是很難的。然而，認同他們與我們一樣是人，與我們不同的只是，他們擁有特有文化、傳統，要從這個堅定的認識開始，進行交流。

金澤的會議有一些非常有意思的事情。有兩三個國家代表對於錄音機表示很在意。途中，就會說拿了這個磁帶的人一定要將其帶到飯店，交給誰保管等。我是明白的。後來聽說了各種說法，說這個磁帶要是被複製，會被哪裡的情報機關拿走，對這種可能性表示擔憂。還有我們的發言，有人說印刷時絕對不要把名字放進去等。這還是知名的媒體人、知識分子來參加的會議，他們將東南亞的情況是多麼嚴峻等無意中告訴給我們。可是，日本人的感覺就全然不同了。只有這樣經常確認彼此的差異，相互交往，沒有其他辦法。不能說對方沉默就是沒有問題意識。總之不要貿然做出判斷。

也就是說不能以自己的感覺去判斷對方。因為差異很大。在日本，大家可以到各處的書店購買《資本論》、左翼文獻等，在監獄裡也可以送進去左翼文獻等。可是，在東南亞，ASEAN五個國家中沒有一個國家可以公開帶入左翼文獻。研究者也不能閱讀。據說只有特殊情報機關的人員才可以閱讀。這是經常會忘記的，須要注意。

說了各種批判的意見及誇口大話等，希望為了新對話的可能性，相互不斷追求並相互包涵，請大家諒解。

謝謝大家！

1974年6月11日於早稻田大學

本文原刊於《道》第4卷第9號，東京：世代群評社，1974年9月，頁45～58

亞洲與日本文化

◎ 李毓昭譯

日本在江戶時代，從「和魂漢才」轉向「和魂洋才」。為了迎頭趕上歐洲，先將最大的精力集中於把日本整合為一近代百年來突飛猛進的發展，即是此整合的結果。

其後，日本將民族精力集中在經濟成長上，如今已進入可謂是「和魂和才」的新階段，自己要如何定位，如何引進他人的觀點，對日本與亞洲的緊張和摩擦又要如何因應，日本人的國際化成為問題。

日本人邁向國際化最大的缺陷，應該是對內部國際化課題的忽視吧。日本內部的「和」不是一種無視於日本內部異質者——愛奴、沖繩、在日朝鮮人問題等——之存在的「和」嗎？如果像這樣無法達成內部的國際化，外部的國際化應該也無法達成吧。

日本人幾乎都把單一民族國家視為近代國家理所當然的前提和歸結，而且對此種固定觀念過於執著。可是就現實來看，近代國家若非由多民族中的優勢民族主導語言與文化，在忽視劣勢民族的情況下形成一個國家，就是一邊在為異民族矛盾煩惱，一邊藉著共存來營造一個國家，不是嗎？

所以，今後要以何種方式追求多民族國家，乃至多元文化共存的可能性，而不局限於只是日本占優勢民族之大和民族的「和」，包括愛奴和沖繩在內，嘗試創造更豐富的文化，亦即從自己內部抓住處理國際化課題，不就可以為日本和日本人在亞洲走向國際化，找到新展望的契機嗎？

本文原刊於《現代文明を考える——文明問題懇談会討議要旨》，東京：大蔵省印刷局，1976年4月24日，頁27～28

亞洲有「寶物」嗎？

——歐洲式科學主義的局限

◎ 劉靈均譯

亞洲「鏡」論的曖昧不明

因為高度成長經濟的路走到了盡頭，因其反動，讓一部分日本的有識之士判斷，這樣的狀況是日本的危機，或者面臨轉捩點。因此做為一個對策，或者是克服的策略，最近可以發現逐漸有向第三世界求鑑或者借鏡的嘗試。雖然可能是筆者的讀法不對，但我覺得在這樣的議論中，令人意外的是，「鑑」與「鏡」在不少的論爭中往往未被區分而混用。

這原因，我不知道是否該從日語的「混亂」，甚至是日本人的思考方式去探索，或者這兩者搞不好本來就被混用在一起而曖昧地被議論也說不定。

先不論這個，所謂「鑑」，不用說也知道，原意是指範本、模範之意，延伸出來才有規戒的意思。而「鏡」指的是全身鏡，是照映自己姿態和形體給自己看的道具，用以指為映照自我的鏡子。

想想，「向亞洲借鏡」這樣舉動的底流，大概是因為歐美已經不足以為師為鑑，所以必須向非歐美世界，也就是包括亞洲在內的第三世界，追求一面新的「鏡」。會想要這樣追求，不用說就是因為他們發現歐美所創造出來的「近代」是有局限的，可以說是因為對此失望才會希望向亞洲追求。然而要以第三世界為師或為鑑，總是令人無法感到釋然，或者也有點讓人感到不足吧，所以才會不寫漢字的「鑑」，而是以口語讀音上的「鏡」，或者用漢字的「鏡」來表達。

當然也有人一開始就把「鏡」當做映照自己的姿態、樣子的原始的意思而討論。關於這個我將會在後面再敘述。

無論如何，這樣古式的日語使用法，是從明治維新開始的，向歐美用鑑，向亞洲則多用鏡，這樣說大抵就八九不離十了。就像常常有人指出的， 日本「近代」的結構體質就是脫亞入歐，也就是直接借用歐美的近代所做出來的架構，在此放入日式的東西而逐漸成形，此言並不為過。因為是急急忙忙「借來的衣服」，所以就沒有餘暇去回顧做這架構的時代精神，或者其架構的過程，可以說也是理所當然的。

不管怎麼說，日本以歐美近代的架構做為範本，也就是「鑑」一直到了今天。這塊「鑑」近來現出了破綻，變得不堪使用的狀況。日本不是沒有試圖建立自己的架構，並有開始摸索的兆頭；然而還是老樣子，仍然以撿便宜的心態，歐美不行的話就來試試中國吧！試試亞洲吧！試試第三世界吧！我們會看到這樣講而氣勢洶洶的人。

做為針對高度成長經濟的反動，反公害、反科學的運動逐漸發生。在這條延長線上，也就是說在毫無前提的狀態下，開始出現了向第三世界「尋寶」的風潮。讓我們困惑的不只是這樣的風潮。向第三世界「尋寶」，老實說令人困擾的是，在推理邏輯之前，往往混雜了許多情感性的發想。

如果是混雜著做為歐美近代追隨者的罪惡感，以及對被壓迫民族的同情，所以在心情上提倡第三世界為鏡的論調，那我覺得沒有比這個更非生產性的「東西」。當然我並不是斷定對第三世界抱持道德性的、倫理性的，換句話說是感性關懷，這些全部都是非生產性的；然而光靠道德故事、外交辭令，並不能培育出什麼生產性。

我並非吝於承認在第三世界中有「寶物」潛在著，但是那「寶物」應該不會自己出現，成為人類共同體的共有物品而成為鑑，不要這樣樂觀比較妥當。我覺得，能夠將這些被埋藏的「寶物」挖掘出來，並且將其以有實體的存在送向世界的，再怎麼說到底都是第三世界的人們及民族才是對的。

歐美近代所架構的世界構圖中，只有歐美人，而且只有白人被承認是光（這裡的光並不帶有任何價值，只是一種語法上的說法），而第三世界則遭到殖民地化的滾輪壓在陰暗處。日本「幸運」地抓住了這道光的驥尾，被許可做為一個追隨者，而且事實上也是一路做為一個追隨者至今。不用說也知道，即便是在歐洲、美國、日本的內部，不管是從階級來看還是從民族來看，都存在著陰暗的部分，而且至今也依然存在。但是要是只說優勢民族的話，光的部分是壓倒性的多，即使無法成為光的主流，也可以說一直受到「光的德澤廣被」。

相對的，成為近代的「蔭」的第三世界，被光所侵犯，究竟發生了什麼樣的變化了呢？雖然這種分法相當的粗糙，但是有的族群甚至連要溯尋「祖先」之根都相當困難，傳統文化幾乎被抹殺殆盡，可以說是達到人的破壞之極致。美國原住民就是一個很好的例子。除此之外，也有中國、中南半島、朝鮮的例子。不過幸好這些族群有著從古至今堆積起來的傳統與文化的強固核心，所以才沒讓歐洲、美國、日本的近代百分之百地侵吞。

歐洲、美國、日本的近代讓這些集團的一部分知識分子、統治階級買辦化，成為他們的追隨者。但是侵略的、壓迫的、支配的本身，反而在自己內部醞釀出對抗文化、表達異議，結果是成為儲存反抗能量的媒介。要將侵略、壓迫、支配反轉為自己手段的旗手，不用說就是該民族中最優良部分的指導者們，以及覺醒的人民們。他們約莫一個世紀以來長期的、持續的、不可逆的戰鬥結果，取回了自己做為人的尊嚴，目前專心於塑造一個改寫歷史的主體而非常忙碌著。

此外，在現狀上，扣除第一與第二群以外中間的存在，幾乎覆蓋第三世界。就姑且將其命名為第三群吧。這樣的第三群，有正抓著「光」的驥尾，拚命要成為歐美近代的追隨者的一小撮人；還有無論如何都只能做為「蔭」的部分，抬起頭挑戰試圖做為對歐美近代的反命題的提示者，或是提出異議的主體的一群人。換句話說，我們可以看到這兩者正拚著命在拔河。

在此不得不先提起俄羅斯革命的事情。一開始，俄羅斯革命的初衷是希望能以階級的立場挑戰近代，並且跨越近代、創造現代。但是回顧這十幾年來蘇維埃俄羅斯做為國家的所作所為，令人深感這個國家已經忘了這份初衷，並且逐漸奔向成為近代的囚人之路。

本來應該要做為對歐洲近代提出異議的主體而出現的蘇維埃俄羅斯，現在卻成了歐洲近代的囚人，甚至變成追隨者；讓今天的我們覺得，怎麼看都只是構成延續歐洲近代的一部分而已。

做為文殊智慧的第三世界知性

我們的諺語裡有一句話：「三個人湊在一起，便有文殊菩薩的智慧。」〔譯註：意同「三個臭皮匠，勝過一個諸葛亮」〕筆者在這裡將所謂文殊的智慧與歐洲近代所做的世界史構圖——也就是「光」與「蔭」的關係，或者相互關聯——相互重疊，分析之後或許有些平淡無奇，但應該就像下面所敘述的樣子吧。

站在人類共同體的立場，歐洲的近代與其追隨者到目前為止所做出來的近代文明，大概只占這3個人中的1.5個人吧。那麼另外的1.5個人在哪兒呢？事實上，不正是藏在目前為止未被當人看待，或者將其拒於架構世界史的門外部分，也就是先前所敘述藏在「蔭」的部分嗎？

那麼，我覺得身為「蔭」的1.5人中，其中有0.5人是中國人，特別是1950年代末期以來開始的中國，從蘇維埃的追隨者的走向脫離，在自力更生中開始追求自己的「神」，我想我們可以從其成果中求得方法。到了現階段，中國終於真的成為一個可以對近代提出異議的主體，開始擁有了那樣的活力。

雖然只是比喻，但剩下的一個以可能性潛在於苦命戰鬥中的第三世界中，可以用算數算出來。換句話說，可謂人類在向這1.5索求「鏡」來借鏡。不用說，畢竟這1.5、0.5的算術數字只是單純的推算，是可變動的。

然而在亞洲、非洲又是如何呢？就像先前所說，善意的人因為是非歐洲世界的，所以先驗的以為那裡有「善」，有「神」，可以說以移入感情方式的造形，顯然無法連結知性生產，這是洞若觀火的。

他們確實是以非常驚人的形式，面對世界、歐洲近代的架構依然保持優勢的既存秩序，持續提出異議。目前這異議的中心在政治上是民族解放，在經濟上則多為資源民族主義。本來政治和經濟，甚至是文化都是無法切割的，但文化一般都比前兩者略晚出現。

因此，雖然「文殊的智慧」在文化面上提出異議的主體現在尚未形成，或者可以說正在形成之中應不會錯。只要站在認同第三世界確實潛藏著「寶藏」的立場，在文化創造面上要出現能夠提出異議的主體希望早日形成，也讓人不能不期待「文殊的智慧」能夠發揮功用的日子能夠早些到來。

那麼第三世界的所謂「文殊的智慧」指的是什麼？一言以蔽之，正是第三世界的認知主體的確立，以及發揮其相應的機能而無他。此外認知的主體的確立必須以知性的確立為前提。想想，知性要是能夠真的發揮其機能，無論如何一定要讓其確立人的尊嚴、恢復人與民族的權利，這些必須十二分地達成才行。如果民族的獨立、人的復權、尊嚴無法確立，知性就無法確立，因而知性的社會性機能就無法發揮。這樣說，是因為知性本來就是人的尊嚴的一個獨特表現，而被期待的中心機能，正是批判與創造。

以往第三世界一直被當作歐洲、美國、日本近代的「蔭」的部分被緊緊關起來。做為「蔭」勉強生存下來的第三世界的人們被強迫生活在比「民草」更低階的生活；別說尊重人的尊嚴，就連生殺與奪的權限都被這些「近代」的體現者所掌握。在這樣的極限狀況下，應該可以說絕對培育不出知性吧。

想以亞洲、非洲為「鏡」並抱持善意的人們，似乎理所當然的認為第三世界是被壓迫的地帶，那兒的居民過去曾經是被統治者，所以那裡就先天地存在著知性——這種情感式的看法讓我覺得相當不安。絕對不是因為被統治、被壓迫、被虐待所以才有知性。統治與壓迫通常不是讓被統治者的知性被抹殺，就是讓其知性沉睡下去。因此他們為了讓知性甦醒，必須要親自參加恢復自己人的權利的鬥爭，並且付出一定的代價。他們如果不自己取回做為人的尊嚴，更進一步的得到民族上的獨立，並且更加確立這份尊嚴，是沒有辦法讓他們的知性真正甦醒。

不可以忘記的是，人的復權、追求民族解放的鬥爭不是外面隨便來個第三者，簡單撐腰指導、多管閒事就可以達成的。各個國家、民族、個人在為自己鬥爭之中，有時候是和歐洲近代甚至是其追隨者對決不可逆的鬥爭中才能培養出真正的東西。在諸多史實和最近發生的事例，給了我們很多教示。

乍看之下，在這世界上，由於從上而下的近代化路線，或者是太輕易地接受從外國進口的革命，因而自我陶醉在一時的「勝利」之輩不少。但他們只是為自己套了一個新的項圈而已。頂多也不過是成為近代的另一個囚徒罷了。

只要真正的知性不誕生，要向第三世界借鑑、取鏡，甚至是所謂「鏡」期待論，我認為都是不太有生產性的議論。我覺得要向第三世界去借鑑、取鏡，或者找「鏡」，比起那任何一項我更期待人們去參加「文殊的智慧」，也就是第三世界人類共同體的文化之創造。

第三世界的知性與科學

接下來讓我們思考第三世界的知性與科學。感覺上好像該說的都被說完了吧，目前為止，人們都認為科學應該是中立的。但是所謂「中立」的東西，其實只能在極端受限的範圍下才能這樣說吧。過分相信客觀主義、科學的中立性，因而造就了科學萬能論、科學的絕對觀等等與本來的科學毫無干係的「科學主義」信仰。在這裡我們尚且先不重新審視科學的哲學基礎，關於科學負面意義的學派主義化危懼，以及其社會責任等等問題。

在本文中我反而感到比較有興趣的是，在我們確認歐洲近代所建立的科學，或者是在其架構中的認知各自有其局限後，來思考到底還能對第三世界真正的知性期待些什麼？

舉個我們身邊的例子吧。近年來在中國達成的自然科學上的成果中，特別引人注目的，是針灸麻醉、地震預知研究、赤腳醫師〔譯註：無執照的行醫者〕、石油的發現及大規模開發等等。歐洲近代的體現者，到前幾年幾乎都認為中國人欠缺自然科學的資質（特別是日本的論者常常會有此種論調）。他們甚至不分青紅皂白地認為中藥是騙人的。而且對自己認知的局限、技術的局限毫無自覺的狀況下，竟然斷言在中國幾乎沒有埋藏任何石油。從這些例子就可以知道，他們所奉行的「科學主義」是如何不可靠的東西，而且其本身已經變成一種特定的意識形態。

中國的狀況還算是好的。因為還有一些歷史文物保留下來，他們才不能說中國毫無文化。然而那些被認為是「未開化」、「野蠻」的國家與民族，他們認為在那兒只有「民俗」而已，先驗地決定了該地區沒有可以被當做文化的存在。

如果是近代的體現者這樣看事情也還可以理解，但就連我們這邊的知識分子都積極地接受了歐洲近代所設定的架構與那多數者的偏見。他們對於那連結自我頹廢的偏見毫無自覺，就這樣成為別人的追隨者，不，事實上這樣的集團在第三世界已儼然存在，甚至可悲的是看到被再生產的事實。我們已經不用再討論被認為欠缺某層面的民族資質的「神話」或「迷信」了。順帶一提，中國從1949年到1950年代初期，如果畏懼或讚賞蘇維埃俄羅斯的權威沒日沒夜地持續，前述的成果不就是不能見於天日嗎？

人們還把赤腳醫生、甚至是地震預知法——也就是在多處設置有人駐守觀測據點之系統——認為是人海戰術。如果說，把人海戰術當做是集團的認識主體的形成所發揮的機能，那就還有可救；但是近代主義者幾乎都不這樣想。他們大多認為，這是因為中國至今近代科學的教育機構還相當孱弱，科學家、技術人員的不足等等理由，才會創造出這樣的體制云云。然後他們還會斷言，因為中國從不考慮成本，所以才有可能採用那樣的體制。

我當然不認為這些想法完全離題了。然而我希望，這些人能夠在重新審視前述中國到目前為止的自然科學成果之後，再來重新思考一次也不遲。所謂「人海戰術」，其實是科學人性化的一種顯現，我們應該可以將其當成是從奴隸、民草的處境翻身的民眾，以自己全人格，所嘗試的一種整體性的知性營為的方式吧。然而要斷定其並非孤立的知性，而是以聯繫與有連帶的集團性認知主體發揮其知性的顯現，此看法是太早並且天真嗎？

無論如何，我希望能夠看到從歐洲、美國、日本的近代架構中無法產生出的新方式，中國能夠在與傳統的對決及批判性的繼承中將其生出而逐漸撫育成長。

因為形骸化的科舉制度與列強的侵略，造成內部幾近枯竭的發展可能性，在新的認識主體，尤其是集團的認識主體，因為以全人格進行的全體性知性營為，而重新復活。我們應該可以期待，這樣的復活可以為既存的理論體系範疇帶來變化。那正意味著，負責一部分「文殊的智慧」的中國人加入新世紀的文化創造。

如果在中國人身上可能發生，不用說在其他第三世界的人們身上也是可能的。重點在於第三世界的人們如何可以確立自己的認識主體，並且在拒絕成為近代俘虜的道路上，必須自己創造出能夠以自己民族形式發揮自己知性的條件，並且究竟能不能夠善加行使之。有識之士認為，「理論是由人類總體的實踐所構成，並且由人的營生所型塑」。如果這樣的命題還存有活性，在第三世界知性生產的可能性應該還相當可以期待。只要明白針灸痲醉不可能從西洋醫學中發展出來，在包括農學等等其他各種的科學領域中，應該有來自第三世界，也就是「蔭」的新的挑戰，就會有更多豐碩的成果值得期待吧。

當知性被權威所抹殺時、當認識主體乖離了生產點，甚至是當邪惡的學派主義瀰漫整個社會時，知性的生產性就會跌到奈落地獄的底端。如果在第三世界逐漸被架構的知性是真正的知性的話，他們的知性就會從自己的營生中催生出新的理論與技術才是。那是因為，這些備受期待的第三世界知性，距離學派主義或從乖離生產點的陷阱都相對地比較自由之故。在此意義之下，不該阻礙「蔭」的部分加入「文殊的智慧」，還應該更積極的接受挑戰。

從異文化接觸創造新文化契機的可能性，我們自己不能再犯摒棄之愚昧。我們正站在21世紀的門口。如果要泡在同質性（homogeneous）的「溫水」裡繼續當個近代的俘虜，汲汲營營、惶惶然到處追求廉價的病歷表，這樣的作法，是真的妥當嗎？

本文原刊於《思想の科学》第286號，東京：思想の科学社，1977年7月，頁24～30

思考日本與亞洲

◎ 李毓昭譯

前言：從6月23日戴國煇先生演講結束後，我們就考慮以某種方式來整理其演講內容，好不容易才做出這本小冊子。

我們試圖以之前「被認為不知道也沒關係的東西」——例如台灣和亞洲——為出發點，更進一步發展我們的問題意識。可是，對於包括我們在內參加演講的一百多人來說，演講內容可能太過於專門，很多地方難以理解。我們自己準備不足也是一個原因，所以這次在製作這本小冊子時，我們不只是重新記錄演講內容，也參考戴先生之前的著作，將我們對什麼東西該如何感覺、如何掌握，以及應該再向大家提出什麼問題為主以此意圖整理出來。

請再一次與我們共同來思考「日本與亞洲」這個主題吧。

（以下係戴國煇的演講紀錄）

殖民地體驗

還有一件到目前為止我還沒有在論文和著作中提到的事情想要告訴大家。這是一件真人實事。我是在1931年出生的，讀初中時有許多出身不同的同學，當時日本人占了三分之二，我們台灣人只有三分之一可以入學。總之，殖民地統治就是這種情況。同學裡面有個客家人W和閩南人H，這兩人非常優秀，在戰後都來到日本。可是這兩人都不會說客家話或閩南語。我們台灣人都順利升級，從初中一年級升到二年級，這時發生了什麼情況呢？台灣人變得自成一個圈子。由於日本人占壓倒性多數，我們升級後就經常挨揍。才聽到一聲「清國奴」，拳頭就下來了。挨揍時覺得莫明其妙，不知道原因。原來是當時有留級的制度，留級生多半是從日本九州來的警察兒子。警察兒子是被勉強安排進來的，因為各方面的成績不理想，內心扭曲愛打架，所以留級了。我並不知道有留級的人，當時是有中學重考生的。我們挨揍的另一個原因是在名字後面加「君」的稱呼方式。各位也知道，當時的上級生會毫不留情地毆打下級生，我用「君」稱呼對方，對方就說：「你再給我說一次！」我就再叫他「O君」，「再說一次！」「O君」。啪地一聲，我就挨揍了。「清國奴講那什麼話，要叫『桑』。給我小心一點！」後來聽說他應該上三年級，卻留級了。不叫他「桑」是不行的。我們慢慢就被當成清國奴，而遭到排擠。

另外還有一件事，就是我可以用現在的日語程度在大學唬弄學生，這個程度卻是經過一番曲折才達到的。老實說，我是進入公學校才開始學日語。上中學之前，因為周圍的環境，我根本不可能學會日語。那時在上相當於現在的國語課時，我被叫起來朗讀。我會唸，但是發音根本就是水準以下的日語。結果「清國奴」的罵聲就來了，真的很慘。我本來以為自己很優秀，雖然不至於覺得自己日語很行，但還是沒想到這樣就受到辱罵，而且是「清國奴」。這是以前的日本人侮辱殖民地中國人時最大的蔑稱。我整張臉都白了。因為這個經驗，我開始全面追求台灣的身分認同。眼前有敵人。既然有敵人，就會有朋友。可是上述的W和H卻沒有。也許他們以為只要日本的殖民統治體制持續下去，只要保持出類拔萃，就能進入醫學院，成為地位高的醫生。沒想到局勢大變（講者註：殖民地統治結束）。後來就糟糕了。他們只會說日語。我會說客家話，閩南人都會說閩南語，總之可以和民眾站在一起。可是這兩人雖然在殖民地時代很優秀，卻不懂世事，講話總是不清不楚。戰爭結束後，他們比別人早學會北京話。後來發生了二二八事件（講者註：1947年2月28日全島因為反抗國民黨政府的失政而發生暴動。詳情請參見吳濁流寫的〈無花果〉【收錄於社會思想社的《黎明前的台灣》】），隨後「白色恐怖」開始。他們因為優秀，而試圖追求一定的地位，但老師們不是突然消失，就是遭到槍殺。他們在這種情況下，逐漸陷於精神分裂。我因為轉學的關係，到了高中就和他們分開了。可是分開後，還是一直聽到他們的消息。有一天，我們在東京碰到面，彼此保持一定的距離，在東京留學了幾年。在這段期間，他們曾因為混亂的身分認同，而發生了許多事，不過最後其中一人在全共鬥〔譯註：「全學共鬥會議」的簡稱，由學生組成的鬥爭組織，是1968、1969年日本大學鬥爭的主體〕最激烈的時候畢業，現在是精神科醫師；另一人則在東京自殺未遂，前往美國後，又因為自殺未遂而回到台灣，現在靠著打荷爾蒙渡其餘生。

剝奪語言之後

對於這件事，我覺得可以用以下的方式分析。這四、五年來，我閱讀了法蘭茲・法農（Frantz Fanon）的一連串著作，也看了艾利克生（E. H. Erikson）的書，仔細思考後發現，以前單純以為的「精神病」是有共通點的。H和W始終在為自己究竟是什麼人、可以擁有什麼、歸屬於哪裡等問題感到痛苦，才會變成那樣。我去年在華盛頓特區見到H時，他還在迷惘。我當時還未確立自己的方法，所以沒有跟他提起。如果他去探討艾利克生的身分認同論述，要是能以殖民地統治與知識分子的問題去分析，不就能夠在自己所能處理的階段，擺脫「疾病」，得到真正的解放嗎？反過來說，就不像一般的說法，殖民地統治最嚴重的事不是財富的掠奪，而是語言的剝奪，使人徹底變得軟弱無力。我希望大家確認的就是這種摧毀某民族身分認同——群體認同——的罪惡。日本人在戰後曾受到盟軍總司令部（GHQ）的短暫統治，有一部分國粹政黨宣稱日本人當時受到的就是殖民地統治，可是我要告訴大家，這個世界上沒有一個殖民地統治會供應糧食和牛奶給人民。當然，美國當局是別有居心的，但是用殖民地統治的概念來說明這個居心就太沒有說服力了。

除此之外，也沒有一種殖民地統治會不去剝奪其語言。就這一點來說，日本人真的非常幸運，才會沒有亞洲國家共通的受殖民統治經驗，也因為如此，無法深入了解亞洲。這一點很可惜。可是明明沒有受過殖民地統治，卻硬要說有，想要藉此與亞洲人有所共鳴，未免太奇怪了。各位至少要知道，日本有殖民地統治者的經驗，而最早的殖民地統治經驗是在台灣。台灣也是日本最早向海外出兵的地方。日本還把長達50年的殖民地統治經驗用在朝鮮、滿洲，甚至東南亞的統治上。日本或者是為了繼續膨脹發展，才會在最後遭到廣島和長崎的原子彈轟炸——這方面其實應該連同加害者體驗擴大範圍，以理解殖民地統治體驗的態度去研究，就能夠在某種程度共有與亞洲共通的體驗。有了共通的體驗，才能夠了解亞洲此後的時代精神，或亞洲民眾真正想要前往的方向，或者確立切入的觀點。我深深期待各位能夠如此努力。

唯有如此，日本人才會在亞洲成為受到祝福的民族，而藉著各位目前所得到的經濟成長，達到不會被譏為「經濟動物」的真正富裕的經濟成長。隨著社會經濟結構的重組，包含對日本近代作法的檢討，日本人一定會得到更新更美好的發展。不然的話，永遠都會被稱為「醜惡的日本人」或「經濟動物」，而且總是覺得不對勁，不知道是要往亞洲尋求身分認同，還是迎向歐洲或美國，而在最後不知道如何重新審視自己，這時最極端的說法就是上述的H和W所陷入的混亂狀態。我擔心混亂的身分認同是所有日本人共通的毛病，譬如以我剛才說的（英國病？）之類的形式出現。我在這裡所持的根據就是艾利克生一連串有關身分認同的著作在日本都沒有再版。艾利克生這些著作和艾力克斯・哈雷（Alex Haley）的著作《根》，不僅是在日韓國人最需要閱讀的書，對於想要真正了解在日韓國人和亞洲的日本人來說，也是助益匪淺。

（1979年6月23日戴國煇先生於天理大學演講的紀錄。又為便於了解，也參考了戴先生的著作，做了若干修正，所以不完全只是演講紀錄。）

本文節錄自《日本とアジア—6.23戴國煇氏講演会を終えて》，奈良：天理大学中国学科政経ゼミ，1979年11月，頁1、頁7～11。由天理大学中国学科政経ゼミ記錄整理。原副題「戴國煇先生演講的總結（6月23日）」。係戴國煇於天理大學之演講文，1979年6月23日

外國人的日本定居問題
——國籍與市民權

◎ 林彩美譯

就業問題與日本的社會結構

日本政府為了守護其單一民族國家，一直以來施行著極嚴格的《入國管理法》，但是近來日本法務省逐漸有了改變。《入國管理法》的修正案等比起十年前的已有相當改進了。只是比起定居有關的大問題，在就業問題上，日本的大企業對大學生的要求是挑選與其人脈關係，並不在乎學了什麼。通常各企業對所採用的人才，是等其進入公司後，再花兩三年工夫在自己公司內自行重新教育。就業的問題並不能單以大企業不採用外國人去掌握，而是要從日本人社會的結構全體來思考，不然是搞不清楚的。那就是日本人社會以人脈優先的人與人之關係未瓦解這一點。不過，日本的企業是一旦採用了，即終身僱用。

在這樣的日本社會之中，外國人要升任管理職就更加困難。那麼，申請加入日本國籍不就好了嗎？有一個外國人在當地方大學的教師，等他某日「歸化」加入日本國籍時，因他是以外國人教師的「資格」名額被採用的，所以因此丟了工作，有這種例子存在。所以大學與企業都有藉故國籍條款產生很強的拒絕體制。可見日本的就業制度要不要接納外國人是個很大的課題。

國籍與市民權

定居的形式，我想可以把國籍與市民權分開來思考。國家權力介入到個人的內心問題，左右其做為人的營為是一件很奇怪的事。不要限制個人繼承自己祖先的遺產，如文化、宗教、習慣等，是應給予認可的。他方、政治層面的事是應以市民權（居住權）來看，而與國籍分開來思考的。我認為從這裡可以找出從死胡同中鑽出來的突破口。

個人須要努力自不待言，但是同時也有很多適應能力較差的人，所以應該做為社會全體的問題來考慮，不然很難找出解決的方向。還有考慮現實的問題時，不是僅止於掌握當下的現象，也要去看歷史的過程。

留學生、前留學生思考定居的問題，為此而發起運動，我想也會關聯到幫助日本人本身的國際化。

1981年9月演講於東京YWCA

本文原刊於《東京YWCA》（新聞）第303號，1981年10月1日

從亞洲看日本
——以我的私人體驗為中心

◎ 林彩美譯

要說晚安又太早、說午安又太晚，今天天氣不好還能得到各位光臨，特別要對校外光臨的人士表示感謝。

今天我想依發給各位的筆記要點來談，至於副題取為「以我的私人體驗為中心」的理由，我想在談話的過程將之整理清楚。

首先，在此要講的亞洲。對於亞洲我的想法，一般而言，就地政學上來說，可以指出這一帶就是亞洲，有這種感覺。其實我想在這之外，亞洲應包含意味「少數（minority）」來考慮，這時候的minority不是所謂的少數，也不是少數民族，而是指普遍地曾經受過殖民統治，現在社會移動被阻礙或社會移動不順暢，還有社會中大體上未確立基本人權，總而言之是未被解放之意。大多數的個人，在社會習慣或政治體制中不必然是自由的。所以不必然能充分達成自我實現，伴隨著精神上的壓抑的人們。

事實上，從人口數來看，亞洲是以稻作為中心的農耕社會，人口非常多。但是他們貧窮，又充分具有前面所講的當為少數的屬性的一面。在我所想的亞洲中包含著這樣的人們，因此在這裡要我講的即這樣的亞洲。

1

一般的學者、研究者，喜歡盡量把研究的對象對象化，總之要把認識的客體與認識的主體明確地切斷。所以少談私人的事，才是比較聰明、偉大的研究者，我覺得日本的社會一般都存在著此種想法。然而我對這種想法很有疑問。我們寄託實際存在而生活的社會，主體與客體真能分的那麼清楚嗎？我以為不可能。雖然不能，但是為了更客觀地認識研究對象，所以盡量大概將之對象化。但是其實這中間有往返運動，經常在主體與客體之間來回，自我調節。在這樣的過程來掌握事物，不然不會是真實的，我個人有這樣的苦惱。這在邏輯上自己還未能整理出，還不能達到做為自己的方法論明確地提出，或寫成論文的階段。所以今天我準備向各位拋出此問題，如能受到各位不吝給予批判與指教，是我的期盼與榮幸。

那麼這個副題的「我」是豁出去的我之同時，也是要超越自己的我，以這個意思在思考我，但不是意味低層次的我。今年〔1981〕4月我就將滿50歲。今天早上突然想到今天該講什麼，整理出來的就是這份筆記要點。我出生於台灣，與其逃避受過日本殖民地統治的殖民地體驗，在此背景之下，不如面對史實才是重要。經過種種原由，我在昭和30年秋天落腳在東京二哥的家。我本來預定留學美國。因為戰前我的大哥、二哥在日本的大學讀書，而二哥受徵召以「學徒出陣」復員到了日本，戰後不回台灣也不寫信。家父擔心，特地要我順道視探究竟。我與二哥差十歲，他很疼我。二哥說：「急什麼？先進日本的大學，再去美國也不遲呀！」。今天在坐的各位99％是日本人，雖然有些不好意思說真話，但說實在地，我當時非常恨日本人，很討厭日本人，所以完全沒有要進日本大學的意願。二哥生氣地對我說：「你在講什麼？我遭受的苦比你還多，我被編入曉部隊〔譯註：在四國有海盜部隊之惡名〕，在內務班挨揍，考取幹部候補生，但是被威脅不改成日本式姓名就不給任官……吃了種種苦頭。為什麼你不能超越自己，枉費你還學了社會科學！」因而挨了罵。現在想想他真是個很好的哥哥，遺憾的是他在東京奧運（1964年）的前一年過世。

如果要在日本念研究所的話，其實我想去京都大學，因為我有個表哥畢業於三高〔譯註：第三高等學校設於京都〕，後來進了京都大學。我想他本來可進東大，但受河上肇老師的《貧乏物語》所吸引而去京都大學。我因讀表哥的藏書，而在台灣念高中的時候就舉辦讀書會，選了《善的研究》〔《善の研究》〕（西田幾多郎），《哲學筆記》〔《哲学ノート》〕（三木清）等拚命讀，讀那些完全不懂的東西。因為有這個體驗我想去京都大學，二哥說京都也好，且先考東大看看。所以我就去考東大研究所。偶然地有位名叫東畑精一的大人物，不知為何非常喜歡我，我便成為第一位擁有正式東大農經系學籍的研究所留學生而被錄取。因此我便以留學生身分做了種種體驗。今天我想因為沒有那麼多時間，所以有關日本人對外國人的看法，或對韓國人、中國人的看法，或對韓國人與中國人之間如何給予差別等種種體驗，講起來可以講幾個鐘頭，因時間關係就不談了。

因為東畑精一老師的關係，我進入亞洲經濟研究所。拿到東大博士學位時，有美國的大學要聘請我。正好東畑精一老師要從東大退休，去當亞洲經濟研究所所長。東畑老師說：「戴君，我想擘建一個世界性的研究所，日本人太小氣，很不輕易採用外國人，我想用你做為突破口。」這番話我很少對人說，因為有點刺耳，讓人覺得裝模作樣，所以不太願意說。這個研究所不是文部省的管轄，而是通產省。或許是通產省比較好，文部省的話腦筋或許更硬。然而過程也花了兩年的時間，那是特殊法人，我沒有改變國籍，當時如改變國籍也有國立大學的位子，但東畑老師說：「戴君，真不好意思，希望你能作陪。」那時候我所提出的條件是，「老師，我要以日文寫東西，以日文議論，然而我不期望被優遇，但也不願受歧視。」我說如果受歧視，我在美國大學已經有了決定的工作，我要去那邊。東畑老師生氣說：「戴君，跟你有這麼久的交往，難道你不能相信我嗎？」我說：「不！不是不相信老師，而是懷疑日本的社會，懷疑日本社會是否真能容納我。」「唉呀，戴君，會好轉的！」而即使是那東畑大師，要讓我成為正式的職員，也花了兩年去說服通產省。第一年我每月僅領1萬日圓，第二年每月僅領2萬日圓的薪水。這期間我拚命寫了兩本書。貧窮能激勵人寫書的。第三年終於被迎為正式的職員〔譯註：因此十年後（1976年）轉職立教大學時，在亞研的年資少了兩年、退休金吃了大虧〕。在這個過程中，我於1969年被派遣去東南亞做調查研究，這是後話。

我在這個研究所的體驗，就是現在研究所也陸續以客座研究員接納短期間的外國人研究者，在我移籍立教大學後正式職員的外國人應該是沒有了。這是東畑老師感到很不風光不自在的事實。現在每年的預算大概有20到30億圓吧，擁有100到110人的研究員以及若干圖書館相關職員。最近已不那麼踴躍，但當時，特別是文化大革命時期，因為日本比較有資料，研究者從全世界湧向亞洲經濟研究所。但外國人只有我，所以我就像熊貓，一有外國人來訪，就叫我出去亮相一下，總之就是要顯示一下有這樣的外國人研究者的存在，在外國的研究所、國際性的研究所中，沒有外國人的研究所好像在世界上幾乎找不到吧。所以我受到如熊貓的待遇，而且是隻相貌兇惡的熊貓。然後立教大學要我去任職，同時也有幾間大學來交涉，我就徵求東畑老師的意見，老師說：「立教是個好大學，尤其是沒有夜間部、規模不大，很適合你。」因此我現在受立教大學的照顧。

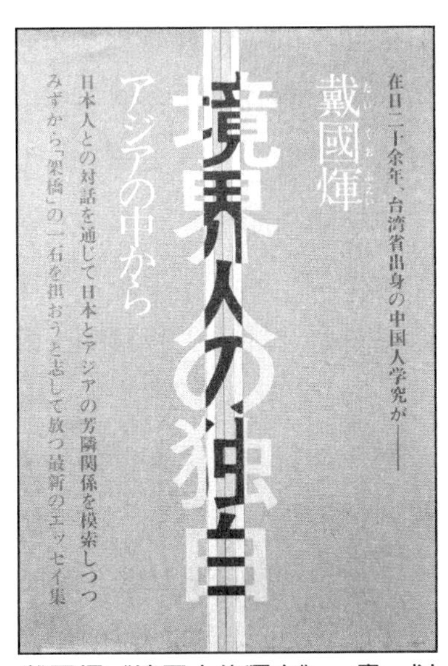

戴國煇《境界人的獨白》一書，以身為「地球村」一員的視野，思考日本、中國乃至於亞洲內部的民族、政治、文化等相關議題

再談談做為境界人的「我」。在此間，我一回想已是第26個年頭了。在此我寫了《境界人的獨白》。這不是社會學所謂的邊際人（marginal man）的意思，而是以漢字的字感，即從字的感覺來體會境界人。在日本的第26年，比我在家鄉的時間還長，如果把殖民地時代，所謂公學校學日文，受其教育到初中二年級，直至日本的戰敗為止，如依美國國籍法來說，我就是所謂的日本人，大致在國籍上可以這樣說。但是從日本的國籍法來說，我還是中國國籍，可是對事物的想法卻有雙方的思考，有時候做夢、跟人吵架，會用日文摻雜中文，罵小孩時也會中文、日文混和著脫口而出，弄得小孩不知所措的情況。在這種經驗之中，我當然不能代表亞洲人，我要顧左盼右，看著雙方。

我正在日本社會中生活，也打算繼續在此生活下去的緣故，因此不是以狹窄的中國人意識要去做什麼，而是以所謂地球村的一員去承擔什麼樣的角色，去為日本人、中國與日本、日本與亞洲的關係中做些什麼，我是盡心在這些思慮中生活著。因此應該是取日本國籍比較方便，旅行、銀行的貸款（最近好些了）、小孩的將來，例如外國留學的時候，以現在的狀況，明顯地小孩會吃虧，很可憐。可是如果我改變國籍就變成one of them便埋沒在「他們」裡頭。那我的生存所為何來？有這種感覺。但並不是說討厭日本，或日本國籍怎樣。當然日本的法務省已相當先進了，從這次的《入國管理法》的修正來看，比起昭和30年代所受的印象來講，我們的感覺是日本竟然也可改變到這個地步。說明白點，早年的《入國管理法》的目的是為維持治安，見到外國人就當作是提防小偷般來看待。現在可說終於放寬了防線，日本已大大地向海外發展，以不可阻擋之趨勢依存於外國，而維持今日日本的高所得，在這樣的情況中，才有這次的入管法的改正，我還未詳細地做探討研究，但至少不像往昔，多少在把外國人放在人的地位來對待的情況下，而來改正這次的入管法，這是從新聞報導等種種消息獲知的，但是我想更深入去探討研究。如果不這樣，日本今後將不能走得很順利。

2

我雖不能代表亞洲，但至少我去了東南亞兩次。一次是前面提過受亞洲經濟研究所派遣，從1969年秋至1970年1月上旬一共50天。這次的感受非常恐怖而劇烈。這是很有名的事件，批判日本軍國主義復活的大抗議運動正展開著。那時候華盛頓D. C. 季辛吉以匿名批判日本軍國主義的復活，周恩來也做了批評，東南亞一帶非常劇烈。在日本我從來不會被誤認為日本人，因我的相貌有些兇惡。然而去東南亞或者回台灣也是，會被錯認為日本人。那時候是我出國留學14年第一次回台灣，搭計程車時司機若確認你是日本人，就會馬上將你載到很奇怪的地方，是為了要賺錢吧。總之走在東南亞，一直被誤認為日本人。因此我去理髮、拿掉領帶、脫去西裝，做了種種嘗試。我想這就是後天性的生活環境中，人的色彩審美感等種種層面融入某社會而無意識之間產生的。我沒有說被錯認為日本人是不好的。只是要把我們生活在外國的時候會發生的問題在此拿出來稍微談一下。

前年八月，在相隔十年後，我又去新加坡一個禮拜。這次讓我很吃驚。1969年在新加坡以非常劇烈的方式批判日本軍國主義，對自衛隊的訪問也引起非常強烈的拒絕反應。但這次去，怎麼連總統李光耀都在國慶節——新加坡的建國紀念日的電視轉播呼籲應向日本學習的大轉變。

在此變化之中，我與學者、傳播界的人，《朝日新聞》東南亞總局的人——因我也多少與大眾傳媒的工作有關係——一起吃飯，在這中間，所謂的與有識之士們的對話之中表現出的日本人觀，或現在的日本會走什麼樣的路等作討論，與出現在大眾傳媒或體制負責人之間所說的還是有乖離。我最擔心的就是這個乖離沒有被意識到，在被潮流擁著走之時會出現什麼。因為被政治的或一時的、一時性的傳媒操作是很恐怖的。我們有這種切身體驗。例如中國與越南的關係那麼契合，為了並肩打倒美國帝國主義而緊緊握手，在文獻中也說二千年來感情很好的中國與越南的關係，一吵起架來便說「中國一直在侵略越南」的情形也有。因此我們做為民眾是非常困擾的。所以在此我也要拘泥於「我」。我與體制、自己與國家的關係，在哪裡要切斷，不然就會被捲進而不可自拔。實際上政權與國家以微妙的型態勾結來限制我們個人——做為庶民個人的生活方式——並以非常強硬的國家意志壓制我們，所以很為難。

在這裡我有許多問題，但只先指出兩個問題。例如第一，日俄戰爭時日本打贏了，亞洲的人們非常高興，原因是黃色的兄弟戰勝白人。而日本人的感受是，終於抬頭挺胸打贏日俄戰爭，亞洲的人們也在稱讚，所以很得意。好像那時船經過蘇伊士運河時，埃及人看到日本人也給予大聲的歡呼，說著：「打勝了、打勝了！」而這其實是關聯到鼓舞殖民地解放運動。這是事實。然而只要稍微探討歷史，日俄戰爭是在哪裡打？是在中國領土內，死傷最多的是中國百姓。俄羅斯士兵和由乃木〔希典〕將軍領導的日本兵打仗的地方是所謂的滿洲。所爭的是什麼？這是亞洲的問題。這點其實日本的歷史家也沒有搞清楚。連非常進步的歷史家也說日俄戰爭讓亞洲民眾感到歡喜。其實這歡喜之中的心理結構，我們才有應該將之挖出來整理的必要。連歷史家也搭了這個時勢的便車，非常複雜。這個請各位能理解，但是實際上很難獲得理解。

接著第二個問題是大東亞戰爭，即所謂太平洋戰爭的問題。這是很有名的事情。某原戰犯，後來當了首相的人在那裡發言：「說到侵略亞洲，今天亞洲能獨立還不是因為我們去了的緣故。」如果我的記憶沒錯的話，此發言的連鎖中，前印尼總統蘇卡諾（Bung Sukarno）大發雷霆地說：「在胡說八道什麼？」，辨別其中的道理，日本人的社會，日本人的明智者們其實已發覺了。的確歷史是有那悲劇的一面，是很劇烈的。中國有句成語後來也變成日語，就是「人間萬事塞翁馬」。我們的日常生活裡也有。的確，日本不侵略東南亞、不進攻東南亞，其實英國帝國主義、荷蘭帝國主義應該不會撤退。因此，殖民地解放鬥爭其實是捅開那脆弱的部分，站立起來幹是沒錯的。然而那不能成為日本人所說「托我們侵略之福，亞洲才獨立」的道理。

圍繞戰爭的結構該如何重組成有說服力的邏輯，讓日本一般民眾能理解，這個作業還沒做好，這是我的看法。從而對於東南亞的有識之士而言，現在的體制，或者說不只那體制，看看現在的北京，連那麼強烈地展開反對日本軍國主義復活運動的中國共產黨當局，也充斥著什麼都向日本學習的氣氛。所以我擔心，是否那個地方有陷阱，這不是有意圖的，並不是說中國要陷害日本民族所以在誆騙的意思，而是日本人太率直天真地接受對方的邏輯，因而耽誤了日本自己處身之計。我心懷一種危懼感。因為我熟悉兩方，也就是所謂那剎那間的政治活動，特別是政治的，強權政治在國際關係的出現方式是令誰都不能想像。如咒罵CIA的中國，現在說不定會提供給美國蘇聯核武實驗的探知站，這件事成了新聞消息，就是說有發生那種局勢的可能。然而這就是政治。但是我們有良心的庶民生活方式就像有什麼不能釋懷似的，在自己短暫的生涯中，在想盡所能的生活過程中，如何在這種國際關係，或日本與亞洲的關係之中生存，此事其實應經常追問的。被擺弄得團團轉，等到發覺的時候，說不定又回到原來的路。

3

在我的看法，日本有史以來，這樣不被世界各國批評而受歡迎的時期，恐怕就只是現在吧，護照也是，除了北韓不行以外其他地方都認可，不過那只是因為有南韓的關係。與世界其他所有的國家都有邦交很要好，講壞話的非常少，這種狀況是日本歷史上第一次吧，希望這狀況是真的，能長久持續下去是最棒的，不知以後會怎樣。這個狀況下所要談的是什麼？我覺得日本人要認識亞洲的問題，最會引起混亂的是只有日本未經驗被殖民統治的體驗此事，因此很難站在被統治者的一方思考事物。我們在道德上、在腦筋裡知道必須做為一個有道德的人。然而，殖民地統治是如何地破壞人性，給人以何等的屈辱感，日本幾乎所有的人都不知道。在語言上可以說，在觀念上好像也能理解，但實際上卻無法切身感覺得到。這就是日本人在亞洲認識上經常不順利的原因之一。我知道這很難理解，那是不得已的事情。但是今後如何去認識、如何去填平、用什麼方式去補救，卻是日本人的友人們今後必須努力的一個事業。我在此不願以道學者姿態指指點點講太多，可是日語說，「好事魔多し」〔譯註：指福禍相倚〕，這有種種解釋，也有辭典上的解釋，而我的解釋是，萬事順利進行時，後面隱藏著陷阱，我這樣警惕著。例如過於依存石油的產業結構，非常強韌同時也非常脆弱。所以發生石油危機時，日本的通產省很順利地渡過了，反過來說，把能源資源如此地依存在石油的一個結果，日本社會抱有非常大的弱點。非常明確的是紐約大停電的例子，那麼大的近代都市一下子麻痺了，還有那高層建築的火災。

我們在此，特別是我個人想理解的是，是否有十分辯證法性質的對事物想法包含在這成語的感覺。例如更古老的老子所言，去年文學部的新生訓練時，濱田學部長指名要我講話，我喜歡將老子的話拿出來講。現在我還想把這話再講一次，「禍兮福之所倚，福兮禍之所伏，孰知其極。」（《老子・五十八章》）。如何理解老子這個思想家另當別論，看看現在我們所處的狀況，特別是日本的狀況，必須對年輕的諸君在課餘講給他們聽，就這樣一直下去是否有點太愜意了，是否過於順利呢？我絕對沒有唱衰日本的意思。羅馬的確不是一日可成，但羅馬的崩潰也是事實。唐代燦爛的文化、京城長安（當時的生產力支撐人口百萬的國際都市），如今那個京城長安又如何？那麼老子的話我覺得絕不陳腐，可以充分給予現代化的解釋。做為個人的生活態度，其實我經常在咀嚼這詞句來約束我自己。對於民族應有的狀態我覺得也是同樣的。

接著日本、中國的名言之後，我很想再引用羅曼・羅蘭（Romain Rolland）瀟灑的詞句：「勝利與敗北同是道德上的危機。」這也是我非常喜歡的詞句。日語有「打勝仗更要繫緊頭盔」，這是武士的發言，但羅曼・羅蘭是做為思想家、文學家的發言，我們應該充分仔細領會它。

從以上三個詞句來想，現在的日本簡直是幸運的狀況，如何令之紮下根，讓此幸運能持續，這幸運的狀況與第三世界、亞洲的關係會變成怎樣，包含這些，我們要充分且經常地重問，日本與亞洲或第三世界或與其他的國家，如何迎接21世紀，或如何共同度過21世紀，我想日本人應該好好考慮。從亞洲看，其實很複雜。日本人跟我們同膚色，卻過得那麼得意。這有嫉妒，也有比不過的自卑感。還有是「日本什麼東西，當時侵略過我們」等感情。或者說「看著吧，不久日本會跌跤」等在嫉妒與古怪的眼神在觀望的人。其中以最尖銳的口氣質詢的是，日本是擁有歐洲人的心、亞洲人的臉孔的偽亞洲人的想法。其實這當然是日本的近代化問題，那可以想做是結構性問題的問題。

實際上日本人是依自己的情況與方便進入亞洲，但現實的問題是現在與亞洲的貿易額，今年是一百六十億美元左右，大致超過美國加上加拿大吧。所以日本如果要以貿易國衡量與亞洲的關係，在經濟面逐漸占非常重要的分量。所以我想這就是亞洲研究必須思考的問題。前面我提過，亞洲經濟研究所其創立的宗旨，總之是日本貿易的振興。當時日本的財經界、政界之中是存在智慧者，他們已經看透美國市場終究會走到盡頭，不管如何，中國和亞洲，這廣漠棘手的地域就是將來的市場，趁現在做好研究，因此創設亞洲經濟研究所，歸通產省管轄。現在想想，感覺已不是更加擴展貿易的問題，而是如何互惠，或如何一邊幫助亞洲提升其力量而一邊和日本做貿易，或如何維持日本現在國民所得的水平。

然而我在亞洲經濟研究所十年所感到的是，初期的研究大概是把橫文字〔譯註：英文〕改為直文字的〔譯註：日文〕情形多。慢慢地研究者也開始學習亞洲當地的語言。但實際還是被歐洲人或美國人的研究牽著走，把橫文字改成直文字而已。而且是受通產省管轄，怎麼也偏於貿易關係、經濟關係。對此我相當抗拒。想想歐洲的亞洲研究的文化遺產，我們可以整理出來，一種是傳教士，總之是為傳教運動為目的的研究。布教是要對當地的民眾講話，我是與宗教無關的存在，或許有錯誤的想法，等會兒請教牧師先生。總之為了布教運動，必須對民眾談話，所以歐洲的神父、牧師們的研究，還有日本人的研究也是，是比較腳踏實地的研究。然而可惜的是，那種研究在布教運動的某時期也有為侵略的目的當轎伕或馬前卒的部分。人類的歷史不全是完璧、美妙的東西。所以如何將之挑選區分，把它手段化就行了，也不必那麼苦惱。所以教會相關人士的出色研究，要給其適當的定位，不太好的研究就將之做批評的手段化就好。

還有一種對外國的學習方法是，例如日本向歐洲的學習是為了趕上超越為目的的學習；另一種是以統治為目的的學習，例如未開化社會，文化人類學或社會人類學的過去的類別就是那種型態。最近，文化人類學者的自我批判，有種種著作的出版是非常可喜的事。總而言之，為了統治而研究對方。其實日本的亞洲研究在此意義上終於漸漸進入新的階段。總之沒有統治的必要了，日本一直守住憲法第九條，便可守住和平。那麼繼續以貿易立國，經濟關係是當然，不是為了統治、榨取當目的的研究，而是研究更好的善鄰友好關係，加深相互理解的研究。因此就可以減少摩擦，在文化面、經濟面是不可能不發生摩擦，但可以研究如何減少摩擦，加深相互理解。然而有趣的是對這種研究很不容易給錢，真可惜。在這意義上，以立教大學的教堂為中心，組織學生們到菲律賓去〔譯註：與菲律賓山地少數民族做交流〕是很了不起的事。那就是我所指的互相接觸。

我在給學生上課、或在演講時，常對年輕人說，對亞洲的理解，去旅行是最重要的，學習他們的語言，或吃吃他們的食物，從這種地方開始。而在這之前，我們其實以近代主義的看法，在看亞洲的政治、經濟與宗教，或那裡的生活方式，我把那樣的人叫做近代主義的囚徒而做整理。但至少我們不是近代主義的囚徒，我們更自由、更靈活，真正兩腳踏在日本的大地、亞洲的大地，確實腳踏實地，並做自由的思考。也不必因亞洲太窮，而要與亞洲一同殉死，不必說亞洲很窮很可憐。我們可以回想起日本的江戶時代或更回溯上去，日本也有過八成人沒飯吃的歷史。日本人可以真正吃到白飯是昭和30年以降的事。

我在東大農學部念書時，參加過農林省所委託的調查，做過農村調查，已經實地去看過了。當然不是日本的都市地區，農林省的委託調查的是窮困的地方。當時我受了打擊。要之在東京銀座看到的日本，與貧困的農村看到的日本，都可能比亞洲富裕。

但是該怎樣去理解？比如日本東北的農村，廁所沒有衛生紙。對此我不認為日本人不行，不是那種想法。我想起昔日在台灣鄉下，以竹片、麻梗擦屁股的往事，感到人類的生活智慧在某地方是連結在一起而茅塞頓開。接著與印度的留學生有交往，東京駒込有個亞洲文化會館，那裡的廁所一定放一大瓶水，起初我不知道為什麼。我不曾住過這會館，但與理事長的穗積五一先生有深交，一有事我就會去為他們排解問題或申訴我的困難。後來才知道那瓶水是印度留學生在上完廁所之後用來清潔手用的。我也曾經為此議論過，衛生紙與水，到底哪方比較衛生？我在中途發覺，我們無限制地浪費這麼奢侈的衛生紙，是否對呢？所以各個民族各有其風俗習慣，有各種形式的飲食生活，但之間並沒有價值的高低順位。文化就只是那樣的東西。如果是近代主義的囚徒，什麼都要以歐美為基準，再加上自己的基準，以日本現在的基準去思考問題，那麼可以看到的事情就看不到了。

總之我認為對亞洲不必要有特別的愛憐，只要以對人類的愛，把亞洲的人看做可愛的鄰人，我基本上是這樣想。對特定的人表示愛，特別是當義工者或在做種種事情的人是無關的部分，但在這中間如何理解他們的生活方式，不要性急地以自己的價值尺碼來做決定才是。比如我們在東京的生活真是緊張，日程表滿滿的，然而另一方卻顯得悠閒。各地有不同的生活節奏，對此不充分做理解，就說他們很懶，總是睡午覺，其實並不是這樣，是有他們生理上的要求，並不是說他們的生活節奏絕對正確，而是說他們的日常生活中有他們的生理時鐘，我們有我們的生活時鐘。我們在某種意義上是資本主義的奴隸，被時間追趕著在行動。從他們的立場來說就是這樣。「啊！戴先生真辛苦，不是稿子的截稿期限，就是大學講課，又要去演講，不能跟你暢懷地談，你幹什麼當教授，不能悠閒些嗎？」我被這樣消遣了好幾次。說也奇怪，在東京要被追趕才會工作。如果有過寫稿經驗的人就會知道，如果沒有稿子的截稿期限是寫不出來的，這真是悲哀。

今天到場的立教大學相關人員之中，有人將要赴菲律賓，從那接觸之中，可以自我們現在面對的混亂與非常無氣力的這個管理社會，逃脫到菲律賓夏令營並拾回自己的感覺，是很棒的事。在此意義上，我希望你們自覺地把所經驗的亞洲嵌入自己內部一邊實踐，實踐並不是說做反對體制的事，實際和亞洲發生的關係，一起吃飯也好，一起流汗、一起運動也行，用蹩腳的語言溝通也可以，在此中，用身體去記憶、認識亞洲，最後還是回歸來認識日本。

我這樣一邊講一邊在腦裡所想的是，我那貧窮的祖國，那可憐的10億人〔譯註：1981年當時的人口〕，恐怕能吃到好飯的是否只有2,000萬人？9億8,000萬人經過32年的社會主義的實驗還處於貧窮中，我感覺心疼。因此，我為保持健康還是打打高爾夫球比較好，但為此花錢好像會遭報應，心裡常受良心的苛責。

4

在此，我想進入結語的部分。年輕人特別會感到道德上的義憤，那是年輕人好的一面。但是在現實的嚴峻生活環境中，道德義憤解決不了事。那麼袖手旁觀什麼都不做也不會生出什麼結果。學生諸君到四年級的暑假，還不知畢業論文要怎麼寫，其實寫的先決條件與那相同，把關心放在哪裡都行，但至少要活得像人，這與亞洲的關係一樣，我覺得不必倒向一邊。所以我在第四節的標題寫「基於批判性理智，築構人類主義的日本亞洲關係為目標」，這非常裝腔作勢的寫法，實際上是常在我內部的問題。所以一般的日本人，或許有對我的存在感到不愉快的人們；或許以為我是在挖日本人舊瘡疤而作樂的討厭傢伙。最近似乎逐漸變好，我的書也托福賣得不錯。總之，也有對我感到不愉快的人吧，但是，我是真正從我心底、肚裡發言，如果要拍馬屁講奉承話很簡單。但我是大學人，我剛才講的體驗是包含維持自己而每天盡最大努力在生活、生存著的經歷，從此態度，我基於理智批判日本、批判自己，在尋找與亞洲的關係或中日關係而努力，實際是極為人性的人類主義的，思考是否能築構那種關係。這個實在很難也很瀟灑，但不容易。但如果連這麼一點理想都拋棄，我想明天我就從六號館的六樓〔譯註：戴國煇在立教大學辦公室所在地〕跳下去吧！但是幸虧有牧師先生在，我想我就不至於要自殺。今天感謝賜給我這個機會，令我有重新檢討自己的機會，感謝各位！

本文原刊於《1981年度・Human Relation's Camp in the Philippines報告》，東京：立教大学チャプレン室，1982年8月16日，頁76～84

輯二

日本文化與社會

於菲律賓所見所思

◎ 李毓昭譯

今年夏天，當日本教科書引發的批判聲沸沸揚揚時，我經由台灣桃園機場，飛越巴士海峽，首次造訪菲律賓。目的地是以山岳州的薩加達（Sagada）為中心的小山村。薩加達位於北部呂宋的深山，距離馬尼拉足足有450公里（搭出租巴士約需14小時的路程）。

呂宋島深受羅馬天主教的影響，是受西班牙殖民統治長達三百多年的結果。美國由於在19世紀末贏得美西戰爭，得以繼西班牙之後統治菲律賓。美國聖公會也就以此契機進入菲律賓。他們鑽羅馬天主教地盤間隙，選擇的傳教地點就是薩加達。

薩加達海拔1,700公尺，讓人充分享受與輕井澤無異的涼夏。雖然適合做為盛暑地馬尼拉的避暑地，但交通極為不便，土地和氣候條件都不利於農業生產，因此每座村落都很貧窮。

在此貧窮村子薩加達的四周，有些不相稱的近代建築群，例如教堂、修道院、孤兒院、附屬高校（課程相當於日本的國中加高一的四年制）。村民主要是稱為「伊果洛特（Igorot）」的少數民族。每逢星期六的早市，都會有只穿丁字褲、叼著手工煙斗的老人出現，村路上也經常可以撞見上半身赤裸的老婦人。

這裡可以說是美國的「近代」和伊果洛特的「土著」和諧共存的村落。或許是歐美嬉皮將此地介紹為「世外桃源」之故吧，我們經常遇見嬉皮裝扮的白人青年男女。但這裡沒有觀光地特有的喧囂。

據說村裡的青壯年多半離家到碧瑤、馬尼拉、美國工作，甚至去中東靠石油賺錢。小孩數量之多尤其醒目，「窮人孩子多」是菲律賓普遍的現象，但聽說薩加達這裡的小孩中，有半數約500名，是孤兒院在照顧的「棄兒」，令人心痛。

我任教的立教大學與當地教會同屬於美國聖公會組織的機緣，從1979年開始，每年夏天都來薩加達舉辦夏令營。這個夏令營的名稱是Human Relation's Camp in the Philippines，也就是一種學生版的「民際交流」。這次，我以一行45人（男女各半）的顧問身分同行。

學生有半數分散在七個村子，住在教堂和學校相關人士家裡，偶爾也有人住進農家。其餘的人就組成支援小組，巡迴各個收容駐村體驗者的村子，與當地成員會合後，進行更大規模的交流。

我們活用所有開放給我們的教室和學校，學生們與村裡的小孩玩遊戲，介紹日本歌和盂蘭盆舞。支援小組則負責運送器材、播放電影。因此大受沒有電與電視的村民鼓掌歡迎。有時候還幫忙農事，與村民共飲當地的米酒tapuy。

日常生活中廁所設在豬舍，沒有電氣、瓦斯和澡盆。飲食是以當地取得的米、豆類、甘薯和瓜類為主。水果和蔬菜幾乎都是在庭院裡採收的。學生們習慣了超市和速食品，這種以自我設限不超過當地生活水準的自炊生活，應該算是種「異域」的挑戰吧。

所有費用（每人約十二萬日圓）皆由自己負擔，與學業成績完全無關。看到學生歡喜地挑戰這種行程緊湊的「亞洲體驗」，我不時覺得當今的學生還是很值得期待的。

在年輕人明顯崇拜歐美，對亞洲和第三世界漠不關心，也對古典文學退避三舍的現況下，體驗過夏令營的人都會在回校之後開始涉獵相關書籍，甚至忙著申請留學，讓我備感欣慰。

參加夏令營時，我們所揭舉的目標是親身接觸與感知菲律賓的人民、社會、風土和日菲關係史，以便對自己和日本有更多的發現和了解。

神風特攻隊全體戰歿者碑

體驗兩星期的山村生活，雖然物資貧乏，但每天內心都覺得充實。學生們或許是從富裕但閉塞的東京「逃」出來的，在村落裡重新發現「人」而興奮不已，幾個女學生還因村民的溫馨感動落淚。另有幾個學生在山中生活的對比下，批判日本文明，熱烈討論並真摯思索生活的原點應該放在哪邊。

「民際交流」說來容易，做起來困難。尤其困難的是要找到適當的對象。從這方面來說，我們是幸運的一群。

與村民逐漸建立信任感的某一天，村裡有日裔家族向我們透露身分。他們以前因為顧忌到四周的仇日情結，而一直隱匿「出身」。其中具代表性的就是被暱稱為「山下將軍」，在村裡享有名望的米利西歐・山下一家。

山下先生的父親是出生福岡縣的山下德太郎，16歲時來到菲律賓，在班蓋特道路*（從馬尼拉到碧瑤）建設工事（1903年10月至1905年1月）當苦力。完成後又參與薩加達教堂的興建，與伊果洛特族女性結婚後定居當地。米利西歐就是德太郎的長男。

村中的耆老至今仍對德太郎念念不忘，說他是將裁石技術傳給伊果洛特族的名石匠。耆老還表示：「一切都是戰爭的錯。因為日軍登陸，本來和村民和睦相處的日裔家族受到牽連，才會遭到白眼，被當成敵國的一分子。」

山下家族（第一代已在1938年過世）確實在大戰期間，夾在日菲美三國之間，吃了很多苦頭。米利西歐的弟弟（三子）因為被懷疑是日軍間諜而遭游擊隊殺害，米利西歐也被抓進看守所。他說他曾在戰後於同一間看守所中看到山下奉文將軍的背影。

隨著山下奉文的「惡名」在菲律賓被論定，姓氏相同的山下一族受到的屈辱也更深一層。直至現今，菲律賓當局依舊不肯發給山下先生前往日本的護照。

我在薩加達聽過兩次山下先生演講。只會說伊果洛特語和英語的米利西歐用英語侃侃而談。他在村子的領導階層和我們一行人面前，一邊克制著淚水，一邊講述自己的出身。他以出身為豪，而且大方地表示，他極為珍惜只有一半的日本人「血緣」。沒有來過日本的他熱情演說的模樣和內容委實賺人眼淚，實在是太精采了，讓我不禁點著頭心想，原來「血緣」的騷動就是這麼

* Benguet道路，即一般所稱的Kennon road。

一回事。

從薩加達經過碧瑤回馬尼拉時，在碧瑤關照我們的就是山下先生的女婿A先生。A先生是伊果洛特族出身的青年實業家，也是虔誠的天主教徒。

我們在碧瑤過夜，隔天早上出發前往馬尼拉時，A先生在途中要司機在馬巴拉卡特的紀念碑所在地停車，然後對我和同行的大鄉博牧師說，請仔細閱讀紀念碑文。

紀念碑孤零零地建在甘蔗生長茂盛的高速公路旁，前面有水牛在遊蕩、吃草。

壁碑上以橫排大字刻著「第二次世界大戰時，日本神風特別攻擊隊最初起飛的機場」，下面還有用英、日文寫的碑文。日文碑文的標題是「神風特攻隊全體戰歿者碑」，第一段寫著：「此地為第二次世界大戰當時，第一次起飛之神風基地馬巴拉卡特東機場。神風特攻隊是於昭和19年10月20日，由大西海軍中將在馬巴拉卡特組成。」接著列出各支特攻隊的「戰果」，然後以下文結束：

神風特攻是世界史上前所未有的壯舉，又依據歷史，披露其背後理念乃是基於所有國家相互尊重與機會均等的原則，企盼不僅是共存共榮也能建立世界秩序與和平，並爲了實現此理想而光榮犧牲。

菲律賓　神風紀念協會　會長

調查編輯 Daniel H. Dizon

昭和55年10月25日 安赫勒斯市　四一七六

一名學生老老實實地看了這段認為由菲律賓歷史學家寫的「美麗而奇怪的文章」，在報告中寫出感想：「我們看到時，都憤慨地驚叫。日本未充分反省大東亞戰爭的敗戰意義即步上重生之路，近年來的政治趨勢使得菲律賓的政治與經濟都陷於進退兩難，連侵略戰爭的悲慘記憶都能篡改到這種地步。」

擔任領隊的大鄉牧師歎息道：「日本人真是丟臉。教科書問題的根源很深。」

回國後，在一場小型聚會上，一位中年日本人看了照片上的碑文，氣憤地說：「這下子日本人的評價又更低了。從語法用詞看來，這明顯是在造假。而借用菲律賓人之手做到這種地步，實在是太可怕了。」

我在當地看了碑文，拍下紀念碑的照片時，心裡想著為什麼日本人要這樣南下到「外地」建造紀念碑？這該不會是本著日本人特有的審美觀和生死觀，所採取的鎮魂形式吧？

姑且不提這些，根據我的調查，上述碑文出現之前，紀念碑上只有1974年5月9日所題的英文碑文。其標題是Kamikaze First Airfield——Historical Marker，全無碑文中與戰果、壯舉、理念等，帶有價值判斷形式的記載。據說這碑文在該紀念碑建立時就有了。我們這次看到的碑文日期是1980年10月25日，不僅加上日文碑文，英文標題也改成了Kamikaze First Airfield Memorial（底線為筆者所加）。Historical Marker的意思只是歷史記號或標誌，而Memorial意指紀念碑，所以從英文碑文的標題來看，不得不說是重大的改變。又新的英文碑文內容與上述日文碑文幾乎相同。

石碑原本是在1974年5月建立的，那是在馬可仕（Ferdinand Marcos）總統的戒嚴令下，田中角榮首相訪問菲律賓（1974年1月7日），以及長年凍結的《日菲友好通商航海條約》生效（同年1月27日）後不久。

然後在六年後，出現了增改刻上的碑文。那無疑反映出，日菲關係在該時期急速轉為「親密」的情況。

通情達理的亞洲人同樣會為死於特攻隊的青年悲劇難過。而就算有千倍人數的犧牲者，也看得出來，神風特攻隊無法挽回局勢。就這方面來說，被迫犧牲之舉很難說是「壯舉」，他們赴死的背後也不可能有「基於所有國家相互尊重與機會均等的原則，企盼共存共榮建立世界秩序與和平」這種理念。

在我看來，只要受害的亞洲與迫害的日本之間，這種意識的鴻溝繼續存在，就難以建立真正的友好關係。

「話說回來，當地人為什麼會容許建立這種紀念碑呢？」某次聚會上，有人這麼問道。身為非日本裔的亞洲人，我不得不回答，被侵略方的「幫間〔譯註：掮客〕」也有責任。

本文原刊於《図書》第400號，東京：岩波書店，1982年12月，頁24～28

從生活體驗看日本

——中、美、日的比較觀察

在進入正題以前，我先自我介紹一下。光復的時候，我是初中二年級，那段時期台灣很亂，後來，開始學ㄅㄆㄇㄈ是初三，在台灣唸了高中、大學，參加預訓班第三期，大概我用北京官話（所謂國語）生活的年數僅有八、九年。然後到了日本，日本一待就是28年，一直到現在，寫的書統統用的是日文，大概有十二本左右。這一次哈佛等大學邀請我來訪問，結果很多中國朋友跟我說：「你老戴怎麼搞的，老是為日本人服務，怎麼不用中文發表？」所以，很可能今年秋天以前出一本中文書也說不定，這要看我們台灣的言論尺度如何，我是希望，我的老學長李登輝先生，就要當副總統了，我想，寫封信給他，應該讓小弟出書才夠意思。（眾笑）

我本來是學農的，後來農業在日本慢慢的愈來愈不吃香，不能靠學農「騙呷」。（台灣閩南話，語意則為騙一碗飯吃的自嘲話）。不過因為我寫了農業史，我的博士論文是關於7世紀到17世紀的中國甘蔗糖業史，讓我稍稍為自己吹一下牛吧，這本書大概是世界第一本有系統地把中國的甘蔗糖業史整理成冊的。因此，我現在可以靠著這本書，在大學裡頭以史學系教授的頭銜混口飯吃。說實話，我能夠在史學系獲得教授席位，完全托這本書的福。因為我所學的，說好聽是廣，其實是五花八門頗雜，我的興趣相當廣，不但對歷史感興趣，對農業經濟、農業史、農村社會學也都有興趣，在日本還學了一點□□□□□，所以很亂、很亂。今天迺文兄要我報告一下日本近況，說是我們有需要多了解日本、日本民族以及日本人的日常生活。我非常高興，又甚感榮幸。因為來美國已有十一個多月，鄉親們都要我講一些有關台灣政治的敏感問題，我不搞政治，朋友們要我講的都是很敏感的問題，教我盛情難卻，但心裡始終懷有某一種抗拒感。但一直都沒有朋友來找我報告有關日本的問題，今天總算有了這個好機會。鄉弟不但衷心感激迺文兄，同時又得向來會的諸位學長們致謝。

剛才提到傅高義所著的《日本第一》（*Japan As Number One*），這本書我認為，從學問上來講的話，不怎麼樣；這本書在美國賣得不行，在日本卻賣了40萬部（眾笑）。為什麼在日本能夠賣到40萬本，這也可算是今天我們要研討的題目之一，等一下，我會加以補充說明，說出我對此本書的看法。

一、美國人的一天與日本商品

這次是我來美國的第三次，過去兩次都是走馬看花，本次可有整整一年來觀察美國。我第一次來是1976年，那個時候，並沒有發現到日本對美國，將在經濟方面產生如今那麼大的影響力。這次也許因為住久一點，還開車去黃石公園及遊經了好幾個州，發現到，真是可以這樣形容：早上鬧鐘是SEIKO（美國的中產階級聽了SEIKO的鬧鐘起牀），然後開電視開的是SONY視聽新聞報導，駕駛TOYOTA、NISAN、HONDA等上班及送孩子們上學。上班時用的小電算機是CASIO，電腦方面嘛也因為競爭很厲害，出了日本人產業間諜案；遊山玩水帶的照相機又是NIKON，還發現我過去的學生在洛杉磯開的壽司檯（SHUSHI BAR）真是賺錢，每天客滿！也就是說，晚上談生意時，還可以帶著客戶去吃生魚片。（我們中國人似乎一聽到吃生魚片就搖頭，但最近我發現我的幾個外省籍朋友，也跟我說，生魚片不錯！所以我看我們這些來美國的外省籍朋友，也慢慢被日本文化浸透了。）而且一看，他們喝的啤酒是麒麟牌，（但是我始終到處在找的都是「青島」）；這樣講起來的話，好像美國中產階級人士的生活，從早上到晚上，似乎都被日本商品控制住了。

二、爲何日本商品價廉物美

日本商品為什麼這幾年來，能向美國市場浸透得這麼厲害？這當然是因為價廉、物美，商品便宜而又好嘛，一般我們都知道，所謂國際交流、文化交流，攤開過去的歷史來看，真正的交流便是打仗。我們中國有一句話叫作「不打不相識」，由打仗所引起的交流是最基本的。不過由於打仗犧牲太大、流血過多，人口不喜歡。第二個交流管道或媒介就是商品。它的有無相通係很可觀的。我們透過商品的交流，可以了解另一個民族、社會或國家。剩下的就是互相參訪以及學術界的交流。其實更廣義來講的話，旅行也該算是一種文化交流。日本透過商品的交流，近年來對美國人的生活所給予的影響愈來愈大。

19世紀末以來，我們中國人對日本或日本人本來是又愛又怨的。具有頗大的抗拒感。九一八以降更是，日加上仇日的霧圍充滿於全中國。包括我家人，在日本已住了28年，始終都不想拿它的護照，到現在我還是拿著台灣護照，唉，出國旅遊非常不方便，什麼地方都去不了。很奇怪的是，仍然照拿台灣護照不誤。雖然我們對日本及日本人有上述的抗拒心理，但是它所生產的商品又便宜又好，實在沒有辦法，只好「認」了。就是說，假如是第三世界的窮國家的話，有時候需要提倡「愛國貨」，台灣過去也是喊著「愛國貨」，現在好像都沒聽說了。但是資本主義成熟的國家像美國，就很難這樣提倡，什麼「愛國貨」，老百姓眼裡看來，反正價廉物美只好買它的吧。

比方說車子，日本小型轎車就是省油，雖然開起來不夠派頭輕飄飄的，美國的大車子耗油碰到石油危機就沒辦法了。日本車子比美國車子又不易故障，教人佩服。還有音響器材方面，也是同樣的品質好；這些東西我在日本時曾經被邀，以「如何看待日式資本主義和經營管理」為題演講過。我並不認為日本的品質管理或經營管理方面有什麼特別進步的地方。記得我還在研究所念書的1950年代後半期，日本的產業界及學界才開始引進美國的QC（品管）的概念。很多經營學的有關書本都是從美國出版品翻譯過來的。本來，QC是從軍用機械和武器因保障軍人生命而發展出來的管理軍械的精緻性概念，二次大戰結束後，它的概念移轉到民生用品的生產線上而發展起來的。怎麼地，他們日本人好像突然超越了美國老師的呢？現在日本的品質管理和經營管理機制好像變成了「日式魔術」似的。尤其當今的大陸搞它的四個現代化，忙著派人來日本學日本的品質管理等。但是大陸來人所關注的主要在外貌，在硬體，鮮有人注意觀察到，日本人為何短短十年來便把美式的QC概念及經營管理那一套消化，甚至於有青出於藍的氣勢的真正理由。為何日本人能？以及為何那麼快？這個質疑我們可以當作我們研究的緊急課題。我認為最重要的還是生產「商品」的背後的社會經濟及文化的問題，我相信美國的尖端科學還是行的，大部分仍然是世界第一的當今大陸中共搞反「精神污染」時所提「異化論」的「異化」問題值得我們留意。這問題在成熟的資本主義機制下面可能產生的特殊狀態便是。所有的東西都被挨成「錢」來思維。學問也變成錢，對工作缺乏敬業精神，我相信美國社會現在正面臨這個大問題，尤其是越戰及1960年代黑人的解放運動以來，一直是這種情況。在這種情況下，東西不可能好；大家不願買美國東西就是因為這樣，老是故障、老是修理，修理起來又是一大堆錢，這日本商品就不會那樣，為什麼不會？這是值得討論的問題。

社會的安寧、秩序

譬如在東京，半夜12點，女孩子自己一個人在街上走，很少有可能遭受什麼騷擾，或引起犯罪的，那麼它安全的理由在哪裡？結論就是戰後日本的社會經濟，已經到達了一個中產階級非常雄厚的地步，也就是說，他們國民所得的再分配是非常平均的；大陸的社會主義經濟學家到日本來，聽到日本學者報告的時候，常常很訝異的問：「那麼日本不是已經到達了社會主義經濟了嗎？」日本現在有錢人不能維持三代，再怎麼有錢，遺產稅75%，統統給搬到國庫去。當年在東京大學當教授的，一定有房子住、一定有傭人、一定有錢坐人力車，現在一個五十歲左右的東大教授，要有一棟房子都很困難，而現在一個壽司檯的廚子，薪水是與東大教授差不多的，這是個很有意思的情況。在《日本第一》的日文譯本出來後不久，《朝日新聞》做了一次民意調查，結果有百分之七十幾的受訪者自認「中流」，也就是說具有「中流意識」，即他已經感到很滿足，認為自己屈於中產階級，這在社會學家眼中，是非常不可思議的特殊現象。這表示他們的社會是極為安定、有秩序的。

公司與個人（資本主義與個人主義）

日本的僱員，一向對公司極為忠誠，公司與職員的關係非常協調，除了制度化的管理外，員工對自己崗位上的工作具有極端的敬業精神，這是非常值得注意的一點。

像我在日本蓋房子時，就有一個非常有意思的經驗：因為洗澡間的地板很容易弄溼，我就想，最好在木板上漆一層透明防水漆，我跟木匠說了以後，結果那個木匠非常不客氣地罵了我一頓，我想我是老闆，請你來打工，你怎麼這種態度！原來這木板是白木做的，日本人認為白木有它天然的美，所以這木匠跟我說：「要漆你自己漆，我是不漆的。」意思就是他堅持他的職業精神。我想要是我們中國人的話，一定想「老闆這樣講就樣做吧，賺到錢就好了，跟老闆爭幹什麼！」他卻力爭到底，非常有意思。

我們台灣有些教授，教了二十幾年，每年都是一樣的筆記講義，所以人家就叫他「教書匠」，可見我們對「匠」這個字有負面的評價在，日文裡的「匠」，及德文裡的workmanship卻都有敬業的正面意義。

修身、齊家、治國、平天下

我們《四書》之一的《大學》裡頭，提出「修身、齊家、治國、平天下」，這本來是我們的東西，但我們始終只是唸只是喊。想想看，我們假如真正修身的話，能不能連得上齊家，也就是說把自己修養好了，好像家裡便能夠安定，那麼跟著「治國」，「國」也就是指現在這個「社會」，而「平天下」就是指現在這「大中國」，它是整個連起來的。日本自從明治政府成立以後，他們逐漸真正做到從「修身」連貫到「平天下」，所以日本共產黨雖然有組織，卻搞不起來，這也是原因之一吧。

另外我們很討厭日本的「聽話」，統統是「集團行動」，美國人看了很氣，我們則有的時候很羨慕，有的時候很討厭，怕這日本人怪里怪氣的，將來會不會再來一個「中國主義」？其實我們想一想，日本的個人對企業及國家，真的做到了從個人好好修身，齊家，社會安定，國家太平，大家都能很融洽地生活下去。明治維新以後，日本人在郵政局的存款達到極高的數字，而郵政局是國家的，國家就可以用這些存款來從事各種投資事業。但是我們呢？我們連銀行都不願意存款，因為我們的政府沒有讓我們對它有信心。

也就是說我們連修身都沒辦法做起，譬如父母常常會告誡我們；你應該小心喔，有人會騙你喔！老師也經常這樣訓練我們，那你說怎麼去修身、齊家呢？要是天天乖乖牌，就沒有飯吃啦！因此，雖然大學的「修身齊家治國平天下」是我們中國人提出來的，可是我們始終沒有條件，沒有辦法實現，日本人倒是實現了。由於有這種社會條件，因此他們的企業精神與他們做的東西，都沒有問題。

社會教育的普遍

日本人到歐洲、美國去旅行的時候，都是一大群人跟著一個小旗子跑，雖然日本人自己也罵：哪裡有到歐美去旅行，還跟著旗子走！應該自己能盡情遊玩才對！可是我們反過來想想，這日本人能三、四十個人，隨著一個旗子的指揮旅遊，可以說是非常高效率的，這是和我們很不一樣的地方。

前幾年，我們客家人打算在東京開世界懇親大會，在此之前一屆就到三藩市來開會，那時我們日本的客家老鄉就組成一團，這些老華僑大約有一半是和當地日本女子結婚，一半是回台灣或在日本和中國小姐結婚。我們請了日本最好的旅行社給我們安排節目，可是一起行動的時候就發現了幾個問題；年輕的嚮導在三藩市的旅館跟大家講了行程安排、晚上的節目是什麼、明天幾點起程、枕頭棉被是放在哪裡……你就可以發現日本太太拿著小冊子拚命記，中國太太就在一邊呱啦呱啦，都不聽的。那日本嚮導走了以後，我還在大廳裡等朋友，結果就有中國太太跑來問我：「枕頭在哪裡？」我說：「在牀邊的櫥子裡，剛剛不是報告過了嗎？」她說：「喔，是嗎？」沒一會，又有人跑來問我明天幾點鐘起程……簡直把我搞慘了。這表示什麼？不是說我們中國太太不好，（在座中國太太很多，尤其來美國又學了很多的女權，這不要回去又有了問題【眾笑】），而是說我們從小的社會教育不一樣，這樣的例子還有很多。

在東京大學念書的時候，有一年找了一些朋友去滑雪，請了一些日本女同學，也有一些台灣女同學，大家都知道滑雪是有時間性的，太早或太晚出發，雪變成冰或水都是不好的。這日本女同學是分秒必爭，台灣來的女學生又是怕曬，又是拖拖拉拉，結果怎麼都跟不上。

像我們家的小妞（她今天也跟著來了），從幼稚園起每次老師來家庭訪問，最後一句話總是要和我們講：「你這個小姐很聰明、很活潑，但是，與人家合不來。」意思就是說，自我主張太強了一點。我們主張能培養她的個性，讓她自由發展，可是日本從幼稚園起就注重人際關係，不要突出，要大家能夠一起行動。即使在大學裡，四年級生要畢業時，指導教授的就業推薦書上一定有一行，是關於他的協調性怎麼樣，也就是他和人家能不能合得來。

雖然同樣是資本主義，資本主義在美國，培養出極端的個人主義，這個個人主義異化，變成公德心慢慢消失，不能關懷別人，一切都是為了錢、為了自己，不顧別人死活。我們不能說日本沒有個人主義，它也有的，但是雖然它資本主義同樣這麼成熟，他們的個人主義始終不是美國這一套。我們的資本主義（台灣現在發展一點，大陸則根本談不起）也始終有我們的個人主義，我們可能是介在日本跟美國的中間。

三、日本社會、日本人的容量（capasity）

「學習的動物」

以前泰國的外相罵日本人是「經濟動物」，其實我覺得日本人是很厲害的「學習動物」，他們學習的容量實在很驚人。

就拿日本話來說吧，日本的字是從我們漢字來的，再分成「平假名」、「片假名」，另外它還來一個外來語，這外來語的主流有一段時間是中文，現在當然是以英語為中心的歐美外來語，它可以把三種語言配合化為自己的語言。法國人當然可以罵它；你連一點民族精神都沒有，對自己民族語的尊嚴都不保持。法國人一向怕英文侵略到他們的領域來，所以就像現在大陸搞「精神污染」一樣，拚命把它退回去。日本人的態度則是：來呀！你儘管來。來多少他們就收多少，再把它化為自己的。

有一次我看到一篇文章，它用了一個字，日本發音是「LOTO」，我拚命查字典都找不到，後來問了別人才知道是從中文的「老頭」來的。又譬如英文的TV，到了日本人手裡變成「Televi」，我的意思就是，日本人學習的capasity實在相當大。

還有他們對外國事物的關心與了解，也是超越別人之前的，如果你問美國人；日本的首相姓什麼？我看大概50％的美國人講不出來，但是如果你問日本人；雷根的太太叫什麼名字？日本人一定差不多都知道「Nancy」。

而且日本人念的外國文學的書之多，也很驚人。但是很悲哀，我們中國的作家他們就只知道個「魯迅」，中國的「當代文學」啊，是沒有銷路的。最近我的一個朋友把黃春明的《莎喲娜啦·再見》翻成日文，結果相當暢銷，為什麼暢銷呢？是因為它的題材是關日本男人到台灣買春的事，很多日本女學生就起來反對日本男人到亞洲去買春，所以說這賣書有竅門（眾笑）！在日本，賣書最能銷的對象就是女學生，男學生老是愛喝酒，女孩子吃飯則有男朋友付錢（眾笑），所以女孩子比較有錢買書，因此他們的「人生論」啦、「戀愛論」啦，銷得很多。這黃春明的書在日本我想是不會得意太久，雖然他寫的是不錯，但是真正賣的原因，是靠背後一股（女權）運動的力量在支持的。其他就只有魯迅了，連郭沫若的東西都不行，以前毛選也曾暢銷一時，現在就沒人買了。

西方宗教的影響

日本的宗教有傳統的神道，及西方傳入的基督教、天主教，但兩者之間並不是對立的。我從日本大報的要人訃告上，發現了它跟宗教間的一個有很有意思的關聯，在這裡提出來給大家參考一下。

日本的兩大報是《讀書新聞》（每日大約發行八百萬份）及《朝日新聞》（約七百八十萬份），在它們發布的要人訃聞上，我們可以發現，很多日本一流的財界人物，都是基督教徒。譬如以前的外相大平〔正芳〕，他死了之後，我們才知道原來他是聖公會的，和我們立教大學有關。也就是說，他們財界、政界的高層人物，平常的生活我們不知道他們是教徒，但是他們的精神結構裡頭，是不是有基督教的影響存在呢？（這是近兩三年我才開始注意到的，我覺得這是很有意思的研究課題。）因此他們對社會的責任，是否影響到他們所掌管的企業，連帶負起一種社會責任呢？他們是否覺得，他們的商品對顧客、他們的公司對員工，都負有社會責任？這種思考的方式，是不是從他們的宗教來的？這是值得我們好好研究的。

食衣住行的清潔

我剛到柏克萊時，由於時差還沒調整過來，所以每天一早五點鐘就起來，陪我太太去打網球，他們的網球場很不錯，而且不要錢（我們家五口人在日本加入一個俱樂部，每個月大概要一百美金），可是這個球場之髒啊，實在有得瞧的，後來才知道那是他們校隊訓練的地方，他們練完球以後，也不整理，吃完東西就亂丟。我記得1963年左右，在台北的《中央日報》，有一個美國在台大的留學生講說，我們中國人沒有公德心，現在我發現，美國人之缺乏公德心，和我們也不會差別哪裡去，但是日本就沒有這個問題。

日本人很愛清潔，大概我們都承認這點，即使我爸爸、我祖父，那個時候那麼抗日，也坐過牢，但是不管他們怎麼罵日本人、恨日本人，但是他們始終教育我們要學日本人的好處——清潔。我到美國來以後也發現，美國的華埠總是很髒，這是不是我們中國人的劣根性呢？但是我又很不願意用國民性、民族性來解釋這個東西。我想，這可能跟我們人口的密度有關，因為我們中國人的確是太多，人一多就容易弄髒，一髒的話就更惡循環，這反正他丟了嘛，那我也丟，丟來丟去就愈來愈髒。日本國家鐵路的公共廁所也是很髒，他們的廁所文學也和我們的差不多，也是非常有內容（眾笑），可見人多的地方是容易弄髒，即使他們一向很愛乾淨。

我們中國三大河長江、黃河、珠江，都是淡水河，中國菜的形式，當然也和河流很有歷史淵源的。我們始終不能喝生水，總是要煮過才能喝，中國菜也是一樣，要靠油提高沸點來幫我們消毒，再加上各種佐料來添味，因此我們的舌頭總是被騙，雖然好吃是很好吃，但是並不是食物的原味，而是一種混合的味道。

日本四個島，周圍都是海，海的鹽水幫他們消毒，所以他們能夠吃生魚片，這種生活環境養成他們吃的習慣，他們因而能夠享受吃生的東西。我還記得，我在1955年11月21號第一天踏上日本國土，暫住在哥哥那裡，想看看小說文學世界中的東京怎麼樣，所以就到銀座去了。一去看到很多「純吃茶」的招牌，那麼有純的，一定也有不純的囉，我想「純」吃茶大概沒有什麼危險吧（眾笑）？就進去了，結果一進去就給我端來一杯生水，我們中國人就想；怎麼這麼不禮貌呢！這實在是習慣的問題，後來慢慢就知道了，這日本的水最好喝，又衛生，又乾淨。日本料理是一種「單味」的味道，所以舌頭是非常敏感的，他們的生魚片、米，都是單味的，他們的壽司檯，也一定隨時都很乾淨，他們在吃的生活上面，和我們是很不一樣的。

四、戰後的政治與經濟制度

官僚制度

我們經常罵政府「官僚」、「官僚主義」，日本並非沒有官僚主義，他們也有！但是他們的官僚制度（我不敢說值得我們學習），是很值得我們研究檢討的。我在日本28年，發現他們的官僚之乾淨，貪污很少、很少。這整個背後，當然有其特殊的社會經濟與歷史條件。

要談日本的官僚制度，就不能不談到東京大學的法律系，他們的法律系和東大醫學院一樣難考，法律系畢業以後，要經過高考，然後進入政府部門，一步一步從科長、部長爬上去。同一期畢業的，能夠當到局長的，大概只有四、五個，最後只有一個能當到政務次官。等到爬到那個位置，大約都五十幾歲了，再過幾年就得退休了，退休以後到哪裡去？就到私人公司去，因此，它這種新陳代謝的循環，是非常順利的。不像中國大陸，一大堆都是八十幾歲的。

日本財界的上層領導人，很多都是八十幾歲，而底下的人，也能真正敬老，而不是表面文章，這些八十幾的人，很多只是象徵性的掌管企業，這點他們處理得很好；而那些四、五十歲從政府部門退休的主管，經過訓練以後，則被私人公司聘為董事、副社長、社長等，他們在中央政府的經驗與訓練，使他們成為通才而不是專才，循此途徑再逐漸還原給社會，他們當官的時候，薪水都不高，但都配有官舍，退休以後官舍便還給國家。不像在台灣，以前總是退休後便占領房子，哪有這種事！應該是退休後就要還，還了再用退休金蓋房子才是。他們的官員，假如中途發生貪污丟官的話，那就沒輒了，不然則循上述途徑漸進循環，在這種循環語，只有最優秀的東大法學院畢業生，才能出人頭地，所以他們的官僚是很用功的，不像我們的官僚，老是想貪污，貪完了就跑到「蒙特利」公園去（眾笑）。

我們自東大畢業的台籍人士，除了一些東大醫學系畢業的在台大醫院當醫生以外，可以說，很少聽到東大法學系畢業的，回台灣能管用，反而明治、早稻田的還比較有人，為什麼？因為他們敢闖，東大的畢業生，則需要東大的學閥在背後支持，因此日本的權力機構和東大法學院的關係是非常密切的，所以它能夠發揮力量。但是台灣沒有東大的學閥，東大法學院畢業對國民黨的官僚機構不管用，我們還是黃埔第一期好（眾笑）！

天皇制

我跟傅高義是老朋友了，在他寫《日本第一》的那段時期，我曾和他在日本雜誌上就「天皇制」的問題對談過，談到自明治政府以後，日本的財界、政界怎麼運用它；中國的皇帝，包括我們的蔣總統和毛主席，都一定要抓實權，日本的天皇，則始終沒有實權，只是憲法規定的一個象徵。

再比如日本人舉行祭拜儀式的時候，要抬神轎，神轎很重，而裡頭只是一個象徵性的神，日本的年輕人，很願意去抬這個轎子，他們樂在其中；我們中國人，願意抬轎的很少，大家都想坐在上面（眾笑），大家都愛當老闆，始終大公司搞不起來，人家則一步一步來。雖然我們現在也出了個王永慶，但是又似乎還不太穩定。

人才與經驗

日本戰前最好的人才，是向陸軍、海軍及東大法學院（理工方面我們暫且不談）發展，戰後由於這段不光榮的歷史與反軍的心理，自衛隊變成和姨太太一樣，被人瞧不起，大家是不愛去當的，因此人才都投到民間與政府非軍事部門去。再加上有美國代為防衛，因而幾乎很少有軍事預算，戰前的軍事技術則轉到農業機械、光學儀器及電子工業方面去。

日本戰後的大學教育，有一點和我們很不一樣，他們大學四年畢業後，沒有一個公司的負責人是期待他們因經由大學，而培養成人才。日本的社會，只希望這些學生在大學四年裡，多練練身體，摸摸麻將（眾笑），和朋友能夠協調，搞好人際關係，等你畢業以後，公司再花兩三年的時間來訓練你，慢慢變成人才。因此大學只是過渡期，畢業後的訓練，才是重頭戲，我們對他們的這種制度，要有所了解。

日本人始終認為他們是單一民族構成的國家（雖然他們有琉球、愛奴、歸化的韓國、中國人等），因而他們非常團結，同時也就很排外。他們當年不願意接受中南半島的難民，因為它整個社會有這種心態，他們深怕外來生活思想方式不同的民族，擾亂了原有安定的社會秩序，不過這幾年來他們也逐漸在改變。在日的韓國人大約有七十萬左右，他們對付日本人時，要求得很厲害，因為他們認為他們並非自願來的，是因為日本統治了才不得不來，所以他們要求日本人負責任，給他們應有的地位，他們藉《世界人權宣言》等來鬥爭；日本人對韓國人歧視得很厲害，對中國人比較好一點，中國人雖然人權少，但在日本一般是在中上階層，但是韓國人很多勞動階級，韓國人爭取出來的成果，我們中國人逐漸受用到。大概是前年吧，他們終於通過了法律，讓保有外國國籍的人，也能在日本國立大學任教，因此，現在假如東京大學要聘我當教授的話，法律是不反對的，不過我現在已經53了，如果再跑到東大去，只能教七年就得退休了，還領不到年金，所以我不一定回去。

五、未來的展望

從教科書事件談日本人的思考方式

我曾為日本修改教科書的問題，在日本《世界》雜誌發表了〈為「教科書問題」給東鄰日本的諍言〉〔參見《全集》6〕，後來《台灣與世界》雜誌也譯為中文轉載，我在這篇文章中批判日本批得相當激烈，並且在他們的電視台主持了一個小時的節目，站在亞洲的和平及世界人類之未來的立場上，討論他們應如何面對歷史事實，來教育下一代。

日本人對事物的看法，和我們中國人很不一樣，他們的思考方式是一種流動的（flow）思考方式，這當然也包括他們的經濟活動在內。譬如他們的房子，傳統都是紙門、木板，只做20年打算，然後再重新來。永遠是在一種「流動」裡頭，做他們的經濟活動。他們每年有「忘年會」，到12月15號以後，朋友聚在一起來「忘」年，也就是說不管你這一年有成就、沒成就，到年底結個帳，然後把它忘掉，一切重新開始。

我們中國人就不一樣，我們造房子要造得穩、固，所謂給子孫留「百年基業」，我們喜歡存金子，老是向著積聚（stock）的方向是，也老是給歷史拖著，永遠背著沉重的歷史包袱；我們想從歷史裡學到教訓，日本人卻想重新出發，他們覺得：我們已經向你們道歉了嘛，你們還要找我們麻煩！日本人的社交也是這樣，他們很容易道歉，動不動就很客氣地說：「對不起……」所以我來美國前，我的日本同事就再三的警告我：「你到美國要是撞了車子，不能說I am sorry，那是要負責的呀！」對他們來說，向你道歉了以後，被道歉的人要是不能原諒道歉者，那就是你的錯了，他們社會有一句話叫這作（在座太太們原諒一下）「你像發了醋的女人的心一樣」，唉，其實女人的心都是非常好的（眾笑）。因此教科書的修改問題，他們並不認為有那麼嚴重。

我們都知道，每個社會的流氓組織，可以說是那個社會的縮影，我們也可以從日本的流氓組織，看出他們思考方式的一些端倪；日本的流氓，要是犯了幫規，就要在「祭壇」上接受切指頭的處分，我們有時候看到一些流氓，手指頭切得光光的，也就是說，切了一次，又犯錯，再切、再切（眾笑），切了以後就可以被原諒，這很有意思；有一次我就問司馬桑敦（王光逖——前《聯合報》日本特派員）：「光逖兄，我們以前的青幫、洪幫，怎麼處理這種問題？」他說：「你不跑的話，都給人殺了，還切！切什麼？」（眾笑），日本這種解決方式，是非常特殊的。

再來談到我們中國人的「以德報怨」，當年蔣介石主席提出「以德報怨」原諒日本人，當然這在國際政治上不是那麼單純的，我們今天就不去談它，但是即使以當年蔣介石的聲望，如果我們老百姓不能原諒的話，也是沒效的。我始終認為，我們中國老百姓，是有這種傳統，並不是美德，而是說，我們中國那麼多的災難、內戰，養成我們對歷史的看法，使我們只能「以德報怨」，才能超越過去的仇恨，做新的開始，但是我們堅持的是「可恕不可忘」，我們願意原諒日本人侵略我們，願意原諒他們做過「南京大屠殺」！還有在台灣的「霧社事件」，把我們高山同胞的全村都殺光了，及明治28年（1895）到台統治時，殺了我們很多漢族人，包括我們的親戚在內，但是我們是不能忘記的，因為我們希望從歷史得到教訓，不希望歷史再重演。

中、美、日未來的展望

撇開海峽兩岸的問題不談，從大方向來講的話，日本的財界、政界的領導人，他們都希望能夠與中國、美國和平共處，他們不願意有社會主義革命，他們希望他們的資本主義繼續興盛、成長，當然這最可靠的市場就是中國大陸，因為大陸豐富的資源與龐大的人口，是極待開發的市場，他們也希望美國和他們一起走這條路。

我去年三月要離開日本的時候，我從前的老師，東大農業經濟系的知名教授東畑精一，很鄭重地問了我一些關於中國大陸的問題，並且跟我談到他和美國一位要人（可能是聯邦政府的統計局長之類的，他剛去大陸考查過，路過東京）一起吃飯，那位要人講了一個很有意思的故事，他說他有四個孩子，有一天老四從學校回來以後突然說：「我是中國人」，把他搞得莫名其妙，弄了半天，結果小孩子說：「老師說，全世界的人口每四個人裡有一個是中國人，我是老四，所以我是中國人（眾笑）。」總之，那位局長跟我的老師共同的看法就是：現在中國的問題，並不是你們中國人自己的問題，而是全世界共同的問題。如果中國的經濟不能夠搞好，台灣海峽問題不能和平解決的話，弄得像中南半島那樣，假如有1,500萬人像螞蟻一樣，坐船向日本列島進攻的話，日本會怎麼樣？世界會怎麼樣？所以我的老師跟我說：「國煇，你到美國，好好看看美國跟日本、中國（包括台灣、大陸）三個國家如何配合、合作，來維持世界和平，這個觀點你一定要搞清楚才可以，我不會死的，我在東京等你。」結果我在柏克萊演講「五四運動對台灣的影響」時，第一次把他交代的話，像今天一樣放在深切期許的結尾，回到家後就接到洛杉磯一位朋友打電話來說：「你的老師，去世了！」因此我今天再借他語重心長的話來做為結束，謝謝各位！

本文係未刊稿，於加州大學洛杉磯分校（UCLA）的演講紀錄。由林叔品整理

日本三光企業倒閉讓我們學到什麼？

最近幾個月，幾家聞名全球的大型航運公司紛紛告急，宣告倒閉。這是國際航運生意長期不景氣下的犧牲者。日本三光汽船關係企業是世界最大油輪公司，總噸位達2,100萬重量噸，船隻364艘，海外子公司51家，日本國內也有數家姊妹公司，它實質債務高達1兆日圓（約合新台幣2,000億元）。三光的創辦人、大老闆是內閣副首相級的河本敏夫，河本又是五大派閥領袖之一，原本亦被視為下屆日本首相的可能人選之一。

以三光企業的規模，主持人在政、經界的地位，其宣告倒閉在政界、財界、運輸界所造成的震撼可想而知。河本敏夫立即向中曾根首相提出辭呈並獲接納，黯然結束政治生命。

倒閉原因逐漸明朗

這件倒閉案發生已一個月。三光為何撐不下去？倒閉在金融界連鎖影響如何？河本派系今後走向？以及誰幕後主導整個事件的爆發？這些疑問逐漸明朗。而且由日本輿論反映和政界人物進退，可以察覺出日本政經體系的責任倫理觀念已經相當成熟。這特別值得我國在因應十信、國信風波時，引為參考之處。

三光外貌雖大，但華而不實。它擁有的世界最大的船運量，可是其中大半不屬本身所有，多是從其他商社借用，或是自海外船主（包括香港華商）借來運航油輪。因此它的營運策略不很正統，頗類似打游擊式的「獨行俠」，自有資金缺乏，以高度舉債方式作業。債務高達一兆日圓，債主大半是金融機構，如大和銀行、東海銀行、長期信用銀行等。剩下一般債務則由丸紅、住友、岩井等大商社和石油公司分攤。另外只有一小部分的中小金融、外國銀行和商社受牽連。一般民眾債權絕無僅有，因此對民眾衝擊極微。這與我國十信案不同，較類似國信案。

河本雖是五大派閥之一，但轄下只有35名國會議員，是五大派中的最小一派，河本派是從三木武夫派衍生出來的。其派性格不屬自民黨主流系統，而是對自民黨主流派持對抗和批判立場的。因此除非主流派僵持不下，河本派才有機會左右逢源，發揮槓桿邊際作用，否則該派很難掌握政局主導力量。日本大派閥的基本力量是靠派系資金維繫的，河本個人財富在政界名列前茅，但缺乏可以調動龐大政治資金的組織力量，何況他已為三木武夫爭取政權的三次爭逐戰中。過分透支不少個人資金。

據幕後報導，三光的倒閉是政界、官界和金融界首腦共同配合逼迫而生，主謀者不是旁人，正是中曾根首相。中曾根陰謀、陽謀雙管齊下，終於使河本難以招架。

中曾根的一步狠棋

中曾根老早知道三光的危機重重，但他不但繼續以副首相格局優遇河本，而且還讓河本的同派心腹山下德夫上任運輸省（直接管轄海運業）的大臣，一方面可藉而穩固政權，另一方面可以讓河本一派人親自為三光送終。這是陽謀。

至於陰謀則為：中曾根年初先透過本派系中自民黨幹事長金丸信和大藏大臣竹下登送三光一些「小惠」，但暗中下令有關當局調查三光倒閉的影響。結果是第一，三光倒閉因一般民眾沒有債權，不致引起大量失業，故對社會不至於產生太多的餘波；第二，債務額雖大，但有關債權者多數為大銀行和大商社，它們有充分的餘力「消化」掉不良債權；第三，可以藉三光倒閉來向全世界宣傳，日本並無政界與企業構成一整體來征服世界經濟的事實和企圖，三光將是最好且最大的反證；第四，河本派閥將崩潰，這些對中曾根政權的穩固和持續都有利。

帶給我們什麼啓示

於是這些幕後主謀的運用下，透過金融首腦的「無意間透漏消息」，讓兩大權威報紙的《日本經濟新聞》和《朝日新聞》搶上了頭版大新聞，扮演了劊子手的角色。

在這次的三光倒閉戲上，我們可以得到如下的啟示。

第一，在資本主義體系下，個別「異數」的企業家雖可藉個人的能力做獨行俠、打游擊方式的企業活動而得勢於一時，但如果不及時納入正軌經營的話，該企業是無法成為資本主義體制正常發展的一環。河本敏夫與田中角榮類似。田中以炒地皮起家，河本炒油輪股票，兩人都有走偏鋒的異端性格，擅於玩法投機。

換言之，田中和河本之敗，敗於其獨行俠的行事手段，不能長期與正統經營者抗衡。

第二，政治與經濟是各有各的固有規律，一個人是不易腳踏兩條船的。日本政壇上先有藤山愛一郎（大日本製糖關係企業的頭頭、日本商工會議所會頭）的挫折，今有河本敏夫之敗例。

第三，日本的大眾媒介的監督力量與批判態度值得吾人效仿。多年來，日本輿論界曾經批判過河本的「三光商法」，指出「三光商法」——不求營運上的正當利潤，卻始終在謀求炒股票、投機建造與買賣、油輪所得的差額利潤。但是這種商法並不犯法，所以不曾批評河本本人，日本輿論維持對事不對人的分野。一旦等到河本想藉用國會議員和政治地位來計謀挽回三光危機時，日本輿論即展開猛烈的批評。例如5月15日，山下運輸大臣為救濟三光而接見東海銀行董事長時，河本帶上國會議員的金徽章陪座而招到批評，中曾根首相只好在國會上代河本詮釋辯明一番。社會存有公私分明的風氣才會導致河本及時自請辭職的表現，這種風氣和大臣的進退可做我們的風範。

華而不實終至敗亡

第四，各別企業的存續是不能完全依靠行政來支持的。河本加上山下的政治力量雖想介入幫助但無能為力，無法施展「政治魔術」來救活三光企業集團。企業經營，基本上該依據的是企業倫理和經濟規律。企圖在行政上搞些小動作或依靠政治勢力是邪道，它不該是正當企業家所採納的行動模式。

第五，三光事件告訴世人大企業絕不是不倒翁，雖具有錢、有勢的政治家做其靠山，但企業經營內容不實，外「華」內「虛」者還是逃不了倒閉的厄運。台灣十信是個小例，三光卻是世界性的典型大例子。

本文原刊於《聯合報》，1985年9月9日，2版

探索日本的新嘗試

日本文化正挾其貿易優勢，向世界擴散，這是眾所周知的事實。

我國和日本的接觸非常頻繁，從甲午戰爭的慘敗到抗日戰爭的「慘勝」，這些歷史事實不停地提醒我們：「日本、日本、日本。」由於中日兩國均是東方社會的國家，再加上日據時代留下的影響，台灣地區有許多人都醒悟到：日本是我們應該認識並十分可以參考的對象。

國內許多聰明的企業家紛紛引進如「觀光草莓園」、「百貨店櫥窗」等日式經營法；在目前經濟面臨轉型之時，求新求變的意欲更加重了此一趨勢。總而言之，不管仇日、親日、媚日或不懂日本的人，都不能否認「知日」的必要，要了解這麼一個龐大的有機體，我們應有理性的態度和有效的方法。

近來坊間開始出現許多探討中國人性格的書籍，據說還銷得不錯，這表示民眾已經開始了解「反省」才是正本清源之道；有心研究日本，也要先培養科學的態度，馬虎、報喜不報憂、報憂不報喜、愛面子、情緒化等這些毛病，一言以蔽之，就是會妨礙對真相的了解，我們最好能避免這些，需要有科學的態度。

日本人在情報蒐集、研判分析等方面成績之卓越，向來令世界各國吃驚，質的良否不提，單論「量」，也令人甘拜下風。反觀台灣對日本的研究，客觀地說，大部分論述不是翻譯，便是抄襲，要不然就是沒有任何方法論做基礎的個人印象，既缺乏計畫性，也沒有創造性。台北市的日語補習班多如過江之鯽，日本色彩的商品（如卡拉OK、壽司等）也大量打入市場。但是，皮毛是學到了，文化內涵卻沒有真正學到。

這是為了競爭而沒有時間深入吧？我們原本可以用寬容的眼光看這些經營者。但是，即使從賺錢的角度看這件事，其中仍有忽略「產業文化」的錯誤存在。

日貨之所以暢銷世界，是因為能向世界提出自己的文化主張，這已是一種創作，賣的是「風格」，不只是敲起來有聲音的商品而已。抄襲和模仿，只要抓住時機，未嘗不能賺一筆錢，但是在銷售物品給外國人的時候，如果能同時考慮對方和我方的民族文化，兼顧個性與實際接受度，這樣的效果將更為長遠，簡單說，附加價值更高，賺的錢更多，而且多上不知幾倍。

以上是由商業方面談研究日本。事實上，我們過去對日本的研究，主要偏重於政治層次，以吃飯來比喻學習，這是偏食，除了視野狹隘的問題，我們還要提高自己的消化能力，也就是要將日本經驗揉和本土化，充分吸收精髓，不虛擲精力。

日本的文化消化力很強，柔道、和服、圍棋、禪、假名……那一樣不是源自古中國？但是，把這些名詞組合在一起當「謎面」，任何人都會不假思索地說：「日本」。你能說猜錯了嗎？這就是日本擅於融會貫通的證據，從日本人的態度上來看，他們保持傳統的定力固然可觀，尊重異端、快速轉身、對外好奇等的修養更是中國人的借鏡，我們向來主張偏重於「正統」：「穩定中求成長」，這種習氣造成保守謹慎的氣氛，原本也有其好處，但是「異端」往往就是代表「新觀念」，運用得當的話，很可以是一股除舊布新的進步動力，日本能在世界舞台上與美國角逐，未嘗不是這原因使然。

我們當然也辦得到。

從地緣、歷史等條件看來，日本應該是值得我們下手研究的對象，而且在日據時期已結束了40年的今日，我們的新生代應該更能避免感情（包括正、負面）的牽絆，在不抹殺歷史事實的前提下，不卑不亢地正視日本。這不但是一種對外的觀照，更是對內的省思，因為外界的資料永遠是繁瑣的，是「取材標準」和「組合方式」使它們呈現出不同風貌，也由這些風貌，我們辨認出自己的思想位置。

實利上的百戰百勝，完全奠基於有知己知彼的內涵，現階段的日本研究，應該在嚴謹認真的態度下重新展開。最近市面上出現了名為「日本文摘」的雜誌，內容涉及經濟、社會、文化等各層面。據我所知，這是台灣多年來最具野心的區域研究刊物，它以社會大眾為預設讀者，這點和各機構的學術論叢頗為不同，由於是月刊，更有計畫性認識及批判日本的條件；這個刊物的誕生，很可能說明台灣了解日本的需求是多麼迫切。

有了強烈的動機後，事情總是比較容易成功，但重新探索日本的此時，我們必須弄清楚「事實判斷」和「價值判斷」兩者的不同，否則，興致勃勃地上場砍殺一番，白費力氣和機會成本事小，一旦造成錯誤的觀念，又將是我們無法輕易甩脫的思想包袱。

所以，要根據所有的事實來找答案，不能先定好惡，再抓一部分事實來支持自己，也就是先「事實判斷」，後「價值判斷」。中國人常以為批判別人是一件「過癮」的事，但是日本人卻說：「批判別人如同拿刀刺人，刺中了，血還會噴到自己的臉上。」研究日本的時候，正應該隨時準備承受這樣的情況。正面、反面、多數、少數的意見應該一律尊重，再以可公開的原則加以整理融合，隨時修正補刪，這才是掌握整體事實的方法。

其實，任何研究都不能背離「客觀」這項要求，只是中國人對日本有太多太深的情結，需要特別小心罷了。

常閱讀日本資料的人都能發現；日本人的思考方式常愛小題大作，這可以解釋作細微精緻，但又何嘗不是「見樹不見林」呢？中國人卻愛大處著眼，有豪放的氣魄，卻不免「粗枝大葉」。以上的講法當然非常粗糙，但也指出了兩者可以互相補足之處，中國人如果能有系統地做好日本研究，在提供日本各界新觀點的層次上，也將會具有相當意義。

我們在回顧1985年日本的「靖國神社參拜」、「國防預算超出百分之一」等事件時，必須想到自己為亞洲，甚至世界所負的責任，這使命感也許也是激發我們重新探討日本的動力之一。

本文原刊於《中國時報》，1986年1月1日，8版

從小事看日本

本欄第一回開筆，我想從名片談起。名片的英文叫做name card，日本則稱為meishi，這個發音當今常被寫成「名紙」。其實發音雖和「名刺」相同，但原來的寫法卻以「名刺」為正宗。

中唐的宰相詩人元稹（微之），有一首〈重酬樂天〉詩，上吟「最笑近來黃叔度，自投名刺占陂湖」。詩句裡頭的名刺，很可能就是今人所慣用的名紙或名片的原型。

由此可知名刺可溯源於古時中國。我們的先人把竹頭或木頭削平成片，然後刻上或寫上自己的姓名，藉交換以互通姓名。漢時謂之謁，漢末謂之刺（請參閱《辭海》）。漢以後已發明用紙張代替竹片或木片，但仍相沿曰「刺」。

我有個體會，愈益「現代化」或愈益「成熟」的社會，在名片上所顯現出來虛和實的「乖離度」（gap）便愈小。反過來說，一個社會既不安定亦不成熟，尤其和「現代化」社會尚有一段距離時，這種社會所通行的名片，往往很難取信於接片人，這是因為表面和實際「隔差」甚大之故。

根據我30年來的日本體驗，與日本朋友往來的第一招，該是互通名片，自我介紹。而日本朋友在他們國內的名片，90%以上是可信的，甚少有虛假，所以千萬不能小看名片，不管印名片、遞名片都自有一套學問。

通常在日本的名片上，印有姓名、服務機關的名稱、地址和電話號碼，另外加上一行至三行的頭銜，而且頭銜以不超過三行為宜。至於一般公務人員和大公司有關人員，則一概不印私人的住址和電話號碼。這可反應他們公私分明的作風。

名刺的大小常因男女而有別。婦女不管她的職位、聲望多高或多大，一般來說，她們的名片只有男人的五分之三或四那樣大，這點我們或可說是日本社會男尊女卑仍舊存在的一種表現。然而這並不能視為社會型態的代表，因為有些新女性運動的「鬥女」，她們雖要求男女平等、女權至上，但在持用的名刺上則與平常的女士們並無兩樣。這或許是小型的名刺，既可表示謙虛，讓人看來也覺得小巧別緻；因此日本女士愛用小名片也是有她們的道理。

像我國僑界的名片上，都很喜歡印上密密麻麻的頭銜，這或許和中國人天性好面子、愛排場有關。有時一個只有一百多名會員的團體，可以數上五、六位副會長，二十幾個理事，甚至十幾位顧問；這種「會長」、「副會長」、「理事」、「顧問」的銜頭，多半是裝門面——好看罷了！

在1970年代以前，常可聽到說：某某台籍文人被日本某某年輕假博士騙去「資料」云云的話。那個年代的台籍鄉親們，對於自己中國人的名片通常都懷著疑心，不輕易相信；可是又很容易上「嘴巴甜、有禮貌」的日本壞蛋的當。有時除了資料被騙之外，還得花上大筆的冤枉錢，去管扶桑來人的吃住。這種騙案，小是鬧劇，大是悲劇，而且通常發生的地點都是在日本以外的國家，讓人碰上了真哭笑不得。茲舉二事為例：

記得1970年代初期，我有一位姓K的同事被派到台灣研究。這個K氏慣說大話，有時還會為自己臉上亂貼銀箔或金箔。尤其喝醉酒時，他的撒謊症發作得更厲害、更瘋狂。謊話說一說雖然會漸漸失信於人，但也不至於惹起大禍。可是小K待在對日本人尤感「親熱」的台灣人圈子裡，日子一久竟得意忘了形，把虛銜也偽造一番，雖然不敢印上，但卻親筆在名片上寫下「國立台灣大學客座教授」和「經濟學博士」兩個虛銜。

他人品不甚佳，後經人揭發，差一點丟了職位。好在人事當局看他年紀尚輕，而且虛銜也非印刷，只是在名片旁邊親自添上而已（當局只收到一張，據傳還有幾張），並且多數人都認為他患有「心病」，值得憐憫，所以手下留情，只判他個「情狀堪憫」警告了事。至於他本人，面子已丟光了，怎能繼續待下去，只好另謀他就，捲鋪蓋走路了。

另有一件也是真人實事。某君雖然英語會話尚屬順暢，但愛慕虛榮、喜出風頭，卻成了他的毛病。因得力於英文，比較有機會被派出國接洽業務，然而多次的經驗，他始終苦無學位好與洋人周旋。

有一次，他突然心生一計，在名片上用英文加添了虛銜PHD，據他猜想：在國外分送的英文名片不至於回流日本才對。沒想到天下就有那麼巧的事，半年過後有位洋學者手持他的名片，找上他服務的機關來。

他的運氣真壞，恰巧出差在外，守門員帶著洋人，持著他那張印有英文虛銜的名片去看人事課長，他造假的事終於露出馬腳來，因為此事他也只好走路囉。

從以上兩則實例，我們不難發現日本學術界、知識界嚴謹的處世態度；我相信他們的官界、企業界在自己國內使用名片時，也可依此類推；而這種「是什麼，就是什麼」的作風，也就養成了日本人對階層制度及秩序的信賴。

本文原刊於《日本文摘》試刊號，1986年1月，頁8～9。原總題「美國・日本・台灣」

日本與亞洲

——回顧與展望

◎ **劉淑如譯**

今天我想談一談日本與亞洲關係的回顧與展望。在此之際，除了縱向的歷史之外，我也將留意橫向的共時性歷史，也就是說，同一個時代，在日本、亞洲、歐洲，分別發生了什麼事件？我將會留意到這一點。

談到「歷史」，或許各位當中有人會認為它是過去的東西，或者是已過去了。然而，若試著換個想法，我們會發現實際上所謂的歷史，不僅僅是過去，今天、現在都是歷史的一個結果的顯現，而今天同時也將成為歷史，並連結到未來。因此，以展望這個問題的設定來說，今天的歷史，或者歷史的「今天」，這種設定的方法也是可能的，而我也認為藉由以上這個思想性的有機關聯，來理解今天，將可以加深我們的理解。

能夠在歷史的、近代史的橫向關係上面來掌握日本與亞洲，以及歐洲這三個區域的大事件，首先可以舉出的，應該就是鴉片戰爭吧。當時，對日本而言，清朝就相當於老大哥，也就是尊敬的對象。然而，清朝卻輕易地被一向視為「毛唐」、「夷狄」的西歐——以鴉片戰爭的例子來說這個西歐指的是英國——一下給擊垮了。這個事件應是帶給日本知識分子偌大的衝擊。這也可以算是明治維新這個政體變革的一個外在刺激的主要因素。而此一衝擊，也就成為日本將視線轉向西歐的契機。在福澤諭吉的著作當中，有一篇很短的論文，名為「脫亞論」。這篇論文在戰後並未受到善意的對待，而在這裡我們所必須注意到的是，對於明治初期的日本人而言，亞洲的範圍頂多不過是中國、朝鮮而已。中國在鴉片戰爭當中，一下就敗給英國，這樣的中國，也就是亞洲，日本不能總是在同一個層級與之來往，這就是師法歐美的近代合理主義者福澤諭吉所想要闡述的要旨。

在〈脫亞論〉盛極一時的明治期，同時也可說是相當於日本民族主義的形成期。民族主義絕非只是由內部產生的東西，外部的，也就是日本周邊的國際狀況這個外在要因的影響也是促進民族主義形成的一大因素。也就是說，面對外部壓力，有鞏固內部之必要的想法於焉產生。接著，以明治維新為契機，邁向近代資本主義國家成長的日本便鎖定朝鮮為市場，並由於與清朝爭奪朝鮮權益所引發的對立而開啟戰火，但最後又擊敗清朝，取得勝利。這個勝利對日本民族主義的形成以及日後的國家性格變成非常大的刺激與觸媒。另外，在尋求殖民地，也就是獨占性市場的擴張過程中，日本又與俄國交戰，這次雖稱不上全面性的（至少就日本國內的感覺而言），卻也獲得了勝利。甲午戰爭時的對手是亞洲，而日俄戰爭時的對手則是歐洲、是白人，日本因為戰勝了白人，擁有了很大的自信，而日俄戰爭也為亞洲人帶來巨大的衝擊和影響。當時，日本人經由蘇伊士運河往返歐洲，在日本人的遊記裡，還曾經記載著一段到歐美的日本人只要一經過此地，埃及人就為日本的勝利狂喜稱讚的內容。

埃及人由於同一時期受到白人帝國主義的侵略，因此將同為有色人種的日本人挑起與白人帝國之一的俄國之戰爭，而且還戰勝俄國一事看成是「夥伴」的勝利，甚至認為自己也能推翻白人帝國主義。這種情感，甚至連成為戰場的清朝人民也都有。不過，雖說是日俄戰爭，他們並非對於不在日本也不在西伯利亞，而是發生在滿洲的戰爭加以肯定，只是高興日本人以有色人種的優勝者之姿躍上世界史罷了。因此，認為自己也和黃色人種的「夥伴」日本人一樣，能夠對抗白人帝國主義——我們應該將它看成僅止於此的一個評價去解讀。不過，能夠那樣去理解的日本人相當少，而且日本人逐漸變得傲慢，設想在亞洲創造由日本主導的新秩序的人也漸漸增加，其結果就是中日戰爭、太平洋戰爭，結局就是「廣島・長崎」〔譯註：指原子彈轟炸事件〕。

以前我造訪廣島的時候，曾經遇到來自香港旅行團的一群中國人，他們一面看那淒慘的展示，一面說：「日本人這下可知道了吧！他們在東南亞和中國殺人無數，幹了不少壞事，才會遭到這種報應，這就是因果輪迴啊！」聽到他們這麼說，我當時真是感到震驚。想想，中國人原本就有以因果報應這種從佛教傳來的傳統歷史觀去看待事情的習性。而這一幕，無意間也讓我們知道一個可悲事實的存在，那就是至今亞洲人對日本人都還以嚴厲的眼光注視著。另一方面，站在與所謂大東亞戰爭肯定論稍稍不同的立場，日本侵略亞洲的結果，除了給亞洲人帶來機會，也製造了使亞洲從歐洲統治中得到解放的契機，這個事實也是大家都認同的。中曾根首相所謂戰後政治的總決算，它的問題設定既有其意義，做為當前體制的領導者，站在萬人之上決意創造出日本人新認同的這個用意，我們能夠理解。只是，我們希望總決算的邏輯能充分說服我們亞洲人，也期望用同理心來關懷我們心中的傷痕。然而，實際上這些年來的狀況卻未必如此。現在是國際化的時代，獨善其身和傲慢都不好，因此，若不多加傾聽如剛才我所提在廣島所聽到的那一類聲音，並且對亞洲拿出能展現誠意的政策，日本有可能變成亞洲的孤兒。

各位都知道，日本在敗戰後，達成堪稱是奇蹟的高度經濟成長。第二次世界大戰的終戰，是宣告以殖民地這個極不費事的市場支配，亦即舊型態的資本主義結束的契機。對日本而言，這也具有相當大的意義。在明治以來的台灣、朝鮮、「滿洲」這一連串的殖民統治都已經落幕，在喪失了殖民地的一切之後，日本的處境是不得不嘗試經濟的整編與發展。在敗戰後，日本除了農業資源以外，並沒有可目見的天然資源，它所具有的只是充沛的「人力資源」。當時很多人接受了一般教育或者高等教育，而這是其它國家所無以類比的，日本就是這樣以勤勞且受過良好教育與訓練的人才為核心，才得以達成戰後經濟的復興發展，並創造出世界上罕見的社會安定。這個社會與市民生活的安定，身在日本並不太能夠感受得到，但在美國等地生活過就會知道，實際上那是很了不起、很寶貴的。美國社會的矛盾很可怕，社會本身可以說是生病了。說到這裡，就使我想起在越戰的時候，美國雖然在軍事上嘗到敗北的滋味，但實際上應該說，就國內各種情形來看，美國本身也無法再繼續戰爭了吧。若戰爭再繼續下去，最後美國國內甚至會發生革命，當時美國是有這樣的情況。

話說回來，我想若從一開始所講的「做為歷史的今天」這個問題設定，來看經濟成長所帶來的社會極度安定此一日本的狀況，當前，或者今後的狀況絕對很難稱得上「一路順風」這般的樂觀，而這個預兆就在於週刊雜誌《*Focus*》、《*Friday*》的暢銷。雖然這兩本週刊雜誌都各熱賣了150萬本，但是岩波書店、中央公論社、平凡社等正統出版社卻處於艱難的困境，而這種狀況算是正常嗎？若低俗的偷窺趣味只是被當作「消遣」來消費的話，那還有得救嗎？若等到這個原本應該是「消遣」的部分成為主流，社會遭到腐蝕的時候，狀況就會變得嚴重。此時此刻，我深切覺得實有必要回想起羅馬以及長安最終都淪亡的歷史。

有心的人會努力尋找「生存之道」。反之，許多人一天比一天傲慢，認為眼前「幸福」的狀況以後都不會改變並且持續下去。戰前的日本人似乎大都不擅於站在整個亞洲的歷史脈絡當中，將其自身實際所處的立場放在有機關聯上去認識。因此，他們很容易將一時的「成功」誤看成是長期的「成就」而陷入泥沼，於是經歷失敗，最後遭到了原子彈的攻擊。若是把時間耗在《*Focus*》、《*Friday*》式的偷窺趣味上而喪失了正視「亞洲大」，以至「世界大」的日本人所應占的位置以及應盡的責任義務，特別是將能夠正確定位的能力放在有機關聯上，去認識的這種具彈性的想像力與思考力，情況將會很糟，這點讓我很憂心。

看到目前的出版文化狀況和社會風潮，我感到一絲的不安。這種狀況若持續下去，我擔心很多日本人，特別是中堅分子，甚至是肩負未來的年輕人，會陷入只接收對自己寬容的認識及評價的這種非常危險的狀態。要讓日本往後也能繼續維持今天所保有的社會的安定與和平，實有必要具備能從不同觀點將自己的定位放在「亞洲大」、「世界大」裡來衡量的這種文化的，以及思考上的彈性。具備了這種彈性之後，我認為應該就能和鄰國共同創造面對未來的適應力。

本文原刊於《西原育英ニュース》第3號，東京：財団法人西原育英文化事業団，1986年1月，頁4～6

「品質管制」與「匠的精神」

「品質管制（quality control）」的概念，源自美國的軍需產業。由於作戰的需要，所有我方武器及軍用器材必須劃一而品質穩定，否則不但操作人員的性命失去保障，更能影響戰局成敗。

透過兩次大戰的整個過程，美國發展出了「品質管制」的理論及作法，勝利後，更把它引進一般產業部門。另一方面，日本在宣布投降後，被盟軍占領，卻因為美蘇冷戰、中國大陸赤化與韓戰爆發等事件，迅速得到美國的大力扶持，培養經濟實力，以「品質管制」為核心的「美式經營學」便開始登陸日本。

但是，「品質管制」的概念卻遲至1956年，才為日本人所正式引進，這一年，日本經濟企畫廳發表的《經濟白皮書》指出：從1956年起，日本經濟脫離了「戰後轉型期」。換句話說，日本經濟已經恢復到戰前的最高峰，而且正要超前，好比一個完全病癒的病人，可以開始鍛鍊更剛強的體魄了。

筆者於1955年赴日留學，可說正好目睹了日本這隻亞洲大龍破殼而出的經過。

在短短十年內，日本的工商業重新站了起來，到今天，日貨的「物美價廉」已有相當的口碑，其中降低成本的因素不談，單就產生的品質來考慮，我深深覺得日本人徹底吸收了「品質管制」的概念，將它融合入日本的文化之中，形成一種「匠的精神」，才使得日本人孜孜不倦於改良品質。

「匠」指的是「專精某種技藝的人」，也許是因為中國人比較看重道德文章，「教書匠」、「臭皮匠」等用法，隱隱含著「下焉者，勞力不勞心」的意味，要他「尊重匠人」，或許還容易，要他「尊敬」，卻有些勉強了。

然而，「匠人」的日語讀音是takumi，和「巧」字唸法完全相同，日本人對名勝古蹟和歷代名匠，可說推崇備至，譬如奈良的「唐招提寺」與日光的「東照宮」等，所有嚮導都會鄭重地向觀光客介紹：「這是古代中國的師父所造的。」不僅如此，日本社會普遍有著尊敬匠人、認同「匠的精神」的心理，政府甚至會封贈各個行業的名匠以「人間國寶」的尊號。

日本人尊敬中國老師父、尊敬自己的「人間國寶」，也引進美國的「品質管制」觀念，更學會了德國、瑞士等國家發展精密工業的態度，就這麼「日」外古今地融會貫通起來，今天，沒有人能否認日本的相機、鏡頭、鐘錶與鋼琴等商品的水準。

這種「匠的精神（英文可譯為craftsmanship）」不但存在於日本產業界，更在各行各業的每個角落，造就出日人「一絲不苟」的敬業精神，使他們以工作為榮，藉工作表現自我。

這就是日本成為「亞洲大龍」的最大原因。

本文原刊於《日本文摘》創刊號，1986年2月，頁7。原總題「美國・日本・台灣」

邁向21世紀的留學生政策的展開

——大學的想法與因應之道

◎ 劉淑如．蔣智揚譯

首先感謝主辦單位今天給我這樣的機會。很可惜，好話剛才大多被一些教授給說完了，不過，我們吃飯時都會先吃肉，最後剩下骨頭吧！其實，將骨頭慢慢吮吸的話，還是會有味道出來的，所以請各位忍耐一下我的「骨頭」，也就是請各位聽聽剩下來的話。

立教大學的留學生招收體制

我要談的副標題當中，有一句是「大學的想法與因應之道」。這麼說來，我以立教大學教師的身分，或者以立教的國際學術交流委員會委員的身分發言，應該就一點也不奇怪了。不過，可惜的是，就如同剛才各位教授也有提到，我們立教大學就像是附在各位所屬大學的驥尾一樣拚命地追趕，就像今天與會的赤木〔洋子〕課長，她也是獨自一人孤軍奮鬥，而過去完全向歐美傾斜的狀況，最近總算有所改善，轉而稍微注意到亞洲了。目前的狀況下日本與亞洲的關係，或者日本與第三世界的關係，我個人認為恐怕立教大學在招收留學生的體制上還有先天上的「缺陷」。也就是說像各位教授剛才提到的，從第三世界來日本的留學生，他們現在的目標，或者說最希望攻讀的，是實用的工學、醫學、農學的領域，而這些領域在我們立教大學都沒有。雖然我們有理學部，不過因為是基礎學問的領域，目前正急著向前追趕的第三世界，對這些領域需求的緊急度並沒有那麼高，這是一般的感覺。換句話說，有些在國家建設的現況是不容許慢吞吞地做一些基礎性的研究工作。在此一意義上，我才說立教大學在先天上是帶有「缺陷」的。

姑且先不提這點，說到立教大學的特色，例如在觀光科系或日本文學、日本文化論領域相當著名的教授，也都在立教大學教授會成員之中。在這些領域當中，已有外國留學生。然而，需求若只是集中在這些領域，那麼老師們除了會很忙碌之外，加上專門學科的關係，因此在外語應付上，無論如何將變得力不從心。再者體制上還不很完備，所以老師們的負擔將很重。基於此，就如同剛才慶應大學的深海〔博明〕教授所說的，教授會的成員本身若沒有自我認識或自我改革，恐怕就無法期待能有光明的未來，而這一點我也感到擔憂。因此我實在沒有什麼可以立教大學教師，或者以立教大學國際交流關係委員的身分向各位報告，毋寧說請各位容許我以學習的目的參加今天的研討會。接著，我從個人的立場，以及根據一些個人的經驗向各位報告。

首先，因為我本身是留學生出身，所以恐怕今天在座的各位中，除了那邊有一位外籍老師之外，並沒有像我這樣的例子，因此我想我應該能提供各位一些不一樣的、特別的東西吧！其次，我本身來自第三世界，是屬於送出者方面的立場。具體來說，我來自台灣，就如同剛才的介紹，我很關心日本與中國的關係或日本與第三世界的關係，以及少數民族的問題。而除了歷史學之外，我對心理歷史學，也就是psychohistory之類的東西也有一些興趣，所以我想我應該也可以提供這方面的看法。

其實我前天才剛從台灣回來，所以從昨天到今天早上，倉促地讀完三篇文獻，一篇是建言，一篇是關於展開，另一篇則是渡邊〔隆〕教授昨天的演講要旨。我打算將這三篇文章和剛才各位教授所作的發言——這個作法雖有點取巧，但充分發揮跑在後面者之優勢——一面消化吸收它們，一面談談我個人的意見。

就像深海教授所說的，他是站在研究中心所長堂皇的立場。我只不過是立教大學文學部教授會成員之一罷了。稍微離題一下，永井道雄先生擔任文部大臣時，曾在文部省召開過文明懇談會，我曾經受邀擔任委員，和許多德高望重的教授們一起討論，中根千枝教授也是當時與會成員之一。我發現將這些「建言」彙整起來的「邁向21世紀的留學生政策懇親會」的會員中，有中根先生和木田宏先生，當時木田先生是國際學術局長。由於有這樣的體驗，在我從亞洲經濟研究所轉到立教大學時，永井先生辭去文部大臣，再回到《朝日新聞》，擔任《朝日新聞》的客員論說委員，我才有與他見面的機會。當時他曾向我提出一個直率的建議，他說：「戴君，你們立教大學真不像話！」當時我們立教大學還沒有正式的接受亞洲留學生的制度，所以他才會說：「戴君，有你在那裡啊！」

在學部自治的體制下，我只有一票，直到最近，我接受委託擔任學術交流委員會的委員，這才獲得一點點發言的「空間」。我一點也沒有打算要逃避責任，不過總而言之，我們立教在接受留學生方面，是有些不太起勁。今天我感到非常高興，那就是鈴木〔幸壽〕校長（東京外語大）有點自嘲地說：「這些文章是寫得很好，不過……」雖然校長並不是站在能扛下所有責任的立場，但他說出這樣話，因此我很慶幸自己今天有來。其實我並不了解情況，不過看過成員名單後，各位應該馬上就知道了。

牛尾先生和我是同一輩，我也曾經和牛尾先生一起參加過演講，以財經界的人來說，他的反應很快，有靈活的頭腦，因此，我認為他將來一定是能扛起日本財經界，成為相當傑出人士。儘管如此，我同時也認為最好有更多、更多積極的成員。今天就算文部省的人在現場也沒關係，我所要說的是，雖然這些文章寫得非常好，但無論我再怎麼拚命讀，總覺得少了些什麼。和我剛到日本的昭和30年代初期慘不忍睹的日本留學生招收體制相較，的確進步了。不過，從那之後已過了30年，雖然展開篇和建言篇普遍抓住要點，但我總感覺缺少些什麼，而究竟少了什麼呢？說得不客氣些，就是少了哲學性的考察，也就是本源性的考察。無論我怎麼以善意去閱讀，只是深深地感受到文中所傳達出的不能在日本和亞洲之間重蹈日美貿易摩擦的覆轍，以及要趕快設法解決的這種語意，卻感受不到一些印證日本人很喜歡的「心的問題」這句話的「溫暖」。雖然我並不知道這些文章的作者是誰，但我想若對方再稍微有點文學感性的話，這些文章就可變成像我這種學農出身的遲鈍男子都能理解的好文章。就這個意義來說，實在是很可惜，所以聽完深海教授剛才相當有挑戰性的發言後，我還是覺得今天的出席很值得。

關注第三世界

最近，慶應大學相當進步啊（笑）。各位不要笑，這是真的。不久前，我接受私立大學協會的邀請時，見到久違的慶應大學政治學系山田教授，那位教授的發言相當精采，與我印象中的慶應大學完全不同，相當的不錯。要之，人一旦變有錢，就什麼都忘了，因為一有錢就會瀰漫起物質主義，現狀追認主義，因為人都是有一點惰性，所以一旦遇到這種飽食的、輕飄的狀況，就會更加的墮落。所幸日本的大學還算滿乾淨的，所以不太會墮落。不過，儘管如此，我還是認為深海教授的談話很精采。十萬人來吧！來吧！歡迎！面對日本的招手，亞洲人便說，好啊，我們到日本去吧！這麼一來，日本的納稅人會變成怎樣呢？我也有繳稅，這點文部省也知道，所以我希望日本政府能好好做事，因為我領月薪的同時，也很努力地工作，而且我也繳了很多稅金，但日本似乎沒有考慮到我們這些外國籍的納稅人。本來我們應該擁有外交、國防為中心的國事以外的發言權，但是這種發言權，到目前為止在日本並不受到認同，所以有關10萬人的問題，基本上我的看法和深海教授一樣，我贊成他的意見。也就是說，我期待這可以成為將量轉換成質的一個契機。因此，如何形成社會共識的哲學上的考察，是有必要的。

剛才提到日語的問題，東京外國語大學校長鈴木教授當然是提出了一個重要的議題，但我覺得每次和日本教授討論事情，這些教授們經常都會忘了一點，那當然就是第三世界方面的毛病，而這也是日本知識分子的病理。怎麼說呢？說得白一些，也就是，我們既是「白色」的囚犯，也是「近代主義」的囚犯。應該說，這個疾病——最近好像沒有梅毒了，不過總之就是梅毒的第五期或第六期——普遍存在於第三世界的知識分子身上。各位應該都知道，有一位外國人寫了一本書，叫作《做為意識形態的英語會話》〔《イデオロギーとしての英会話》〕，也有意識形態的英語、意識形態的法語說法。儘管存在著意識形態的法語問題，不過在剛才舟久保〔熙康〕教授所發表的法國經驗中也有提到，法國採取編列相當高額預算的措施，在致力於法語的普及，努力將法語推廣到全世界。明白地說，第三世界目前仍然只是將日語看成二流的語言或三流的語言。我想各位應該知道，日語尚未被認為是能夠換來「錢財」或呈現「文化氣息」的語言。我並不是說這種方式的見解是正確的，但想指出，第三世界有許多人都是這麼認為。要之，靠日語是沒辦法賺錢的，它還無法具有普遍性。有人就說：「其實我是沒辦法才學日語的。」或者說：「你問我為何來日本留學？其實我是因為拿到國費留學生的獎學金，所以才來。」我們在日本殖民統治時期所學的日語雖是一種屈辱的語言，不過在留學的過程中，至少我感到自豪的是成功地將之轉換成工具語言之一人。剛才介紹我的教授稱呼我為戴國煇（Tai Kuo Huei），是的，我已經從戴國煇（Tai Kokki）這個殖民地人變成不再是「囚犯」，而是原來的戴國煇（Tai Kuo Huei）了，所以我才會在這裡用日語與各位對話。

實際上這個思想層次上的重要問題，大多數的教授都無法感受得到。當然或許亞洲的年輕留學生很精明也未可知。就像剛才教授們所說的，要製造出親日的人，只要嬌寵他們，予取予求地給他們錢就好了，但這麼做他們能否變成親日的人呢？事實上可能性不知道是否有10%。若是暴露出一些矛盾的話，那些人將率先反日，因為他們在思想的層次上和哲學的層次上既沒有自我超越，也沒有獲得自我認識的機會和經驗的場所。因為各位日本朋友在集團主義的價值體系下，都盡可能家醜不外揚。因此，聽說今天與會的田中宏先生原本受到社會認定應該能成為委員會成員之一，卻沒有入會，這就是日本的現今狀況。所以，日語的問題並不是因為漢字多所以很難的這種枝微末節的問題，比這更重要的，還有第三世界的留學生、知識分子存在「心理問題」的病理層次的問題。日語從價值的序列來說，它的優先順位只有第三、第四或第五，我想我們應該要先對此有所認知，然後再去因應。希望各位務必了解這個日語的相關問題，也希望文部省或日本國家預算能夠一併思考這個問題。

我們學習外語時，若在心裡的某個角落有抵抗感或恐懼感而覺得很討厭的話，這時花再多的錢，實際上它的效果很小，也很難有所幫助。如果我們是寵小孩的笨爸爸買給小孩索尼牌（Sony）的錄音機，只要小孩對外語產生抵抗感而討厭外語，那麼這麼一來，錄音機就沒辦法變成一種投資了，這就是現實。儘管如此，日本當局卻連投資也不做，吝於做這樣的事，因此，以日語很難做為藉口敷衍了事，這難道不是一直以來的情況嗎？當然，關於外語的教法，我願意期待舟久保教授所努力研發的新系統等，但實際上因為教授們都沒有針對意識形態的日語問題發言，所以我才斗膽提出妄言，因為我認為說出來會比較好。關於留學生的心理問題，除了送出的一方有問題之外，接受的一方也有問題。接著我想談談這一點。

剛才我已提及，深海教授已經清楚地確認問題。剛才我也說過，想要號召10萬人，10萬人就會來的這種想法太天真了。當然，錢撒多一點的話是有可能會來的，不過，問題是10年、20年、30年之後究竟會帶來什麼結果？以第三世界方面，也就是送出方的心理問題來說，並非只是將日本的經濟成長解讀為高度經濟成長，也並非只是用物質性的角度去看待它，首要的課題是如何讓他們客觀地認識當今日本的民族活力，以及文化的獨特性這種總體的日本。同時，不可以迴避的是，做為日本人「脫亞入歐」此一傳統觀念的型態，福澤諭吉的〈脫亞論〉雖受到各種誤解。這點先不談，但實際上如果日本和亞洲方面不共同超越「脫亞入歐」型態的觀念，情況就會不妙。而在共同超越的同時，要如何一起勾勒出明天的構圖，則是第二個課題。而現實的日本不但不想超越，甚至連提到都討厭，所以才會以為自己是花錢在培養親日的留學生，其實日本沒有注意到的是，實際上他們同時也播下了「反日」的種子。

培養知日派留學生

我認為最理想的首先是在於培養「知日」的人。曾經有人將當地僱用者不適合出現在會議上的問題曾被拿出來討論，而不適合出現在會議上，這究竟是基於個別企業的商業機密呢？還是因為想在當地搞不可告人的事，所以才要迴避當地僱用的留學生出身的人？其中的區別很不容易。以我們大學人來說，有關個別企業的商業機密，我們並沒有發言權，也就是說，我們是無法插嘴的。但我認為日本的和平及日本未來的發展應該是要和亞洲或者全世界同時共存的，否則當日本認為自己因高度成長而享受繁榮的果實，但第三世界不予「購買」，世界上其它的鄰國也都不予理會時，日本人要吃什麼呢？日本人是咬啃著索尼明天就可以生存下去呢？還是認為大家一起咬住日立的工廠，就可以繼續生存下去？我想並不是這樣的，我認為要如何和這些鄰居們共同勾勒出一幅共同的、更美好的今天或璀燦的明日構圖，以及要如何加強共識，這些努力都是必要的，而現狀不正是缺乏這些努力？但在這個建言中，我們幾乎感受不到這個部分。趕快把人號召過來吧！

接著，把人號召過來之後，就希望他回去時不要有不愉快的感受。明白地說，它的字裡行間已透露出想要培養親日派的願望。我認為不只大學人，包括大眾傳媒在內的整個社會必須共同開創出培養知日派的這種日本的留學生接受體制的時期已經來臨了。我在日本已30年了，因此看到了慶應大學或早稻田大學所做的努力。另外，東大也有它自己的進步，而我在東大的十年間，也知道有一些教授非常努力。原來東大在日本的大學體制中，因站在頂點，所以照理說只要東大起個頭，其他大學就容易動起來，整個社會也會動起來。但就日本整體來說，取與予的規則〔譯註：give and take〕現在仍然無法確立，這是我想提出的嚴厲批評。由於不斷索取〔譯註：take and take〕的關係，今天才會發生貿易摩擦、文化摩擦的問題，於是慌張地想要裝成取與予。也就是說，日本人也希望全世界的人都認知到他們是想要公平的，於是，意識到只是向別人伸手是不行的，而也必須給。給的方法若不能充分有效地，並以歷史性的展望去使用我們這些納稅人的錢，會讓我們感到困擾的，這是我們納稅人想主張的，尤其我希望文部省的人要特別留意。

日本人方面，剛才也提到當寄宿家庭時，膚色已成為問題，這是很嚴重的事。美國當然也是如此，我也有在美國待過一年的經驗，所以人種問題我很了解。但日本的有識之士卻常說，不，我們並沒有歧視意識，而美國則是徹底地顯現出來。日本社會是一個社會性地強烈要求東亞出身者隱姓埋名生存的社會，而對於我們中國人、朝鮮人而言，它也是一個容易且可能藏身的社會。因為不是個人主義，所以我們便被囊括在集團主義性的文化諸體系之中，也因此，每一個人才會善意地說，沒有，我們既沒有想過要歧視，也沒有歧視過朝鮮人。踩著別人腳的人，是不了解被踩者的痛苦，這其實是日本社會內部的問題。即使和報社高層的人講的時候也一樣，對方總會說：「戴先生，我們並沒有歧視朝鮮人。」而我就回說：「你個人或許是如此，但整個社會如何呢？」這其實就是問題所在。在首相中曾根放出即將接受10萬人的廣告汽球時，我心裡想，自己在日本也30年了，今天是為了什麼突然急切且大量地要接受留學生呢？雖然站在第一線的教授們基於使命感、生存價值，或者個人的善意而拚命努力，但整個社會的共識是否已經達成？例如整個大眾傳媒對於接受留學生的意義，以及將過去從日本前往留學都是傾向歐美的情況修正到也前往亞洲形式的問題又如何等等的問題，他們是否建立對以上問題共識的一個趨勢？對此我還是有些擔心。

我平常就很佩服日本有良好的社會教育。與第三世界的國家相較，我覺得是很好的，例如這次會議說九點半要集合，大家就準時集合，這一點其它國家很難做到。幼稚園以來，各位就不斷地在接受這樣的鍛鍊吧！我也不知不覺受到影響，準時去食堂，準時去報告，做什麼事情都很認真，這一點第三世界的人就做不到。但人家做不到，你也不能只從表面說：「那些國家很落後。」明治維新以來的社會教育，其背面帶有被法西斯主義利用的弱點，但另一方面，其實做為高度經濟成長或社會性的集團，我認為我們應該同時具備讓這個集團運作的廣泛社會性基礎教育的認識。就此意義來說，我們應該要積極地去實施日本一般百姓的社會教育，同時，也對整個日本社會具有巨大影響力的《朝日新聞》為首的大報社，以及以NHK為首的電視台等，也應該要積極地關心留學生的問題。

從很早我就一直在講，而剛才舟久保教授也談到了他在柏克萊大學的體驗。我也在柏克萊大學待過一年，另外，我也去過史丹福大學，有很多事情都有同感。在學位授予問題的背後，我想是存在著文化問題的。基本上，日本人是集團主義，明白地說，也就是日本人已經習慣依靠別人連揹帶抱。美國社會因為有機動性，貫徹個人主義，所以像是個人思想的自由或者交通事故，別人並沒有必要知道。至於能否取得學位，如果在這所大學無法取得，就轉到別所大學，在那裡重新再挑戰。在日本的大學和學界，除了醫生之外，學位並沒有那麼重要的意義。慢工細活的研究所、研究者養成法並沒有不好。這很好啊！美國現在也想向日本學習這點。以方法論而言，我認為有很多可以學習的地方，不過也有不想要拿學位的人，而也有不給學位的老師，這對留學生來說很困擾，因為這當中競爭進不去。之所以要慢慢努力、努力、再努力，是因為日本社會有一些具體的狀況，所以才要努力。從外國來的人就沒有辦法努力，這樣一來，就像剛才舟久保教授所說的，他們就會去夏威夷大學，或者去其它大學拿學位，最後就會變成這樣。

相對的，聽說最近東大發生某科系有比較方便給予學位的狀況，如此一來，就會有東京大學的某某博士只有這種程度，或者日本的某某博士只有這種程度的負面形象，與美國相較就顯現出來了。於是，若回到母國，實際上在同一個研究所或同一所大學中也有從耶魯、哈佛、柏克萊、史丹福回來的。我現在說的是文科，史丹福、柏克萊或哈佛並不是那麼簡單就頒發博士學位，文科得花上十年，同時要求也很多。我認為我們有必要再稍微重新釐清特別學位的感覺，然後將問題點縮小以深入討論。在此意義下，我想對渡邊教授的試行方案提出小小的憂慮和疑問。例如，感覺上特別學位的設定似乎是他的提案，因為是試行方案，所以沒有關係，但是這個方案對第三世界的人實在是太過特殊禮遇了。日本人是好意考慮到要照顧他們，如此一來，就符合日本人的美德和審美感，這是沒關係，但對於被接受方而言，特別的措施考量在某個意義上就是一種歧視，而歧視的另一頭反過來也有可能反歧視，我希望日本能充分考量被接受的一方對此很敏感。

其實，這種情況目前在台灣也發生，實際上在同一時期，一方到耶魯，到哈佛，而那邊的競爭很激烈，大學之間也有交流，所以如果拿不到這家大學的獎學金，就會到別家大學，或者到專攻某個領域的教授那邊去，各種移動都可能。最後拿到學位後，回到台灣，經過一番淬煉，就變得很厲害，見識廣了，能力也有了。而日本則是入學後，無法重新評估或重新來過，尤其國費留學生一旦入學後，恐怕只要不犯罪，應該就不會被趕出去。這一期間若有像舟久保教授這麼好心的教授問文學部的教授們說：「為什麼你們不給學位呢？」而對方回答：「真是不好意思，那我們就給吧！」而回國之後，就會被拿來比較。所以，我要提出具體的建議，例如就算是以國費的名義收留學生，但觀察兩年後若不行的人，就要拒絕他；取而代之的，即使是以私費的名義前來，但中途不妨重新評估他。不過，這時研究所的成績評價因實際上日本都是給A，所以也很麻煩。那該怎麼辦呢？我想，只要積極對此重新評估，並導入競爭的原理，那麼傳統上文學學位很難拿的定見就會得到修正；同時實質上留學生也會獲得有實力的學力。

在嚴格的環境中鍛鍊，只要我們不把留學生送回去，大概二十年，評價就會出來，台灣也已經開始出現了，例如有人與美國比較之後，就提出了「原來日本的博士只寫得出這種程度的東西」的評語。

占用大家許多時間，真是抱歉，也謝謝各位的聆聽。下午討論時再慢慢討論。我的肚子裡，以中文俗話形容：「墨水不多」，也就是學問不多，卻是「油水過多」，意思就是脂肪很多，所以請大家屆時再慢慢幫我擠出來！謝謝大家。〔以上劉淑

如譯〕

問與答

山代昌希（以下簡稱山代）：想要請教戴先生，戴先生說過在下午的會裡要把油擠出，包括這方面的事，加上剛才四位先生提起戴先生的大名，所以要拜託您了。

戴：我覺得大家有所誤解，關於學位問題，我並未說各位曾將其廉售，而現在東京大學文學部的學位，也有被廉售之嫌等語。只是碰巧由於在台灣的經驗，有人這樣說，另一點就是留學生，尤其就第三世界的人而言，假使對其所持心理的部分不加以理解的話，為留學生著想的特別學位之構想可能有點危險，反而招來反效果，非常感謝關心，不過這個問題是綜合性的問題。在此可以明確地說的是，涉及送出留學生一方之病理，與招收留學生一方之病理，二者間應該加強綜合性的、全球性的相互檢討，並對所出現的例如日語教育的問題，或者學位的問題，針對這些問題應如何處理，深入研究下去才會有更好的成果，這些就是我要說的，可惜似乎未正確傳達給各位。

頭銜社會

關於這個病理容我詳加說明，例如沒有學位的話，會對就業不利，這個問題在日本來說，據我所理解向來都以比較合理的方式走過來，這也許是我個人的想法，要之我認為所謂近代化社會應該就是從原則到實質的走廊縮短之過程。其實看看第三世界現今的狀況，其原則訂得相當高，無論形狀、樣式、標語等各方面都很不得了，這些可能也有不得已之處，不過實際上如日本近代化的過程，努力充實基礎學力，雖然也免不了一些弊端，但是的確那樣努力了。舉一個身邊的例子，拿到日本人士的名片時，大體95%可以相信所寫是真的。可是拿到第三世界人士的名片時，還是先存疑為妙。我個人認為這就是病理。

例如最近日本所注意到，正如鈴木先生也關心的，台灣與朝鮮半島已經拚命追上來，但是高度成長的矛盾漸漸開始呈現，以往依賴投資設備或是提高生產力來掩蓋矛盾。可是漸漸無法掩蓋的結果，投資就移往第三地域方面，本來第三地域的生產性不易提升，但第二地域卻加速成長而吸收其矛盾，終至無法吸收的時刻，就發現一件事——各位可能較少看台灣報紙，在台灣博士帽已經沒用，缺乏內涵的博士也沒用，這樣的內部批判急速爆出。這是什麼意思？總之，在日本的社會裡，要拿碩士也好，拿博士也好，都沒關係，反正從大學畢業的年次開始計算薪資，關於這件事如深海先生所說，想要在國際化的過程中，與國際的狀況取得平衡，對日本學位的思考修正軌道等等，這當然是很好。不過做為實質上的問題，為了真正培養近代化的力量，自明治維新以來，在日本人之中可發現極其踏實的、匠人的精神，此種形式的效果更大。

至於第三世界，在這裡不妨舉印尼為例，或看看現今的中國大陸作法也行，都令人感到非常不安。就是先喊口號，什麼都要錢。可是到某時間點就露出馬腳，這就是送出一方的一種病理。

總而言之，需要的就是學位，有了學位就非常方便，總之就是要大學畢業證書之類的。可能各位都未感覺到，雖然我在日本就業已經有20年之久，但是從不須要出示畢業證書。這麼樣的社會，除了日本以外，哪裡去找呢？因為好像與空氣一樣大家都沒感覺，認為完全是應該的。但是在台灣須要出示學位證件。在日本，將履歷書蓋章後，一提出即被採信。當然以後如被發現有假就不得了。今日，在座各位的大學裡，我想也曾有各種問題。但是在日本的問題較少，即證明日本的社會尚屬健全。可是實際上在東南亞，或是第三世界完全是頭銜社會，可能美國也是一樣，這件事是很重要的。

專注凝視這個病理來思考的話，就會發現送出一方的病理與招收一方的病理都有問題。這點正如深海先生所說，也要想到究竟是否須將學位看成那麼難，但是一聽到外來的各種聲音，如不提供學位的話，可能優秀留學生就不會來，我想不要性急地做決定才好。還是要加強訂定國際通用的學位基準，比如說也許可通用於美國的水準，當然美國並非全部，總而言之必須經過審慎的研擬來制定授予學位的基準才是。如傳統的文學博士，好不容易寫出沒什麼讀者的論文，究竟那是什麼的發想也是問題，不過關於若不給學位，就找不到工作，我想也要多方面考慮。

與此相關，還有一個問題值得討論，在美國的例子我們也常當成議論的話題，不論常春藤聯盟也好，史丹佛也好，加州幾個校園也好，它們都是以往校園紛爭時期知名的、近似的研究所大學的型態。而在我們日本的研究所，等於只是在學士帽上加一頂小帽而已。對今後會增加的研究所學生，我們拚命在為其招收問題而議論紛紛。不過加州大學的柏克萊校園，或是其他的幾個校園明顯地都是研究所大學。也有大學部的學生，但明顯地與加州州立大學，意義全然不同。意義不同，但我們卻跳過這點而在議論。在此所產生的問題，現實上圍繞此10萬人的構想，在假定會來之下，就會產生是哪裡的大學的問題。這樣一來，日本國內的接受會成為問題，可能成為著名大學，或是東京的舊帝大？還是不會？又果真這樣的話，其後果如何？我想這又會成為日本全體大學的問題。亦即因為外交問題是內政問題的延伸，假使所謂留學生問題也是外交問題，由外交問題反彈回來變為日本方面的內政問題，亦即接受的問題今後會如何演變，我想會成為另一個觀點出現吧。

因此讓研究所體制保持如加頂小帽的現狀，而今後大部分留學生會以研究所為中心持續增加，此落差應如何處理的問題，具體而言，這又會關聯到文部省的文部行政的問題。而做為今後對地方的大學或私立大學之援助、投資的方向，不要以所謂金字塔型的大學體制，而要以另立更多山頭的方式去推展，否則到頭來大學能否成為接納10萬人的容器，將成為問題。而外部能否真正放心地送出留學生，這當然與送出一方的病理有關係，但現在老實說，關於送出一方，哪裡的大學不行，他們已明確做好了清楚的評等。誰也不說清楚，這與大學人的我們雖然沒有太大關係，結果是變成這樣，這必須視為日本方面社會的病理，而此病理也未被當作問題，只管招收，希望回去後盡可能成為親日派，但事情不會那麼順利，雖不必流血，可是流失成本是難免的，這是我要提出的一點點問題。然而，如果10萬個留學生像下得很集中的豪雨似地，一下子湧入所謂著名大學的話，其混亂的狀況怎麼辦，令人擔心。

接下去另一提案是關於深海先生提出的問題。您根據慶應大學的實際成果而發言，是充滿了自信的發言，連我的信心也加強了，相關的感受，就是現在許多提案的展開，仍舊充滿濃厚的官僚主導型、公費留學生牽引型的構思。這樣子也可以，但這個問題所關聯的還是我個人的日本文化論或日本社會論的問題——日本形成近代國家或者到今日的過程如何評價之，而至今此過程的確可說以非常高的效率達成了目標。不過目前正面臨轉換期，以至今的官僚主導型、國公立大學牽引型的文部行政，到底能否讓日本今後的活力持續下去？還有與此相關的，對留學生的接納，〔文部省〕只出一張嘴不出錢，卻要將八成工作交給大學，算盤打得太精明（笑），我看還是免了吧！

不過日本的官僚確實是有能力、廉潔的。我這樣講，霞關的官員會說我在恭維，也有人會生氣，說「評得太寬了」。這是比較的問題。我是真的這樣認為。在日本生活了30年，覺得日本的官僚優秀，潔身自愛，也很用功。只是也有相當蠻幹而不負責任的地方（笑），這也還可以，例如慶應大學與早稻田大學等大學都在努力以赴，但問題是如何將民間的活力，連結到日本21世紀的國家建設、民族的發展上，而實際上留學生的接納方法卻仍然是官僚主導型、牽引型，希望不要再擺架子。僅就台灣而言，結果現在已有很多東京大學畢業的人，在台灣的大學位居要津，此並非拿了很多公費留學的獎學金，也不是有特別的恩惠，其實為數也很少。我能夠說清楚的，就是以公費來的人數不多，真正奮鬥過的，都是自己花錢來，拚命努力的人，現在正從事好的工作。這是很明顯的事。不論文部省的官僚主導型，或是國公立牽引型，都是他們的某種虛構，同時，以那種接納方式來做也是不得已的，東南亞的人老實說，除此之外是不會來的。問印度的友人為何而來，他說「給我錢才來的」，跟我們是不同的。這點不能不知道，應該具有面對現實的勇氣。來的是從韓國和台灣，這是有過去的關係和經濟力等因素而來。其他的地方，不給公費是不會來的。那些人會去英國、法國等，印尼的一流人才會去荷蘭。那是因為有語言的問題，同時也因為他們至今認為日本的學問所具有獨創性不多。這也是他們的病理。

今天，中國大陸那邊非常清楚，到日本是做為職工來學習，但認為獨創性等是在美國。剛才我說過，我們不論送出一方或招收一方，兩方都成為近代主義的病理或囚犯。老實說，我們身陷一種世界性的價值體系而不自知，認為近代以降的想法都是處於優勢的。不過，我們可以一起來重洗上述兩方，日本人老師也秉持自信發揚日本的獨特性、日本的文化、日本尖端技術的優越性，同時也要讓對方了解這些，如此才能擬定留學生交流的最佳形式，以上是我的書生之見，暫時發言到此。

（中略）

有關日語教育

山代：其次要請教戴先生關於做為意識形態的日語問題，先生也說第三世界的人看日語不過是二流、三流的，您雖然不是專門研究日語的，但關於日語教育可否請教一下高見。另外還有一點，就是要培養知日專家，並進而使其成為親日派，這點做為較單純的問題，想聽聽您的意見？

戴：首先在回答您的問題之前，對於剛才各位所說日語教育的問題，我想就做為留學生老前輩（OB）所持意見作發言。有一點是鈴木先生所說的，因為您是東京外語的校長，所以會有非常嚴格的制度性想法。就此意義，有完全陷入官僚主義之虞。其實要培育那種專家集團、專業的日語教師集團，固然是非常重要，另外及早編出密集或系統性的教授法，也是長久以來討論的問題。其努力值得肯定；不過您在台灣碰到的或許是我的學生。不過您說這是很嚴重的問題，我認為您的發言不合邏輯。

例如我的學生，去復旦大學讀兩年，念了中文後終於就在上海的文學雜誌以中文發表小說。像這樣努力的學生對方有的是什麼，結果是日語和中文的交換教學，她討生活的方式就是積極教日語，最後還帶丈夫回來，就這樣讓中國的人口少了一個，我們應該感謝。

另一個我研討性授課會的學生，如今在外國，最近碰到她，問她靠什麼吃飯，她不好意思地說在教日文。有這種情形的人，這樣並非不好。還有一個日本人朋友，考取台灣的大學而一直在台灣留學，也在餘暇之時幫人補習。對方也不會想到資格等的難題，對方有那樣的需求，而這邊也可賺取學費，這也沒什麼不好。其實還有一個類似的情形，我一個朋友，在東京奧運英語熱時來到日本，是學自然科學的，用英文寫了學位論文而取得東大的學位，現在在加拿大，最後他也是娶了自己的日本人學生，實際上支撐其學費的，不外是在街上的英語會話教室當教師，而不是在日美會話學院等正式的地方。就是靠教英語會話，邊討生活邊賺學費，完成了東大的學位論文。我知道這樣的人有二、三個。所以說不必想得太難，除了制度性的、職業性的東西以外，同時也為了討生活，或了解日本文化，以日本正在使用的生活日語之各種形式而學得社會的狀況等等，應該都是非常重要的事。

在此做為具體的建議，例如我去了柏克萊等地，正好也帶孩子與太太去，而柏克萊大學的教授夫人們則在英語教室等處當志工，她們邊介紹美國的生活、美國的文化，邊積極地推展這種教室的志工活動。這對我們來講，幫助很大，讓太太們的生活獲得充實。在日本有沒有類似情形，我沒聽說過。或許有像YWCA等以志工媽媽的方式存在著，但是否有大學人的婦女積極地組織起來，以投入助人的活動，這點倒要請教各位。目前在立教大學，留學生較少，是否可考慮考慮這種形式。我認為這樣一來，做為教外國人日語的專家團成員的問題可獲解決，而且為了知道日本實用的生活所需用語可由志工來教，這種多元的運作本身能夠保障更為豐富的留學生活或是有文化交流的日本生活。

以上是我對至今所聽到的話的感想。總覺得我們一邊批判日本的官僚主義、官僚制度，一邊自己依附官僚，我認為這樣的發想不適合今天的集會。那麼，關於做為意識形態的日語問題，這是我讀了筑摩書房的《做為意識形態的英語會話》一書所想到的。我認為這當然是做為美國反越戰運動的一環而出現的，在美國重新提問對美國文化，或美國的世界性角色、世界史上的定位等關聯性重新檢討而出現的問題。其實，這是做為自我批判，做為意識形態的英語會話而提出的問題。實際上，在另一方面做為意識形態的日文，我想大家不太能聽得到。這是因為外國人有一趨向，總認為日本人是最典型的民族——只要稱讚一下就會高興。有很多非常壞的人。像我這樣老實的人不多，因為有話直說，變成不受歡迎的人物，我卻自認像我這樣的人才是真正值得信賴的。舉個例子來說，不論中國大陸、台灣或朝鮮人的朋友，其中朝鮮人的朋友，在日朝關係的長久歷史中有因近親而憎惡之處，這另當別論，但中國方面對於日本留學，邊拍日本人馬屁，好話說盡，邊打從心裡認為日本是二、三流。

對此，我在這三、四年來特別寫了隨筆，批判傅高義所著《日本第一》在日本能賣60萬本的狀況，我說其實不是As Number One，應該是Is Number One。只說是As Number One而沒有說Is Number One，就跟他買了60萬本，讓他賺了那麼多，日本這種包容的凱子態度才是問題所在。其實我是在說這是中國方面的病理，日本人有許多地方應該批判，但同時也有許多值得學習的。所以我說你們為何擅自認為日本的學問是二、三流的，那是以前是模仿的時代，但現在也有創新的部分。我舉例說在某種學問的領域裡，日本是走在世界的尖端，具有創造性，最好請明確定位後再做評論。不然，只說美國是第一，歐美是第一，在台灣也只聽說美國是鍍金，歐洲是鍍銀，日本是鍍銅，因而我也是鍍銅的。這是我們這邊的病理。事情並非這樣，那麼是怎樣呢？總之，就是讀了日語也無法賺錢的緣故。

今天，說是日語熱潮，大家卻對其語焉不詳。的確是日語熱潮沒錯，正如鈴木先生今天早上所說，與日本物資的流動，以及日本的資本主義經濟，正在包括中國大陸的亞洲各地如火如荼地進入。其間所引起的日語熱問題，與我們大學人所想接受應有的日語問題，二者其實有重複的部分，同時有非常不同層次的問題存在著。此般認識如果大學人這邊不好好加以定位的話，實在欠妥，這就是為何我將做為意識形態的日語問題加以定義之故。要之，從另一方面來講，就是英文都排在第一優先。只要一聽到英語會話，某位白種人在教英文，只要是講英語，認為都是重要的，這種意識形態的作祟就是問題所在，這也就是全面肯定美國的（日本）病理。對此，美國人卻自我告發而提出問題，他們對日本的有心友人說：「這樣子是不行的，美國並非如此，美國還有許多負面之處」。其實說日語是二、三流，這種印象對日本理解並非正當的評價，也不是正確的定位。

話雖如此，現實中卻有人對學日語的必要性存疑。例如，我的印度友人曾在公共場合的東大農學部長宴會席上說：「為什麼我必須學習、使用日語？」此問題就在其背後。剛才我所說近代主義的價值，其順位的問題就在此處。當時我就站起來發言：「不，不是這樣。我是自費來的，未曾拿過日本的公費或獎學金等，但在這方面我卻要擁護日本文化。尤其你是拿日本公費來日本的，以這樣的態度留學，不會有成就的。」的確，他是透過英文學習而來的。印度這個國家屬於英語文化圈，要之曾付出做為殖民地的很大代價。但是，就此自我將英文視為價值，有這樣的傾向就是問題。我這樣地發言，其實他是不會了解我所說的，因為印度的知識分子一直都無法自立。自稱是阿利安人，是先進民族，皮膚雖然黑一點，但仍為阿利安人。接受英文做為價值本身，我認為其實不應該是這樣。

今天，是鈴木先生還是渡邊先生的發言提到，總之有甚多留學生以為日本的大學不用日語上課，是採英語授課，這實在是病理。要之，能用自己的語言進行大學教育的，只有日語與包括台灣的中文，以及其他幾個而已。其餘的大多使用殖民地母國的語言。因此他們認為在日本也是用英文上課，想不到日本人雖是渺小的民族，卻能用自己的語言進行大學教育。文部省卻對這種膚淺的認識視若無睹，對他們慷慨解囊，而對我這種日本文化的擁護者反而吝於獎助。我們第三世界的人，要正視日語為外國語文，做為對象來認識。並非二流、三流的問題，我們是來日本學習的，來學日本最好的東西。不過考量效率，自然科學的話，文獻方面是用英文比較容易學，那部分可以有。雖然如此，既然到了日本這個場所，最好還是以學會日語的形式，來理解日本人，理解日本的文化、日常生活是比較好的。

話講得太長了，不過還有一點，是大家沒有注意到的問題，今天早上一直講到something special，現在有一件事想提。以前在台灣與我是同世代的夥伴，到美國後也有在大學當院長或副校長的，不過大多是進入大企業，問到他們最後碰到的問題是什麼，答案是不能進入董事會。是否因為人種歧視，卻又不然。有人回答：「我念自然科學，而你到東京轉行，現在號稱歷史學家。我在美國為了吃飯，拚命搞自然科學。自然科學中能研讀的部分，以及達成此目的所需英文，就某種意義來說是非常容易學到的，但進入董事會後就不行了。」為什麼不行？因為聽不懂他們所說的笑話。董事會剛開始時，還可跟他們邊飲酒邊聊，但進入政策決定的階段時就不行了。關於在日本這樣的問題，今後像我這樣留學生前輩（OB）而留下來的情形會變少。畢竟法務省不讓人留下來。這就不會有問題。不過在美國，那樣的世代終於出來了。例如，得諾貝爾獎的，中國人有三位，日本人也有江崎〔玲於奈〕先生。但是，進入董事會後，到底能參與議論到什麼地步，不無疑問。這樣的問題還是有的。我們既然知道該局限，今後對留學生如何實施日語教育，必須一併考慮之。

再講到另一情節。現在，日、美間律師的國籍關係該如何處理出了問題。也有我的學弟考上美國的律師考試，但是出席法庭的律師，全美國恐怕只有五人左右，這點恐怕各位未曾想到吧！如果我在日本考上律師考試，以我的日語，我有自信可以在法庭上對付檢察官、法官，或是對方日本的律師。但是我的友人或是我的後輩是取得法學博士的。「考上了加州律師考試呀！」「怎樣？」「不，戴先生，我是寫文書的律師。我不會出席法庭。」就是有這樣的問題。因此，各位在討論著日語，出席的也有教日語的老師，希望能考慮到這方面的事情。也就是說，以外國語為母語的外國人，留學後所學到外國語的局限為何。例如以文學來說，日本人的話，到了日裔第三代、四代，今天能以英文寫小說的，在美國有幾人？只有一兩個而已。

現在，李恢成先生或金達壽先生，由於他們受過殖民地統治，所以能以日文寫文學作品。而我有孩子三人，都在日本長大，文學的才能雖非受父親的影響，但他們真的要寫文學作品的話，也只能用日文了。如果各位認為我們夫妻具有中國人的血統，我們的母語便是中文，那就錯了。我的孩子，其母語始終是日語。這就是我們的想法太注重血緣的關係。其實後天的部分，才真的是大問題。這在語言學的領域不知如何處理，正巧注意到而提出。

（中略）

招收學部留學生一事

戴：一直都在批判，有二個要稱讚之處。一是對文部省的建言。其中要稱讚的是實務人員的培育。我不知道有無那樣的預算，以日本的現狀來看，就過去我所知部分而言，例如圖書館實務人員或是留學生的實務職員，他們是否需要給予稍微多一點專業研習的機會。因建言有寫，所以要積極地向文部省爭取預算，國立的不必說，私校也要承當八成的話，我想最好還是由各位之中積極地提案才是。實際上，如派人去美國的有名大學一年，學習如何接納留學生，或是這方面的服務方式，會比較好吧。就此意義，因為建言中有一行提到，所以想要稱讚一番。

還有一件事，我們有不知不覺被利用成為早稻田、慶應球賽觀眾的感覺*，但為了恢復立教大學的名譽，其實立教大學學部留學生的特別評選制度終於啟動了。積極招收海外子女〔譯註：外派日本人自海外歸國的子女〕，也在配套進行，不過我個人對學部招收留學生是反對的。以我個人的經驗，自己的親戚等幾乎都去美國了，但由此看來，學部留學生的情形，毋寧是認同危機

* 早慶戰：東京六大學棒球賽中的早慶戰很有名，有關留學生對策做的有聲有色早、慶兩大學出席者發言踴躍，因此以早慶戰比擬之。

的問題很大。對此做為折衷方法，我的具體提案有幾個。深海先生的高見，倒是有多元性的構思，分割性的接觸能更有效而考慮學部留學生。當然基本的探討，我是贊成的，不過我剛才說過認同危機的問題，此問題如何處理，今天我們一直在議論著，但都只是外面國際化的話題，而忘了日本國內的國際化。例如，積極地招收在日朝鮮人學校的出身者，這真的是最好的例子，進而也招收歸國子弟，這樣才是將多元性的構思帶進日本校園最有效的方法，但不知何故，到國外拚命想搞日語學校，在國內卻又怕得很，在日本的外國人學校，只有美國學校似乎沒問題，其他就很擔心。

說起美國，想大家都體驗過，不知不覺間連電視也被要求播韓語、日語、中國話。但美國並未被推翻，那麼為什麼日本怕成這樣呢？因為美國是移民國家，建國的過程是不同的。而日本是靠單一民族國家的神話故事以虛構形式勉強延續著。這會變成什麼樣呢？亦即在轉型期的20世紀，日本會以什麼型態存活下來。這是與世界史產生關聯而存活之意，這樣一來，實際上並非單一民族國家，目前卻像在溫室內活在單一民族國家的虛構中，是否還能繼續死命地在相互姑息的結構中自認是單一民族國家延續下去。其實得到好處的是美國。它以多元性的構思，接納許多人，在某種意義上，我們其實是吃虧的，人才外流是個問題。

美國將此多元性，藉由深海先生所說文化接觸來創造新的文化並利用之，可理解其為持續在利用的國家。同時，舟久保先生所說招收留學生，就是提供場所。藉由此場所，人們如何地得到好處，我們可想到最具體的，就是季辛吉國際研究小組。中曾根先生也是其成員。在日本並未被視為太大的問題。例如，東南亞國協中提出東望政策（Look east!）的馬哈迪等人，都是從季辛吉國際研究小組出身的。這種不好的事，我不想說給日本的總理大臣聽。真正說來，哈佛大學的實際狀況也很糟，令人遺憾地那是某種的虛構。那裡設有高級研究員的職位，而由德國出生、個性強、操德國腔破爛英語的季辛吉把持著。那麼現在我們可以想一下，除共產主義以外的領袖，都與他有關係。那就是舟久保先生所說的場所。那正巧也是政治學、國際關係、國際法。還有什麼呢？工學也有這樣的現象。在那裡認識、做多元性的接觸之中，就能建立國際關係。

如果這是真正善意的投資、具有普遍性的長期投資的話，我想不久就會造就知日派而回饋日本。但是看看日本，大體上是短視小氣的。動不動就要速戰速決，日本的近代化也有這樣的情形，所以也難怪。現在又批判起來了，真不好意思。因而，就此意義，如何有效且多元地在真正的長期計畫之戰略構想中來建構該場所，極為重要。

另一積極的提案是，如剛才我所說，招收學部留學生，有國內的國際化部分，以及另一部分，亦即總理府已經派出船隻去接他們，而對東南亞沒有錢的人，也可積極出錢，一起將他們接來。給予在日本家庭短期的寄宿機會。也許可利用暑假，在高中或大學的階段，以如同接待外國留學生的形式來進行。這樣使他們親身體驗日本，逐漸學會日語。也許可認為這是一種制度，在相識的累積中，最後在研究所燦然開花結果。正如深海先生所說，這就是學部留學生，以日語上課也有其困難，許多老師覺得麻煩，雖然將入學門檻訂得高，卻讓他們輕易畢業。因為可輕易走出校門，日本的學生對大學無所期待。在企業受訓二、三年之後，成為可用的棋子而活下去，也就是日本社會體制中的棋子。但是來自東南亞的學部留學生被放出校園後，反而陷於困境，什麼也不能做。他們說日本的大學搞什麼，只能把我們培養成這樣。

這是體制的不同，不是好壞的問題。日本的社會就是這個樣子。大學是選拔機構，最後給畢業證書，途中打麻將也好，做什麼也行，只要交交朋友就好。知道大學的氣氛是什麼，以後自己就會動起來，就是這樣的社會。但東南亞的人就難了，學了麻將也不錯，卻沒有下文，派不上用場。這樣一來變為負面的。說起來還是因為認同危機的問題是很嚴重的問題。

（中略）

山代：（前略）我聽說戴先生本身就是昭和31年〔譯註：應為昭和30年，後同〕來日本的留學生。參與座談的各位先生也說過，各大學有留學生的存在，是相當早就有的事實，但我所理解的可能是，就某種意義，正式招收留學生而成為制度的，應該還是由昭和29年文部省制訂公費留學生制度才開始的。對於昭和31年戴先生的時代，我們也會回想起當時的事，從那時經過20年以上，回顧這30年的時間，誠然令人有隔世之感。（中略）尤其從立教大學來參加的戴先生，提出富於啟發的談話，先生不僅從本身招收方考量，也認為應考慮留學生送出方的想法，並以病理這個用詞為媒介為我們講解。不過說起來，本次座談會也因有戴先生的光臨，使此議題有所昇華，真是感激不盡。同時也感謝發表

高見的各位先生。〔以上蔣智揚譯〕

本文原刊於《シンポジウム「21世紀への留学生政策の展開をめぐって── 大学の考え方と対応」》（第五回JAFSA夏期研修会報告書），東京：外国人留学生問題研究会，1986年2月1日，頁29～35，頁48～51，頁63～67，頁70～72，頁74～75

爲商品注入生命

——談產業文化的觀念

去年〔1985〕我回到久違的國內時，曾借宿在朋友的家，也住過所謂觀光旅館，以及某企業集團的休假中心，當時心中的一個感想令我至今耿耿於懷。

不能否認，那陣子我見到房舍建築、家具器物，全部都是貴重的高級品；但是，仔細品味，我卻嗅不到一絲中國的個性，彷彿它的主人仍停留在以用舶來品為榮的層次。另一個現象就以「圓山大飯店」為例子吧，這家旅館在台灣可以稱得上是一流的了，外觀壯麗，進去之後，粗看也不差，偏偏浴廁設備連日本的二流旅舍都不如，令人感到吃驚和洩氣。

頗有異曲同工之妙的是，在台灣我有個經營鞋業的親戚，生意做得不小，送我幾雙義大利款式的高級鞋子，看看它的標價和品質，和日本大百貨店陳列的一般無二，我高興地接受了，也為台灣的技術水準感到驕傲。不料，穿久了，一大堆毛病都出現了，愈穿愈不舒服，只有扔了。我這才了解，敝親戚在生產的時候，對看得見和看不見的地方，有不同的要求標準。

長久的接觸與詢問後，我知道這是普遍的現象，台灣的「軟體建設」不如「硬體建設」遠甚。社會上做表面工夫的人太多，沒有大批人安心篤定地做些踏實深遠的工作。經濟活動不考慮人性和人情味，開發商品的唯一目的是賺錢。

反正在登記（check-in）進入旅館之前，客人不可能看到套房裡的浴室；銀貨兩訖之後，義大利鞋的缺點才會暴露出來——有「文化事業」就好了，何必要「產業文化」（econo-culture）！

然而，一個民族的文化，應該能從全民的生活中尋出痕跡，經濟生活沒有理由自外於「文化」，把其中一小部分歸為「文化事業」，以為其他就該「在商言商」，這是多麼粗淺的想法！所以，我極力主張「產業文化」的觀念，希望能供有遠見的企業家參考，也為正面臨經濟轉型的台灣社會，提出一個研究的題目。

日本的設計家有極高的收入，我對國內這方面情形卻並不熟悉，但是，由上述不重視「產業文化」的現象看來，國內設計家不可能有太好的報酬。於是乎，產品不是低估，便是東、西洋化，這教消費大眾怎麼不寧可購買正宗的日貨，怎麼不懷念祖父輩們所用的檀木衣櫥等家具的親切、美觀、實用、耐用。

日本產品之所以能世界披靡，令向來自誇十項全能的美國緊張萬分，自有它的原因，其中「設計」是重要而基本的一環

日本人想把東西傾銷進國際市場，必定先深入了解對象國的社會、歷史、文化背景，然後極力配合。這還不算，他們更以創作藝術品的認真態度，揉合傳統與現代，兼併西方與東方精神，藉時裝、食品、汽車、鋼琴與家具等物品，向世界提出日本式的文化主張，格調和實用性都有了，又何愁銷不出去？

若要問：「創作和抄襲有什麼不同？」

我們可以說：「創作靠博學多聞以及想像力，抄襲只要一支望遠鏡就夠了。」

難怪國際間和我國政府，都在積極呼籲擺脫「仿冒王國」的臭名。

近來國內頗有懷鄉仿古的情緒，這是中外各種歷史因素所造成的。美國數百年前仍是殖民、移民社會，這點令她的人民對自己的歷史文化，具有某種程度的自卑感；台灣長年與大陸隔絕，也有類似的現象。

歷史有時是一種包袱，但是，包袱裡頭又何嘗不可能有寶貝？台灣社會中，過去廉價勞工的有利條件已不存在，朝野人士都了解「經濟升級」乃當務之急，正應該好好引導只停留在皮相層次的「仿古」興致，深入探討我們的傳統，這是建立「產業文化」的先決條件。

我們應該了解中國人對色彩、線條、聲音、時間以及自然、社會的想法，確定自己的立場。不要再閉門造車，甚至搞「一窩蜂」或「牙刷主義」。自省之外，更要廣泛接觸世界各國，藉比較求自我定位，豐富自己的推理及想像力。

過去，我們的思想家和「意見領袖（opinion-leader）」大多偏重於政論，今後應多加提出中華文化的基本主張。年輕人也該發揮熱情及責任感，勇於抗拒社會陋習，有所為，有所不為。

總之，如果能重視「產業文化」，使我們的文化特質注入製造業與服務業等系統中，不但各項成品在品質、格調上都能獨樹一格，企業家更能有自己的一套經營哲學，那麼，商品的附加價值將提高，行政及資源分配也會更有效率，最後，必定能促使生活品質進步。

畢竟，美國和日本的觀念最適合美國人和日本人，我們必須走自己的路。

本文原刊於《日本文摘》第2期，1986年3月，頁115。原總題「美國・日本・台灣」

一樣戰敗，兩樣心態

——論德、日的反省能力

繼篡改歷史教科書的事件後，日本軍事預算超過國民所得總額百分之一，以及靖國神社參拜風波，都成了這幾個月來日本與亞洲諸國關係的熱門話題。

中曾根首相率內閣成員公開參拜靖國神社後，台灣、中國大陸、朝鮮半島與東南亞各國，甚至日本的在野黨和有心人士，都提出了嚴正的抗議。

日本知識界的權威刊物《朝日Journal》，在它1985年12月28日那一期中，便曾以「戰後四十年——領導人的差距」為專題，對同是戰敗的西德與日本兩國之領袖的心態，做了頗耐人尋味的對比。

這個專題的第一篇，是由該週刊記者竹內謙君執筆的〈向歷史學教訓的人士和歪曲歷史的人士〉。竹內所謂「向歷史學教訓的人士」，當然指的是西德〔德國聯邦〕總統魏茲澤克（Richard von Weizsäcker），而「歪曲歷史的人士」，所指的當然是中曾根首相。

在《朝日Journal》的專題中，也刊載了西德總統的戰敗40年演講全文。這篇演講發表於聯邦參議會，內容中洋溢著寬宏、自謙及自省的氣息，勇敢地面對戰爭史實，西德總統並代表全德國人民，向所有受過希特勒納粹政權迫害的人們，表示了誠摯的歉意。

演講時，西德總統的語調沒有一點兒低聲下氣，處處顧及到民族的尊嚴，以富於前瞻性的觀點，透過最高知性的抉擇，去闡述了一種對「明朗的未來」的追求。

這篇演講震驚了歐美知識界，印成文字刊行時，更受到萬千讀者的矚目。

竹內在他的專文中，還特別指責中曾根首相，說首相最近的言論，有不少「愛國」的高調，和希特勒當年表達的政治論調，實有異曲同工之妙。

《朝日Journal》並非無的放矢。猶記得，1950年代後半期到1960年代前半期，日本的輿論界除了一小部分極右派外，一概都稱呼8月15日為「敗戰紀念日」。但是自1970年代初以降，日本成為經濟大國，連帶也恢復了「民族的自信心」，便逐漸把「敗戰」改稱為「終戰」，到今天，反而名正言順地叫起「終戰紀念日」來了。

眾所周知，西德戰敗後的復興及經濟發展，並不遜於日本，然而他們的政界及輿論界，仍不改對5月8日（歐戰終結日）的「敗戰紀念日」稱呼。

不僅如此，西德的政府與民眾，仍一直在肅檢納粹的殘餘分子，也對容許了納粹政權的自我責任，不斷地在反省。當西德編歷史教科書時，還不忘禮邀鄰近有關國家的學界人士，大家力求溝通、建立共識，藉而撰寫出既能共有又能共享的歷史，以期做為後人之殷鑑。

從竹內對日本首相的批判，台灣的讀者們，或能一窺日本言論自由的尺度。在戰後，日本輿論界有時會學學美國，美國把尼克森總統整下台，日本也把田中角榮首相批下台。

可是，近年來的日本朝野，大大改變了它好不容易才建立起來的民主作風，有心人士逐漸地三緘其口，偶爾有人開口批判，對象也都屬枝微末節，很少針對結構性或策略性的關鍵問題下手。

當然，局勢的變遷過於迅速，知識分子的步伐趕不上時代是個重大原因。活躍於1950和1960年代的論壇旗手，逐漸從公論的舞台退隱，無力感正在知識界蔓延，日本朝野的右傾保守分子，便隨而躍躍欲試。

台灣的讀者們，或許只看見日本表面上的言論自由，但實際上日本的言論自由和歐美的言論自由，無論實質上或形式上，都仍有差異。

例如說，日本大報很少看到由個人署名的政論文章，文責多由大報自負。日本知識分子基於「集團主義」的基本性格，至今也仍不習慣以個人負文責的「獨行俠」姿態，來發揮言論自由。因為「匿名」和「集團」的掩護，日本知識分子有流於安逸之勢，對於獨立批判能力的培養及自我負責心態的育成，頗有不良影響。

竹內的文章，一方面攻擊了中曾根首相，另一方面也間接表示日本人不如西德人，並慨歎日本知識界迷失了方向，頗值得吾人注意。

今天的台灣，既不缺「親日派」，亦不乏「反日派」，但真正「知日」者卻少之又少。如果我們的知日水平能夠更上層樓，對於奠定中日現代關係史的基礎，必有莫大助益。

人類的歷史告訴我們，任何高深的知識與技術，都不能保證某個人種、民族及國家一定向前永恆地發展，革新思想和精神的墮落，往往是一個強國生命力衰微的先兆。

經濟大國日本的何去何從，關係到中國人之處頗多，我們將如何適從和因應，很值得詳細探討。

（本文係整理自戴國煇原稿〈靖國神社官方參拜事件的啟示〉）

本文原刊於《日本文摘》第3期，1986年4月，頁46～47。原總題「美國・日本・台灣」

日本第一的文化社會現象

美國哈佛大學社會學教授傅高義的著作*Japan As Number One: Lessons for America*，在台灣中文版譯名為「日本第一」。

這一本由哈佛大學出版部出版，本來只是為美國人提供些警示或教訓的「研究日本的著作」，據傳在中國大陸和香港也都有中文譯本。我因為長年在東京的關係，迄今一直都沒有機會直接看到任何一種中譯本。

1981年8月17日，我與傅教授在東京一起受邀參加一本日本雜誌主辦的鼎談會。鼎談會用餐時，他問我：「戴桑！我有沒有送你我的著作？」我說：「不曾收到。」他說：「那太對不起了。」話一說完，他已從大皮包中取出一本英文原著署名遞給我。

我與傅雖自1950年代末期就碰過面，還有過數次機會日本雜誌登場對談過。但我只能稱他為老相識，卻不敢冒昧地稱呼他為老朋友。

我們之間，在語言上並沒有太多的隔閡，中、日文他都能說，碰上困難處，亦可把他的英文母語派上用場，以口讀或筆談來和我溝通。他雖然屬於德國系的猶太裔，卻習慣用日本話叫我戴桑。

我問：「佛格爾（Vogel）桑，你的書在日本銷得不錯，在美國如何呢？」他似答不答地輕聲說：「還好！」

我繼續追問：「你真懂得日本人！尤其是日本新中產階級人士的心理！還取書名As Number One，卻不取Is Number One。」

「哈！」他笑而不語。

其實我們兩人彼此心裡都有數。在他未成名前的1958至1960年時期，他住在東京郊外社區，做過日本家族的訪問調查研究。他的日文是在這段時間學好的，對日本人的心理特性有些心得。1963年，他寫過一本書《日本的新中產階級》（*Japan's New Middle Class*），由加州大學柏克萊分校出版部發行。

至於《日本第一》這本書，日譯版的出版社名為TBSブリタニカ，係日美（英）合作的新秀出版公司。日譯本與原著差不多同時在日本發行，這種例子在日本其實並不多，而有關「內情」的傳聞又不少。但不管如何，日譯本在1979年6月1日初版後的50天內，便銷至20萬本。迄1985年3月5日止，已再版44次。據估計，銷售總量已達60萬本以上。即使就出版大國的日本來說，這種銷量仍算得上是相當驚人的數字。

1983年3月底，筆者到加大柏克萊分校訪問一年，有機會碰到一些研究日本問題的美國學者。我便向他們問起有關傅著在美國的評價如何。多數的人差不多都會說並不怎麼樣，倒是他們會反問：「這本書為美國人而寫，但美國人並不怎麼買它，評價也不高，為何日本人反而買得那樣起勁？再者，書名只是「日本好似第一」或「當為第一」（As Number One），並沒有明示確係第一（Is Number One）。難道日本人的英文那麼差嗎？」這話聽起來有些酸葡萄，但話中卻有不少啟示。

暢銷書之所以暢銷，自當有它複雜的背景和因素。但傅著日譯本在日本的暢銷算得上「異數」，因此可當作一種文化社會現象來觀察與分析。

眾人皆知，日本人的性向，一般而言，較內向而富集團色彩。他們從明治維新以來所抱有的崇洋、崇白人的習氣仍然存在。哈佛的白人教授，既然誇起我人（日本人）為第一，不管它是「好似、當為或真是」第一，這可真不壞呀！「美麗的誤解」瀰漫了日本社會，尤其是新中產階級的讀書界。他們付出大約四杯多一點的咖啡代價購進一本，便可藉而自我陶醉一番。

1970年代後期，正是日本經濟國際化大邁進的時期。日本社會與日本人愈走向國際化（其實是不得已走上）的道路，「內向」的日本人反而愈覺得孤單和對前途不安。他們一直左顧右盼，怕別人指摘，尤其怕白系洋人的批評。

As Number One的As正恰到好處地搔著日本人的心坎兒。As若換做Is的話，很可能日本讀者不信，很可能叫一聲「哪有可能？」而不買它。但As倒可讓日本讀者做些「聯想」與「誤解」，因為這個單字實在是好一個含糊其辭的單字。

充滿中流意識的日本新中產階級，雙手攤開，歡迎傅著，並藉而挺起了胸、抬高了頭的，可真不少。因此，有心的日本學者評論傅著，反說它「是完全灌迷湯的惡書。我們擔心大眾上了當，走上驕傲自滿的道路，毀了我們自己的前途。其實，傅君的明治維新觀缺少了坂本龍馬、高杉晉作一類人物的觀點。至於他集中地讚美日本財閥型的大企業，並不公正。事實上，推動戰後日本經濟奇蹟的導演企業家和企業，另大有人在，他們並不屬於傳統的、定型的企業或人物。他應該多給松下、本田等後起之秀有更恰當的評價才對……」。

日本有心朋友的評論，甚多地方值得我們參考。

站在過去吃過日本人苦頭的鄰人立場而言，我們不願意見到，只知自我稱讚而逐漸忘卻自我批判、自我反省的日本鄰人再一次的出現。我們並不反對，也不應該反對日本民族的發展與進步，但我們卻須強有力地反對日本軍國主義的復活。「給美國人的教訓」的書不在美國暢銷，反而在日本暢銷，這種現象令我興起吉少凶多的聯想。「日本第一」的譯名，雖然是起於國人出版商的生意經，我卻深懼它會誤導一些國內青年讀者的觀念。我們千萬不能忘記，傅著只是一本我們可以借鑑為「學人之長、補己之短」的普通書籍而已，我們萬萬不能把它當作理解日本的聖經看待。

本文原刊於《日本文摘》第5期，1986年6月，頁88～89。原總題「美國・日本・台灣」

自文化、社會現象評析日本大選

一場連日本首相中曾根康弘都不曾料到的選舉大勝，連日來震盪著自民黨的內部。不過，這波衝擊，已隨新內閣的組成，漸趨平靜。大勝連帶地搖撼了友黨「新自由俱樂部」，逼其解體，準備歸隊於自民黨。眾議院議席隨將增為311席，一黨獨大之勢遂有更大的進展。

但大選結果卻帶給在野黨，特別是社會黨，日見嚴重的衝擊，第一個信號已由國鐵（國營鐵路）屬下曾被激進派掌握的工會「動勞」（國鐵動力車勞動組合，組織成員數約31,800人）在7月18日發出，「動勞」不單宣稱退出日本最大的工會聯合組織「總評」（日本勞動組合總評議會），還向過去攜手奮鬥過的姊妹工會「國勞」（國鐵勞動組合，成員數為16萬人）宣戰，並盡其能事開始挖牆角，朝「御用工會」化邁進。

「總評」一直是社會黨的大票庫，也是最大的支持團體。沒有「總評」的大力支持，社會黨是不可能成為第二大黨，也就是最大的在野黨的。而「總評」與自民黨對抗，最重要且有力的「籌碼」正是「國勞」和「動勞」。「動勞」的脫離固屬確實，「國勞」亦被迫面臨總解體的邊緣。「國鐵」的開放民營，及合理化經營是自民黨政治多年來所努力以赴的課題。但一直受到社會黨在國會，「國勞」和「動勞」在勞動運動場上的反對和抵制而無法實現。

自民黨大勝的政局顯示，只有86議席的社會黨在今秋的「審議國鐵改革之國會」，已無足夠的能力來配合「國勞」及「總評」運用有效的談判或周旋籌碼。

「國鐵」的開放民營、合理化課題，固然具有其經濟性格的必然背景，但也不能否認內在含有相當複雜的政治色彩。由於其規模碩大，「國鐵」有秩序的變革，當然不可簡單化，只以某個體企業企圖改善經營體質一類的事件來對待。

大選之議席數的增減若是只屬於一時性的民意反映，當然可以不必特別重視。但只要深入觀察比較最近幾年日本社會經濟結構的變化，並將之反映於政局表象，加以比對，則不能不承認事態不簡單。

第一次石油危機（1973年10月）早給所謂「五五年體制」（自1955年來，日本政局基本上處於自民黨與社會黨兩大黨分庭抗禮的一種架構）開始有浮動化的傾向。單就政黨支持率而言，此現象已夠明顯。1955至1980年間，民眾的自民黨支持率只在40％上下；但一跨進了1980年，則逐漸升高達50％以上，特別是1983年大選以來，一直高達58％至59％之間。

石油危機以前，自民黨與社會黨的支持者的社會性格是壁壘分明的。熱烈支持自民黨的多屬於農漁民、自由業者、小商人和中小企業有關人員。而所謂勞動階級以及一般薪水階級者多數依舊傾向於社會黨。

但近十年來，這個「分界線」已被打破，不管其行業以及階層逐漸有倒向支持自民黨的趨勢。特別是大都市藍領以及白領階級的浮動現象，更是驚人。

更值得留意的是，新生代的動向。他們對自民黨雖然還未抱有非常的好感，但已不像「五五年體制」架構初期到中期的一般青年（大學生和30歲以下的年齡層者），處處表現出年輕人特有的「反叛」、不滿及抗議行動。他們已轉進為追求經濟至上主義者，為時尚和物質享受而漂泊。

所謂「五五年體制」的社會經濟基礎，基本上已動搖、變化。這一種變動，在文化各層面其實早已明朗。大學校園已不再是學生運動的戰場，大學生普遍不買書、不看書，他們忙著打工賺錢，熱中於遊山玩水、音樂和體育一類活動，甚至越洋旅遊已成為風尚。

傳統的硬派政論雜誌如《世界》、《中央公論》發行量大幅下降。多家純文學以及思想、哲學的有關雜誌也面臨關門困境。填補其空隙者卻是漫畫和黃色或軟派雜誌。硬派學術權威出版社除了筑摩書房鬧出倒閉劇（現已重建），平凡社售出美輪大廈而試圖「減肥」經營外，頻頻傳出如中央公論社等權威出版社的經營危機。

就在同一時期，日本等於經濟大國的形象，滲透並擴散到日本社會每個角落。「中產階級意識」隨即瀰漫於日本人的腦海。原只具有期許意義，「日本當為第一」的印象，被富麗堂皇地誤解為「日本第一」（哈佛大學教授傅高義為美國人而寫的書，富有「中產階級意識」的60萬日本人遂成為其善意的讀者群。據美國朋友說，此書在美國既沒有受到重視也不曾排上暢銷排行榜，倒在日本大受歡迎，這類狀況當然值得探討）。

類似的狀況或暗潮，有人解釋為「生活保守主義」的興起或一種反映。如此評論實太簡化了問題。

事實上，石油危機以後，日本在經濟基礎上已轉入典型已開發國家低度成長的「平台期」，雖然在貿易戰場上累積了不少戰果，但與他國，尤其是美國的貿易、經濟摩擦卻隨外匯累積而升高。這些外來壓力使領導社會的「中產階級」對未來有了「不確定感」，在看不透前程的心情下，內心世界難免起伏著「末世」的夢魘。

庶民大眾的心態卻有異，他們得知了自己國家的經濟成就，受到全世界的肯定和羨慕時，隨即興起一種傲慢之氣。並充分表現出想重溫藐視亞非第三世界國家舊夢的「欲望」。

一般壯年以上的日本人則始終生活在欲彌補因戰敗所受的卑屈感或傷痕的補償心理情境中。日本的一般老百姓，在「意識形態」上或可斷言，已復古並漸趨保守化。但在生活方式和生活需求上，他們卻不保守，反而充滿著追求「變」、「新」以及多元化的「個性」。因而不難認知此一「生活進取多元主義」，意圖回復「固有的民族尊嚴」的暗潮繼續在其間「發酵」。「靖國神社問題」、「教科書問題」不過是這一暗潮顯現的小斑點而已。

戰敗以來，日本不曾有過以首相或黨魁個人形象來爭取選票的現象。這次可算是一種「突破」。

不管其用心所在或有無具體成果，中曾根當權以來，他一直主張對戰後體制算總帳，他常言及「變」和「改革」是眾人皆知的事。例如「教育改革」、「行政・財政改革」、「國鐵改革」、「國際化」（給人有對國際關係改革的印象）等，不一而足。

有此氣氛持續培養、膨脹下，他高大的外表和英語會話能力，都成為被選民看好的特長。中曾根首相所持有復古的傾向，「偉大日本」的建立等等的主張已形成「強人總理」的形象。他的口才和電視上的演出，以及善與美國總統雷根（R. W. Reagan）周旋等作為，對加強強人的個人形象頗有幫助。

反觀社會黨，他們早自「革新」退縮到「守成」，使甚多從前的支持者認為社會黨已無「新鮮味」。特別是為了因應短期的困境，還標榜出既缺乏理念又無具體內容的「新社會黨」，本無可能掌權的在野黨，又卸下反對者的理想，選民當然難以找出其值得信賴的焦點，疏離成了不可避免的後果。

「五五年體制」的架構，反對者雖不可能得到移轉政權的機會。但在議會民主的運作之下，社會黨確曾扮演過正面的制衡角色。

但這一次大選的變局後，這種原屬在野黨分內的「制衡功能」，恐怕得依靠自民黨「內部民主」，由黨內開明人士或派閥來承擔了。

具有濃厚復古，並有意藉著總結戰後40年來興建「偉大日本國」的強人首相新局面，將很可能形成日本式一黨獨大、專橫的政局。

文部大臣藤尾氏最近對有關教科書問題的失言也可當為一種警兆來留意。

從這個角度解剖日本政治新變局，關心此事的中國人，恐怕不宜太早下斷言，將自民黨的大勝視為「昇平之治」的徵兆；採取更審慎的思考，密切注意往後每一動向，並評估這些動作對亞洲國家可能帶來的正、負影響，才是健康的態度。

本文原刊於《民眾日報》，1986年8月25日，2版

譯者簡介

李毓昭

1961年生。中興大學社會學系畢業。曾任出版社編輯，現爲專職譯者。
譯有：《銀河鐵道之夜》（晨星）、《顏面考》（晨星）、《霍去病》（實學社）等。

林彩美

1933年生。中興大學農經系畢業，日本東京大學農經系博士課程修畢。旅日長達40年，中華料理研究家，曾主持梅苑中華料理研究室（日本）二十餘年。致力於梅苑書庫的保存與研究，長期投入《戴國煇全集》的編譯工作。
著有：《中菜健康瘦身法》（文經社）、《新灶腳的健康料理》（文經社）等；主編：《戴國煇文集》；策劃：《戴國煇全集》等。

陳鵬仁

1930年生。美國西東大學文學碩士、東京大學國際關係學博士。曾任東吳大學日本文化研究所兼任客座教授、日本拓殖大學客座教授、中國國民黨中央史委員會主任委員、東京大學客座研究員等，現任文化大學日文系教授、武漢大學客座教授。
編譯著有：《被遺忘的戰爭責任》（致良）、《日本近現代史》（空中大學）、《萬葉集與六朝詩——悲哀與唯美之起源》（致良）、《近百年來中日關係》（水牛）等一百七十餘本。

喬軍

1974年生。日本橫濱國立大學教育學研究科碩士。留學期間積極參加各類翻譯活動。多次義務負責日本歸國及華僑子女的翻譯、輔導工作。曾擔任日本共同社短期新聞翻譯，現爲自由翻譯者。

劉俊南

1930年生。日本中央大學經濟系畢業。曾任中國通信社總編輯，現爲日本中國語翻譯社董事長。譯有：《周恩來傳》（上下，岩波書店）、《周恩來與我》（NHK）、《毛澤東側近回想錄》（新潮社）。

劉淑如

1970年生。淡江大學日文系畢業，日本北海道大學文學研究所博士。研究領域爲日治時期台灣文學、日本近代文學，現任南台科技大學應用日語系助理教授。譯有：《夢境366天——現代解夢手記》（遠流）、《透析企業價值組合策略》（遠流）；〈動畫／動作／物語〉等。

劉靈均

1985年生。現爲台灣大學日文所碩士生，專攻日本殖民地時期詩歌，並任中國文化大學推廣教育部、台北市立成淵高中等兼任講師，兼職日語口譯及筆譯工作。譯有：《第九屆亞洲兒童文學大會論文集日文版》（共譯，台東大學）、《歐洲統合史》（共譯，五南）。

蔣智揚

1942年生。台灣大學外文系畢業，美國西海岸大學電腦學碩士。曾任職大同公司，現專業翻譯。譯有：《不老——新世紀銀髮生活智慧》（遠流），《閒話中國人》（馥林）等。

（以上依姓氏筆畫序）

日文審校者・校訂者簡介

◆ 日文審校

于乃明

1953年生。東吳大學東方語文學系畢業，日本筑波大學歷史、人類研究科博士課程修畢，同大學社會科學系法學博士。曾任政治大學日文系系主任、外文中心主任，現爲政治大學土耳其語文學系代理系主任、外語學院院長。研究專長爲日本歷史、日本近代史、中日外交史。

著有：《小田切萬壽之助的研究——明治、大正時期中日關係史的一面》、《現代日文》等；〈中日韓歷史、文化名詞的譯與不譯〉、〈翻譯與跨文化研究——以《蹇蹇錄》中文譯文爲例〉、〈中日関係史の一側面——近刊盛承洪『盛宣懷と日本』の新史料を中心に（1908.9.2～1908.11.25）〉、〈歷史經驗與文化衝突——談日本首相參拜靖國神社〉等。

吳文星

1948年生。台灣師範大學歷史研究所博士。曾任美國哈佛大學及史丹佛大學訪問學人，東京大學、京都大學等校外國人客員研究員及招聘外國人學者，歷任台灣師範大學進修部教務主任、歷史學系主任、文學院長，現爲台灣師範大學歷史學系教授、台灣教育史研究會會長。研究專長爲台灣近現代史、中日關係史。

著有：《日據時期在台「華僑」研究》、《日治時期台灣的社會領導階層》、《台灣史》等；〈東京帝國大學與台灣「學術探檢」之展開〉、〈札幌農學校と台灣近代農學の展開——台灣總督府農事試驗場を中心として——〉、〈京都帝國大學與台灣舊慣調查〉等論文一百餘篇。

林水福

1953年生。日本東北大學文學博士。曾任輔仁大學外語學院院長、日文系主任、所長；高雄第一科技大學副校長、外語學院院長；興國管理學院講座教授；東北大學客座研究員等，現爲台北駐日經濟文化代表處台北文化中心主任。專攻平安朝文學、近現代文學，兼及台灣文學、翻譯學。

著有：《他山之石》、《現代日本文學掃描》、《源氏物語的女性》等；譯有：遠藤周作《影子》、《沉默》等；谷崎潤一郎《夢浮橋》、《細雪》等。並於《文訊》雜誌開設東京見聞錄，《聯副》開設東京文化現場專欄。

林彩美

（簡介略，見前述）

張隆志

1962年生。台灣大學歷史系碩士，美國哈佛大學歷史與東亞語言研究所博士。現爲中央研究院台灣史研究所副研究員。研究專長爲台灣社會文化史、平埔族群史、比較殖民史、台灣史學史及方法論。

著有：《族群關係與鄉村台灣：一個清代台灣平埔族群史的重建和理解》；《坐擁書城：賴永祥先生訪問紀錄》（合著）、《曹永和院士訪問紀錄》（合著）；〈殖民現代性分析與台灣近代史研究〉、〈殖民接觸與文化轉譯：一八七四年台灣「番地」主權論爭的再思考〉與“Re-imagining Histories from Different Shores”等中英日文學術論文多篇。

（以上依姓氏筆畫序）

◆ 校訂

吳春宜

1950年生。輔仁大學東方語文學系畢業，日本京都大學法學博士。現爲高雄第一科技大學應日系副教授。專研日本語文、國際政治經濟。

著有：《馬英九政権の台湾と東アジア》（合著，東京：早稲田）、《冷戰後の日中台安保關係の研究：台湾海峡の帰趨を巡つて》（台北：鴻儒堂）、《台湾の対日中両国の政治経済関係——その近現代の構造的変動を中心として——》（台北：致良出版社）等。

戴國煇全集 13

【日本與亞洲卷一】

著　作　人　戴國煇
策劃／總校　林彩美

編輯製作　財團法人台灣文學發展基金會
10048台北市中山南路11號6樓
02-2343-3142
編輯委員　王曉波　吳文星　張錦郎　張隆志
陳淑美　劉序楓（依姓氏筆畫序）
主　　編　封德屏
執行編輯　江侑蓮　王為萱
美術設計　不倒翁視覺創意

出　　版　文訊雜誌社
發　行　人　王榮文
發　行　所　遠流出版事業股份有限公司
10084台北市中正區南昌路二段81號6樓
（02）2392-6899
http：//www.ylib.com

排　　版　浩瀚電腦排版股份有限公司
印　　刷　松霖彩色印刷事業有限公司
初　　版　民國100年（2011）4月
定　　價　全27冊（不分售）精裝新台幣16,000元整
ISBN　978-986-87023-7-0（全集13：精裝）
978-986-85850-4-1（全套：精裝）

國家圖書館出版品預行編目（CIP）資料

戴國煇全集．13-14，日本與亞洲卷／戴國煇著．
－－ 初版．－－ 台北市：文訊雜誌社出版；遠流
發行，2011.04
冊；　公分
ISBN　978-986-87023-7-0（第1冊：精裝）．－－
ISBN　978-986-87023-8-7（第2冊：精裝）

1. 史學　2. 文集

607　　100001710